Argraffiad Cyntaf: 2004
Ⓑ Geraint Thomas a'r Lolfa Cyf., 2004

Llun y clawr: Robat Gruffudd
Cynllun y clawr: Adran Ddylunio'r Lolfa

Rhif Llyfr Rhyngwladol: 0 86243 737 7

Cyhoeddwyd, argraffwyd a rhwymwyd yng Ngymru
gan Y Lolfa Cyf., Talybont Ceredigion SY24 5AP
ebost ylolfa@ylolfa.com
gwefan www.ylolfa.com
ffôn (01970) 832 304
ffacs 832 782

Gwasanaethau Ysgol

Rhaglen o wasnaethau fesul mis
ar gyfer ysgolion cynradd, uwchradd
ac ysgolion Sul

Geraint Thomas

ylLolfa

Cyflwynaf y gyfrol hon i Margaret a Huw
am gynhaliaeth a chymorth di-ben-draw i'm cadw rhag rhoi'r ffidl
yn y to ar adegau gwan.

CYNNWYS

Medi	9
Hydref	27
Tachwedd	47
Rhagfyr	65
Ionawr	87
Chwefror	107
Mawrth	129
Ebrill	151
Mai	173
Mehefin	193
Gorffennaf	215

CYFLWYNIAD

Pleser yw cael cyflwyno'r gyfrol *Gwasanaethau Ysgol* i sylw prifathrawon ac athrawon ysgolion cynradd ac uwchradd yn ogystal ag athrawon ysgolion Sul. Dros gyfnod o bron 30 mlynedd fel prifathro ysgolion cynradd cefais y fraint a'r mwynhad o gyflwyno gwasanaethau'n rheolaidd i nifer sylweddol o blant. Yr hyn a geir yn y llyfr yw casgliad o straeon a hanesion y deuthum ar eu traws mewn llu o wahanol ffynonellau wedi eu haddasu at fy nibenion fy hun. Maent wedi eu trefnu mewn misoedd ac mae llawer ohonynt yn ymwneud â dyddiadau penodol

Dewiswyd yr holl emynau o'r cyfrolau *Clap a Chân* a *Mwy o Glap a Chân*, hyn yn syml o ran hwylustod. Rwy'n ymwybodol bod toreth o emynau addas a hynod ganadwy ar gael mewn nifer o gasgliadau eraill. Defnyddiwch nhw ar bob cyfrif.

Diolch i Wasg y Lolfa – yn arbennig i Lefi am roi i mi'r ysgogiad ac i Nia Royles ac Alun Jones am eu hynawsedd a'u hamynedd wrth olygu'r gwaith.

Diolch i blant a staff ysgolion Myfenydd Llanrhystud, Talybont a Llwyn yr Eos Penparcau am eu hamynedd wrth wrando ar y gwasanaethau – rhai ohonynt yn ail ymddangos yn reit aml!

Ganwyd Geraint yng Nghorris, ond symudodd yn ifanc gyda'r teulu i Ystalyfera. Cafodd ei addysg gynradd yn Ysgol y Wern ac yna yn Ysgol Ramadeg Ystalyfera. Dilynodd brif gwrs Uchaf Cymraeg a Drama yng Ngholeg y Drindod Caerfyrddin. Wedi cyfnodau o ddysgu yn ysgolion cynradd Aberdyfi a Phenparcau, fe'i penodwyd yn brifathro Ysgol Myfenydd, Llanrhystud yn 1974. Penodwyd ef yn brifathro Ysgol Talybont yn 1978 ac yn brifathro Llwyn yr Eos yn 1989, lle y bu tan ei ymddeoliad yn 2003.

Bu'n weithgar gyda'r Urdd dros y blynyddoedd gan hyfforddi corau a phartïon yn llwyddiannus mewn Eisteddfodau Cenedlaethol. Mae canu, cerddoriaeth drama a chwaraeon yn ogystal â byd Addysg yn rhan bwysig o'i fywyd. Dyma'r gyfrol gyntaf iddo ei chyhoeddi.

Y BEIBL CYS-
SEGR-LAN. SEF
YR HEN DESTA-
MENT, A'R NEWYDD.

2. Timoth. 3. 14, 15.

Eithr aros di yn y pethau a ddyscaist, ac a ymddyried-
wydi ti, gan wybod gan bwy y dyscaist.
Ac i ti er yn faehgen wybod yr scrythur lân, yr hon
sydd abl i'th wneuthur yn ddoeth i iechydwria-
eth, trwy'r ffydd yr hon sydd yng-Hrist Iesu.

Imprinted at London by the Deputies of
CHRISTOPHER BARKER,
Printer to the Queenes most excel-
lent Maiestie.

1588.

THEMA – NEWID

Mae'n well gennyn ni i bethau aros fel ag y maen nhw; does neb yn hoffi newid. Eto, daw bob dydd â rhyw newid, newid dillad, newid yn y tywydd, newid ystafelloedd dosbarth. Gall dechrau mewn dosbarth newydd neu ysgol newydd fod yn brofiad anodd. Sut byddech chi'n helpu rhywun mewn sefyllfa felly?

Mae'n ddechrau blwyddyn ysgol a thymor newydd heddiw. Tybed oes rhai ohonoch chi'n teimlo y bore ma fel Gareth yn y stori?

 MAE'R INC YN DDU (CLAP A CHÂN RHIF 54)

 LUC 5 : 27 – 32

STORI

A dweud y gwir roedd Gareth yn teimlo'n ddiflas, a dweud y gwir, yn ddiflas iawn. Syndod o beth oedd i fachgen deg oed fod yn ddiflas ynghanol mis Awst a hithau'n wyliau haf. Ond doedd y gwyliau eleni ddim yr un peth. Roedd Gareth a'r teulu wedi symud o Gaernarfon i fyw yn ymyl Abertawe ac roedd yr ysgol ar fin agor ar ôl y gwyliau.

Ysgol newydd, dosbarth newydd, athrawes newydd, plant newydd, popeth yn newydd. Doedd Gareth ddim yn eu deall nhw'n siarad hyd yn oed, er mai Cymraeg oedd iaith y plant o gwmpas ei gartre newydd.

Yn ei ysgol newydd, teimlai Gareth yn oer a diflas er i Mrs Huws yr athrawes wneud ei gorau i'w helpu. Rhoddodd Gareth i eistedd gyda'r grŵp mwya cyfeillgar gan ofyn i bawb geisio'i helpu i ymgartrefu yn y dosbarth. Ond roedd pawb fel petaen nhw'n rhy brysur gyda'u gwaith a'u ffrindiau i roi sylw iddo. Yn wir i chi, roedd y plant eraill ar yr un bwrdd â Gareth wrthi'n gweithio fel lladd nadredd drwy'r amser ond pan geisiai Gareth gael gweld beth roedden nhw'n wneud byddai rhywun yn siŵr o'i rwystro. Roedd e'n teimlo fel petai'r gwahanglwyf arno.

Aeth y dyddiau heibio'n boenus o ara. Diolch byth fe ddaeth dydd Gwener a chyfle i ddianc am ddau ddiwrnod cyfan. Diolch byth! Pan aeth Gareth i mewn i'r dosbarth ar y bore dydd Gwener hwnnw teimlai fod yna rhyw newid yn yr awyrgylch. Cafodd y teimlad fod pawb yn disgwyl am rywbeth.

"Ydy e'n barod nawr, Owen?" holodd Mrs Huws yr athrawes.

"Ydy, Mrs Huws," oedd yr ateb gan blant bwrdd Gareth.

"Dewch i ni gael ei weld e," oedd ei hateb.

Cariodd dau blentyn rolyn mawr o bapur allan i du blaen y dosbarth. Sylwodd Gareth mai dyna beth roedd y plant wedi bod yn ei baratoi drwy'r wythnos, ac na chafodd e gyfle ganddyn nhw i roi help llaw, er ei fod yn beintiwr eitha da.

"Nawr te, agorwch e," meddai Mrs Huws wedyn.

Agorodd dau ohonyn nhw'r rholyn yn ara a dechreuodd gweddill y dosbarth glapio. Wrth iddyn nhw agor y rholyn teimlai Gareth ddagrau yn ei lygaid a'i stumog yn tynhau. Roedd y rholyn yn ymestyn ar draws blaen y dosbarth ac arno mewn llythrennau bras y geiriau CROESO GARETH. Roedd enwau pob un o blant y dosbarth wedi eu hychwanegu hefyd.

Deallodd Gareth nawr pam...ond beth gallai e ddweud...

 ## OS WYT TI'N HAPUS (CLAP A CHÂN RHIF 58)

Diolch i Ti, O Dad am gael cyfle i ddod i'r ysgol heddiw ar ddechrau blwyddyn a thymor newydd. Helpa ni eleni eto. Bydd gyda ni wrth i ni weithio yn y dosbarth ac wrth i ni chwarae.

Bydd gyda phawb heddiw sy'n teimlo'n ofnus ac yn poeni am y flwyddyn newydd sydd yn ein hwynebu.

Bendithia hefyd ein hathrawon a helpa nhw i'n harwain ni wrth wneud tasgau anodd. Diolch i Ti am fod fel bugail yn ein tywys a'n harwain bob amser. Er mwyn Iesu Grist. Amen.

GWAITH TRAWSGWRICWLAIDD

- Rhestrwch y pethau sydd wedi newid ers y tymor diwetha.
- Meddyliwch am bethau sy'n newid yn gyson, e.e. tymhorau, goleuadau traffig. Dewiswch un a thynnwch lun o'r hyn sy'n newid.
- Fedrwch chi feddwl pa fywydau a newidiwyd gan Iesu Grist? Meddyliwch am y deg gwahanglwyf (mae eu hanes yn Luc) ac am Mair Magdalene.
- Mae bywyd i'r rhan fwya ohonon ni'n broses o ddod i arfer â phethau gwahanol, pethau nad oedden ni'n eu disgwyl. Trafodwch hyn mewn grŵp.

MIS MEDI – RHIF 2
TÂN MAWR LLUNDAIN

THEMA – POBL SY'N HELPU

Ydych chi wedi meddwl am yr holl bobl rydyn ni'n dibynnu cymaint arnyn nhw? Byddai'n werth i chi wneud rhestr. Dyma ddau i gychwyn: nyrsys a dynion tân.

 MAE'R INC YN DDU (CLAP A CHÂN RHIF 54)

 MATHEW 9 : 35 – 38

HANES TÂN MAWR LLUNDAIN

Am un o'r gloch, ar fore dydd Sul, Medi'r 2il, 1666, cafodd y bobl oedd yn byw ger Pont Llundain eu deffro gan arogl coed yn llosgi a lleisiau pobl yn gweiddi'n afreolus. Roedden nhw'n ceisio eu gorau glas i ddiffodd fflamau'r tân a gychwynnodd yn siop Thomas Farynor, pobydd i'r Brenin Siarl yr ail, yn Pudding Lane. Y tebygrwydd yw i Thomas Farynor anghofio diffodd un o'r pum tân a oedd yn cael eu cynnau yn y bacws i bobi bara. Llwyddodd e, ei wraig, a'i ferch ddianc drwy'r to ac yna ffoi ar draws toeon y tai eraill. Roedd ar y forwyn ormod o ofn mentro dringo ar y to ac yn anffodus hi oedd y cynta i golli ei bywyd yn y tân.

Tasgodd gwreichion o'r bacws a disgyn ar lwyth o wellt yn iard Y Star Inn. Aeth y lle'n wenfflam a lledaenodd y fflamau a doedd dim posibl wedyn ei reoli. Yn fuan cafodd Eglwys Santes Margaret a oedd gerllaw ei llosgi. Erbyn y bore, roedd dros dri chant o dai wedi'u llosgi'n ulw a'r tân wedi lledu hanner ffordd ar draws Pont Llundain. Roedd y strydoedd yn ferw o bobl yn ceisio achub cymaint o'u heiddo â phosib rhag y fflamau. Taflodd eraill eu heiddo i mewn i gychod, gan rwyfo am eu bywydau ar draws y Tafwys.

Methiant llwyr fu pob ymdrech i ddiffodd y tân. Roedd ceisio diffodd y fflamau drwy daflu bwcedi o ddŵr arno yn gwbl aneffeithiol ac fe ledaenodd yn gyflym ar hyd y strydoedd cul a thrwy'r tai pren. Ceisiwyd dymchwel rhai tai cyn i'r fflamau eu cyrraedd. Byddai hyn wedi creu bwlch i atal y tân rhag lledaenu, ond ofer fu pob ymgais. Roedd y gwyntoedd cryfion fel megin yn chwythu'r fflamau. Roedd cerrig Eglwys Gadeiriol Sant Paul hyd yn oed yn ffrwydro yn y gwres tanbaid, y plwm ar y to yn toddi yn y gwres ac yn llifo fel nant i lawr y strydoedd. Wedi tri diwrnod o losgi di-baid, rhoddodd y brenin ganiatâd i'r fyddin ddefnyddio powdwr du i ddinistrio nifer helaeth o dai er mwyn creu digon o fwlch fel na allai'r tân ledaenu ymhellach.

Erbyn i dân mawr Llundain ddiffodd yn llwyr roedd 13,200 o dai ac wyth deg naw o eglwysi, gan gynnwys hen Eglwys Gadeiriol Sant Paul, wedi eu dinistrio. Yn dilyn y trychineb roedd pobl yn awyddus sicrhau na fyddai'r fath ddistryw yn digwydd eto. Adeiladwyd tai newydd o gerrig a brics, yn lle coed, a gwella dulliau ymladd tân. Yn ddiweddarach roedd peiriannau tân gydag offer pwrpasol i ymladd y tanau.

Y pensaer a fu'n benna gyfrifol am ail gynllunio ac adeiladu Llundain o'r newydd oedd Sir Christopher Wren ac ef a fu'n gyfrifol am ail adeiladu pedwar deg naw o eglwysi. Rydyn ni'n dal i gofio ei enw am mai ef fu'n gyfrifol am gynllunio ac ail adeiladu Eglwys Gadeiriol Sant Paul sy'n sefyll hyd heddiw.

Erbyn heddiw mae'r frigâd dân yn achub miloedd o fywydau bob blwyddyn ac yn llwyddo i ddiffodd tanau mawrion yn effeithiol.

Diolch Dduw i Ti (Mwy o Glap a Chân 19)

Ein Tad, rydyn ni'n gweddio heddiw dros y bobl sydd yn ein helpu. Rydyn ni'n meddwl yn arbennig am y dynion tân, y doctoriaid, y nyrsys a'r heddlu. Bydd gyda nhw yn eu gwaith. Bendithia eu gwaith.

Helpa ni ddeall ein bod ni hefyd yn gallu helpu. Mae gwneud cymwynas, gwên a gair caredig yn gallu bod o help i eraill. Ac nid er ein mwyn ein hunan rydyn ni'n gwneud hyn ond er mwyn Iesu Grist a ddaeth i'n byd i ddangos bod hyn i gyd yn rhan o waith Duw.
Amen

Gwaith Trawsgwricwlaidd

- Fel pe baech yn ysgrifennu dyddiadur Thomas Farynor, dywedwch sut y dechreuodd Tân Mawr Llundain drwy ei lygaid e.
- Tynnwch lun y fflamau'n dinistrio Llundain.
- Trafodwch yn eich grwpiau pa effeithiau gafodd Tân Mawr Llundain ar y ddinas a'r bobl.
- Ceisiwch olrhain hanes y Frigâd Dân.
- Ewch ar ymweliad i'r Orsaf Dân leol. Lluniwch gwestiynau er mwyn gallu holi'r dynion tân.

MIS MEDI – RHIF 3
ESGOB WILLIAM MORGAN

THEMA – CYFIEITHU'R BEIBL

Buodd yr Esgob William Morgan farw ar Fedi 3ydd 1604. Roedd ei gyfraniad at yr iaith Gymraeg yn enfawr. Heb ei gyfieithiad ef o'r Beibl i'r Gymraeg tybed a fyddai'r iaith Gymraeg yn fyw heddiw?

 MOLWN EF AM GYMRU (MWY O GLAP A CHÂN RHIF 90)

 SALM 23

HANES ESGOB WILLIAM MORGAN

Yn y Tŷ Mawr, Wybrnant ym mhlwyf Penmachno y ganwyd William Morgan, yn 1541 yn fab i John a Lowri ap Morgan ap Llywelyn. Tenantiaid oedden nhw ar stad Gwydir. Dangosodd William Morgan allu arbennig yn ifanc, ac yn ôl traddodiad cafodd ei addysg gynnar gan hen fynach. Yna, aeth i Goleg Sant Ioan, Caergrawnt yn 1565 i astudio Lladin, Groeg a Hebraeg, sef ieithoedd gwreiddiol y Beibl.

Yn 1572 cafodd ei benodi yn ficer Llanbadarn Fawr ger Aberystwyth lle daeth i adnabod yr Esgob Richard Davies, cyfieithydd y Testament Newydd. Yn 1578 aeth yn Ficer i Lanrhaeadr ym Mochnant lle cwrddodd â'i wraig, Catherine.

Er iddo gael trafferth mawr gan un sgweiar yn Llanrhaeadr, yno y dechreuodd William gyfieithu'r Beibl i'r Gymraeg. Gwaith anodd i ŵr a oedd mor bell oddi wrth lyfrgelloedd, yn brin o arian ac yn cael ei blagio gan elynion oedd ymgymryd â'r fath waith. Oni bai am gefnogaeth ei Archesgob byddai William Morgan wedi bodloni ar gyhoeddi pum llyfr cynta'r Beibl yn unig. Yn 1587 gwnaeth yr Archesgob Whitgift ei annog i fynd i Lundain i dŷ Gabriel Goodwin, er mwyn gorffen cyfieithu'r Beibl ac yna yn y flwyddyn ganlynol bu'n arolygu'r gwaith argraffu. Mae'n debyg mai'r Archesgob a dalodd llawer o'r costau am gyhoeddi'r Beibl.

Roedd llawer yn credu mai gorfodi'r Cymry i ddysgu Saesneg oedd y ffordd o'u cael i ddarllen yr Ysgrythur, ond roedd William Morgan yn sicr mai drwy gyfieithu'r Beibl i'r Gymraeg oedd gwneud hynny. Achub y Cymry rhag marwolaeth ysbrydol a chosb dragwyddol oedd prif amcan William Morgan. Erbyn Medi 1588 roedd y Beibl Cymraeg yn barod i'w ddosbarthu i'r plwyfi, ac erbyn y Nadolig roedd y Beibl Cymraeg wedi cyrraedd yr eglwysi.

Prif gamp William Morgan oedd cyfieithu'r Beibl mewn Cymraeg roedd y bobl yn gallu ei ddeall. Roedd yn amlwg yn llenor ac yn ysgolhaig a chafodd y gwaith groeso mawr gan feirdd a llenorion ar hyd a lled Cymru.

Cafodd Beibl 1588 ddylanwad mawr. Cafodd yr iaith Gymraeg ei hachub rhag troi yn ddim ond tafodieithoedd sathredig ac o bosib rhag diflannu'n llwyr. Bu Cymraeg y Beibl yn batrwm i'r holl lenyddiaeth Cymraeg a gafodd ei ysgrifennu wedi 1588.

Yn 1595 cafodd William Morgan ei benodi yn Esgob Llandaf. Yna, yn 1601 symudodd i Lanelwy yn esgob yno. Daliodd ati i ddiwygio ei gyfieithiad o'r Testament Newydd ac fe gyfieithodd y Llyfr Gweddi Cyffredin i'r Gymraeg.

Bu farw'r esgob ar Fedi'r 10fed, 1604, yn ŵr tlawd a dim ond £110 oedd gwerth ei holl fuddiannau. Nid oes carreg ar ei fedd yn Llanelwy, ond mae cofeb tu allan i'r Eglwys Gadeiriol i holl gyfieithwyr y Beibl. Enw William Morgan sydd yn y canol ac yn wir rydyn ni fel Cymry yn fwy dyledus iddo ef nag i unrhyw un arall.

ENWOGION CYMRU (MWY O GLAP A CHÂN RHIF 68)

Diolchwn i Ti, O Dad am fywyd a gwaith yr Esgob William Morgan. Diolch am ei ymdrech a'i ddyfalbarhad i sicrhau fod gennyn ni Feibl yn ein hiaith ein hunain.

Diolch am ein llenyddiaeth a'n diwylliant. Boed i ni bob amser barchu ein traddodiadau a'n hiaith fel y byddwn ni yn medru trosglwyddo'r cyfan i'n plant ac i blant ein plant. Er mwyn ei Enw. Amen

---

GWAITH TRAWSGWRICWLAIDD

- Chwiliwch am gartref William Morgan ar fap o Gymru.
- Ar fap o Gymru a Lloegr, dilynwch daith bywyd William Morgan o Gymru i'r coleg a'r eglwysi lle bu'n esgob.
- Sut daith byddai hi o Lanrhaeadr i Lundain? Chwilotwch sut roedden nhw'n arfer teithio yn y cyfnod hwnnw.
- Beth fyddai'r Esgob yn ei ddefnyddio i ysgrifennu yr adeg honno? Ceisiwch ysgrifennu fel roedden nhw'n ysgrifennu yn amser William Morgan.

THEMA – DEWRDER

Mae'n siŵr eich bod chi i gyd wedi bod yn ddewr ar ryw achlysur – mynd at y deintydd, gorfod ymweld â'r ysbyty wedi damwain, mynd i le dieithr ar eich pen eich hunan. Mae'r stori heddiw am ferch a ddangosodd ddewrder anghyffredin.

CYMER FY MYWYD I (MWY O GLAP A CHÂN RHIF 59)

SALM 121

HANES GRACE DARLING

Roedd noson y chweched o Fedi, 1838 yn noson arbennig o arw. Roedd gwynt y gogledd yn chwythu'n gryf ar hyd arfordir Northumberland yng ngogledd ddwyrain Lloegr, gan hyrddio'r tonnau anferth yn erbyn y creigiau o gwmpas Ynys Farne.

Roedd Grace Darling, merch ddwy ar hugain oed, yn byw gyda'i mam a'i thad mewn goleudy ar ynys Farne. Roedd bywyd Grace yn unig iawn gan nad oedd ei ffrindiau yn byw ar yr ynys, ond roedd wrth ei bodd yn helpu ei thad. Bob dydd byddai rhaid iddi ddringo'r grisiau i ben ucha'r goleudy lle roedd y lamp fawr. Byddai'n helpu ei thad i ofalu bod digon o olew i oleuo'r lamp drwy'r dydd a'r nos fel bod y golau yn fflachio'n glir ar draws y môr er mwyn rhybuddio llongau am y creigiau peryglus o gwmpas yr ynys.

Pan gododd Grace ar fore'r seithfed o Fedi cafodd ei dychryn. Gwelodd fod llong ar y creigiau. Roedd y stemar 'Forfarshire' ar ei ffordd o Hull i Dundee wedi ei chwalu'n llwyr. Gwelodd Grace fod nifer o forwyr yn ymladd am eu bywydau ar y creigiau. Roedd 61 o griw ar fwrdd y llong. Llwyddodd naw i ddringo i fad achub y llong a rhwyfo i ddiogelwch, ond roedd naw arall yn dal ar y creigiau. Roedd y gweddill eisoes wedi boddi.

Gwnaeth Grace ymbil ar ei thad i fynd allan yn y cwch rhwyfo er mwyn ceisio achub bywydau'r rhai oedd ar y creigiau. Gwrthod wnaeth e gan nad oedd e'n gallu gweld gobaith rhwyfo drwy'r tonnau gwyllt. Ond pledio a phledio arno wnaeth Grace ac yn y diwedd ildiodd ei thad ac allan aeth y ddau i ddannedd y storm. Doedd tad Grace ddim yn ddyn ifanc a doedd hithau ddim yn gryf iawn.

Wedi brwydro yn erbyn y gwynt a'r tonnau, a bron wedi ymlâdd yn llwyr ar ôl rhwyfo am bron i filltir, llwyddodd y ddau i gyrraedd y morwyr anffodus. Roedd naw ar y creigiau, ond dim ond lle i bump oedd ar gwch bach Grace a'i thad. Daeth pedwar dyn ac un wraig i'r cwch, gan adael pedwar arall ar y creigiau. Llwyddon nhw gyrraedd y goleudy'n ddiogel a bu Grace a'i mam yn trin clwyfau'r morwyr. Llwyddodd ei thad a dau forwr a gafodd eu hachub ddod â gweddill y criw yn ôl yn ddiogel i'r goleudy.

Lledaenodd yr hanes am ddewrder Grace Darling ar draws gwledydd Prydain a daeth yn enwog iawn. Mentrodd ei bywyd i achub eraill heb ystyried y perygl iddi hi ei hunan.

Bedair blynedd yn ddiweddarach bu farw Grace yn ferch ifanc yn Hydref 1842. Ryn ni'n dal i'w chofio hyd heddiw oherwydd ei dewrder ac am iddi feddwl bod diogelwch eraill yn bwysicach na'i diogelwch hi ei hunain.

ESTYN DY LAW (CLAP A CHÂN RHIF 53)

Ein Tad, diolch i ti am bobl fel Grace Darling a ddangosodd ddewrder eithriadol. Bydd gyda'r rhai hynny sy'n dangos dewrder yn eu gwaith i'n helpu ni, megis dynion tân, gweithwyr ambiwlans a'r heddlu.

Helpa ni i fod yn ddewr er mwyn i ni fod o wasanaeth i eraill. Gofala am bawb ar draws y byd sy'n byw mewn perygl ac ofn heddiw. Er mwyn Iesu Grist. Amen

GWAITH TRAWSGWRICWLAIDD

- Chwiliwch ar fap Lloegr er mwyn gweld ble yn union mae Ynys Farne.
- Tynnwch lun unrhyw olygfa yn y stori.
- Mae llawer o hanesion am longddrylliadau enwog. Cofnodwch rai ohonyn nhw.
- Ysgrifennwch stori amdanoch chi eich hun, neu rywun arall a ddangosodd ddewrder.

THEMA – COFIO ARWYR EIN CENEDL

Buodd gan Gymru nifer fawr o arweinwyr enwog a dewr dros y canrifoedd. Rydyn ni'n cofio am eu dewrder a'u hymroddiad dros eu cenedl. Un o'r enwocaf efallai, oedd Owain Glyndŵr. Dathlwn ei fywyd ar Fedi 16eg.

O DDYDD I DDYDD (MWY O GLAP A CHÂN RHIF 71)

ECCLESIASTICUS (APOCRYFFA) 44

"Canmolwn yn awr ein gŵyr enwog a'n tadau a'n cenhedlodd ni. Llawer o ogoniant a wnaeth yr Arglwydd trwyddynt hwy."

HANES OWAIN GLYNDŴR

Ganwyd Owain Glyndŵr tua'r flwyddyn 1359 a bu farw tua 1426. Roedd yn perthyn i hen dywysogion Cymru, megis Rhys ap Tewdwr a'r Arglwydd Rhys. Roedd cysylltiad teuluol hefyd rhyngddo â'r tywysog Llywelyn a theulu Gwynedd.

Cyn 1400 roedd Owain yn byw bywyd cyffyrddus bonheddwr o Gymro yn ei gastell yn Sycharth ger Llansilin ar y ffin rhwng Cymru a Lloegr. Roedd ganddo hefyd gartref yn Glyn Dyfrdwy ger Corwen.

Doedd Cymru ddim yn wlad rydd. Roedd y Saeson wedi gorchfygu Cymru yn 1282 ac wedi adeiladu llawer o gestyll er mwyn cadw'r Cymry'n dawel. Yn y trefi o gwmpas y cestyll dim ond Saeson oedd â'r hawl i fyw yno. Roedd y Cymry yn byw tu allan i'r trefi mewn tlodi a heb hawliau. Doedd ganddyn nhw mo'r hawl hyd yn oed i falu ŷd i wneud bara. Roedd yn rhaid malu'r ŷd yn y felin oedd yn eiddo i'r Saeson.

Roedd yr Arglwydd Reginald de Grey yn un o ddynion y Brenin Edward y Cyntaf. Roedd yn ddyn pwysig a chanddo lawer o dir yn nyffryn Clwyd ac yn gwneud bywyd Owain yn anodd. Ceisiodd dwyllo Owain dros ddarn o dir, ac aeth Owain ag ef i gyfraith. Doedd y llysoedd Seisnig ddim yn deg ac yn y diwedd teimlodd Owain na allai ddiodde rhagor. Cododd mewn gwrthryfel er mwyn gyrru'r concwerwyr o Gymru.

Enillodd frwydr ar ôl brwydr yn erbyn y Saeson: yn Rhuddlan, Dinbych, Fflint a Chroesoswallt. Galwodd Glyndŵr ar y Cymry i ymuno ag ef ac fe ddaethon nhw o bobman i ymladd, o Rydychen a Chaergrawnt hyd yn oed. Dwy fuddugoliaeth fawr oedd brwydr Hyddgen ym Mhumlumon a brwydr Pilleth yn ymyl y ffin â Lloegr.

Daeth Glyndŵr yn Dywysog Cymru a chynhaliodd Senedd ym Machynlleth. Fel tywysog, roedd ganddo ei sêl arbennig ei hun. Ysgrifennodd lythyrau at y Pab yn Ffrainc a hefyd at Frenin Ffrainc, ac at benaethiaid Iwerddon a'r Alban yn gofyn am eu cymorth. Ei freuddwyd oedd sefydlu dwy brifysgol yng Nghymru y naill yn y gogledd a'r llall yn y de, yn ogystal â sefydlu Eglwys i'r Cymry gydag Archesgob o Gymro yn ben arni.

Roedd Owain yn filwr mor llwyddiannus a thyfodd straeon amdano'n chwarae triciau ar y Saeson. Wedi ei wisgo fel Ffrancwr, aeth i lys Syr Lawrens Berclos yng nghastell Coety yn Nyffryn Ogwr. Roedd Berclos yn un o gefnogwyr mawr Brenin Lloegr. Cafodd groeso cynnes ac wrth adael dywedodd Owain wrtho,

"Mae Owain Glyndŵr yn diolch yn fawr i Syr Lawrens Berclos am ei groeso hael. Mae'n addo y bydd yn gyfaill iddo am byth!"

Aeth Syr Lawrens yn fud. Roedd y sioc yn ormod iddo ac yn ôl traddodiad, buodd yn fud am weddill ei oes.

Wedi'r holl lwyddiant daeth y siom. Collodd Owain sawl brwydr nes yn y diwedd dim ond cestyll Aberystwyth a Harlech oedd ganddo ar ôl. Erbyn 1412 roedd y cestyll hyn hefyd wedi syrthio ac roedd Owain ar ffo. Does neb yn gwybod beth ddigwyddodd iddo na phryd y bu farw. Ond chafodd e ddim ei ddal na'i fradychu gan neb fel y cafodd Llywelyn ein Llyw Olaf. Proffwydodd y beirdd y byddai Owain yn dychwelyd eto ryw ddydd i ryddhau'r Cymry.

ESTYN DY LAW (CLAP A CHÂN RHIF 53)

Ein Tad rydyn ni'n diolch bod gennyn ni arwyr fel Owain Glyndŵr. Roedd yn caru Crist ac yn ddyn gonest. Yn anffodus rydyn ni'n gweld ar y teledu bod dynion yn dal i ladd ac i ymladd mewn rhyfeloedd. Maddau i ni am hynny a diolch i ti am anfon Tywysog Tangnefedd i'n plith.

Fel Owain Glyndŵr helpa ni fod o wasanaeth i eraill, yn ein cymuned ac yn ein gwlad. Helpa ni fod yn barod pan ddaw'r cyfle i roi o'n gorau yn enw Iesu Grist. Amen

---

GWAITH TRAWSGWRICWLAIDD

- Chwiliwch am ragor o hanes ac am ragor o'r storïau am Owain Glyndŵr.
- Mae Cymry enwog eraill fu'n ceisio arwain Cymru dros y canrifoedd. Rhestrwch rai ohonyn nhw.
- Ar fap dangoswch y prif lefydd y bu Owain Glyndŵr yn gysylltiedig â nhw.

THEMA – Y COED CYFEILLGAR

Clodforwn Dduw am harddwch yr Hydref pan fo dail y coed yn newid eu lliw ac yn syrthio i'r llawr, bellach mae hi'n Hydref. Clodforwn Dduw am harddwch yr Hydref.

DIOLCH AM Y PEDWAR TYMOR (CLAP A CHÂN RHIF 18)

2 CORINTHIAD 9 : 6 – 10

Canmolwn yn awr ein gŵyr enwog a'n tadau a'n cenhedlodd ni.
Llawer o ogoniant a wnaeth yr Arglwydd trwyddynt hwy'.

STORI

Mae tymor yr Hydref wedi ein cyrraedd. Dim ond i ni edrych o gwmpas gwelwn y lliwiau bendigedig sydd ar y coed wrth i'r dail newid eu lliw cyn disgyn. Mae naws yr Hydref yn yr awyr yn y bore a min nos. Cawn ambell noson o wyntoedd cryf sy'n achosi i'r afalau gwympo oddi ar y coed. Ond nid yw pob coeden yn colli ei dail yn yr Hydref oherwydd bod Duw unwaith wedi gweld gweithred dda.

Un Hydref, flynyddoedd maith yn ôl, roedd yr adar yn ôl eu harfer yn paratoi ymfudo i'r de i wledydd cynnes dros y gaeaf oer. Gyda llawer o sŵn a chyffro a chyda'u hadenydd yn chwyrlio, cychwynnon nhw ar eu taith hir i chwilio am gynhesrwydd y de. Pob un ohonyn nhw, heblaw am un aderyn bach trist a oedd ar ôl gan ei fod wedi torri ei adain. Roedd e'n methu hedfan yr holl filltiroedd gyda'i ffrindiau. Wrth i'r dydd dynnu ei gwt ato, y cyfan y gallai'r aderyn bach ei wneud oedd hopian yn llipa o gwmpas a chwilio am loches rhag yr oerfel. Cyn hir cyrhaeddodd y goedwig a begian am le i orffwys er mwyn gallu gwella ymysg y canghennau. Ond doedd y coed ddim yn gyfeillgar o gwbwl.

"Cer o ma!" meddai'r dderwen fawr gyhyrog gan siffrwd ei dail yn wyllt. "Wnei di ddim byd ond bwyta fy mes i."

I ffwrdd â'r aderyn gan hopian cynted ag y gallai at y bisgwydden.

"Does dim lle i ti fan hyn!" meddai'r bisgwydden, "Mae gen i ddigon o waith i edrych ar ôl yr holl wenyn sydd o gwmpas."

Yn grynedig ac ofnus gwnaeth yr aderyn druan ei ffordd at yr helygen. Ond roedd yr helygen yn rhy brysur o lawer yn crio, i feddwl am helpu aderyn bach mewn trybini.

O'r diwedd, yn ddiflas ac yn anhapus, dyma'r aderyn yn gwneud un ymdrech fawr i hedfan ond wedi llwyddo i godi oddi ar y ddaear, yn sydyn syrthiodd yn un swpyn llipa yn ôl ar y llawr gan fod ei adain wedi torri.

"Tyrd yma dderyn bach, mae gen i gangen gynnes lle cei di loches," meddai pinwydden garedig wrtho.

"Mi wna i dy amddiffyn rhag gwyntoedd oer y gogledd, paid ti â phoeni," ychwanegodd ffynidwydden gyfagos.

"Fe gei di ddigon o fwyd gen i. Fe fydd digonedd o aeron i'th fwydo drwy'r gaeaf oer," dywedodd celynnen a oedd yn sefyll gerllaw.

Neidiodd yr aderyn i mewn i ganol y canghennau croesawgar i orffwys a rhoi cyfle i'w adain wella. Cyn hir roedd bysedd oer y gaeaf yn lledaenu drwy'r goedwig ac fe ruodd gwynt y gogledd. Cafodd dail y dderwen i gyd eu chwythu a hefyd y bisgwydden a'r helygen angharedig. Ond roedd Duw wedi gweld mor garedig fuodd y coed eraill wrth yr aderyn bach. Ac felly, hyd heddiw, mae'r coed yma'n cadw eu dail ac yn fythol wyrdd drwy'r flwyddyn.

PWY RODDODD (MWY O GLAP A CHÂN RHIF 66)

Ein Tad rhown glod i Ti heddiw am brydferthwch Natur ym mhob un o'r tymhorau. Diolch am y lliwiau hardd a welwn yn yr Hydref. Agor ein llygaid i weld a rho i ni dy ysbryd i werthfawrogi pob peth sydd yn dy greadigaeth di. Dysga ni barchu a dysga ni ofalu'n well am y ddaear yr wyt wedi ei rhoi i'n gofal. Trwy Iesu Grist ein Harglwydd. Amen.

GWAITH TRAWSGWRICWLAIDD
- Tynnwch lun yr aderyn bach yn y goedwig.
- Ar fap y byd dangoswch i ble mae adar yn ymfudo o Gymru.
- Ysgrifennwch stori sy'n cynnwys harddwch tymor arall yn y flwyddyn.
- Trafodwch pam fod coedwigoedd yn bwysig i'n daear.

THEMA – DR BARNARDO

Wyddoch chi am rywun y mae pawb yn ei hoffi? Os felly mae'n sicr fod y person hwnnw'n berson arbennig iawn, yn union fel y person sy yn ein stori heddiw.

MOLWCH, MOLWCH (CLAP A CHÂN RHIF 64)

MATHEW 7 : 1 – 11

HANES DR BARNARDO

Rydyn ni'n cofio am Dr Thomas Barnardo heddiw gan iddo farw ar Fedi 19eg 1905.

Yn Nulyn yn 1845 y cafodd Thomas Barnardo ei eni, yn fab i deulu cyfoethog. Yn bedair ar ddeg oed aeth Thomas Barnardo i weithio mewn swyddfa marchnatwr gwin. Sylwodd fod llawer iawn o fedd-dod yn Nulyn. Newidiodd Barnardo yn ystod y cyfnod yma i fod yn berson difrifol iawn ac o dipyn i beth trodd yn Gristion.

Yn un ar hugain oed penderfynodd fynd yn genhadwr i Tsieina. Ond cyn mynd ei fwriad oedd astudio i fod yn feddyg fel y gallai wella cyrff ac eneidiau pobl. Yn 1866 symudodd i Lundain i astudio meddygaeth ac yn ei amser hamdden byddai'n pregethu yn yr awyr agored yn Nwyrain Llundain, ardal dlawd y ddinas.

Cafodd ei synnu gan yr hyn a welodd yn yr ardal honno. Roedd miloedd o bobl yn byw mewn tai a oedd mewn cyflwr difrifol. Yn waeth na hynny yn y strydoedd cul, roedd degau o ddynion a gwragedd yn treulio eu hamser heb obaith am waith a heb unman i fyw. Un noson, wrth gerdded adre o'r coleg, arhosodd i siarad â bachgen mewn dillad carpiog. Wrth orffen y sgwrs meddai Barnardo wrtho,

"Dyna ti, dos adref nawr, cyn iddi dywyllu."

"Sdim catre da fi," oedd ateb swta y bachgen.

Roedd y bachgen hwn yn un o'r degau o fechgyn a merched oedd naill ai heb rieni neu wedi cael eu gadael gan eu rhieni tlawd. Bydden nhw'n cysgu ble bynnag y gallen nhw gael ychydig o gysgod dros nos.

Penderfynodd Thomas Barnardo fod yn rhaid gwneud rhywbeth. Anghofiodd y syniad o fynd yn genhadwr gan fod gwaith pwysig i'w wneud yn Llundain. Gweddïodd bob dydd ar i Dduw ei helpu ac roedd yn sicr y byddai ei weddïau yn cael eu hateb.

Prynodd dŷ mawr yn Stepney, tŷ y byddai ei ddrws bob amser ar agor. Roedd llawer yn sicr y byddai bechgyn strydoedd Llundain wedi malu'r tŷ mewn dim ac mai gwastraffu arian oedd menter Barnardo. Ond nid felly y buodd hi. Roedd y cartre cynta'n llwyddiant mawr. Gofalodd fod pob bachgen yn cael cyfle i ddysgu darllen ac ysgrifennu a hefyd dysgu crefft. Roedd gwersi am y Beibl hefyd yn bwysig yn y cartre fel y byddai'r bechgyn yn dod i ddeall y gwahaniaeth rhwng da a drwg a sut y dylen nhw fyw.

Wedi llwyddiant y cartre cynta hwn, fe agorodd gartre i ferched. Erbyn hyn roedd ei waith yn cael sylw mawr. Cynigiodd llawer ddod i'w helpu tra anfonodd eraill arian i'w helpu gyda'r gwaith. Agorwyd cartrefi Barnardo ar draws gwledydd Prydain gan gynnig cartre i blant anabl a chartre i blant amddifad. Gweithiodd am dri deg pump o flynyddoedd a phan fu farw yn chwe deg oed roedd wedi agor naw deg o gartrefi. Erbyn hyn mae ei gartrefi ar hyd a lled y byd ac mae pawb wedi clywed am Dr Barnardo. Mae miloedd ar filoedd o blant wedi elwa o'i waith. Dr Barnardo oedd y cynta i wneud rhywbeth ymarferol dros blant tlaws a digartre trwy roi ei fywyd a'i holl egni i'w helpu

ESTYN DY LAW, FY FFRIND
(MWY O GLAP A CHÂN RHIF 46)

Ein Tad gweddïwn dros blant ym mhob man. Gweddïwn hefyd dros blant mewn llawer gwlad sy'n cael eu gyrru i fyw ar y strydoedd. Rydyn ni'n sylweddoli bod eu bywydau mewn perygl bob dydd. Gweddïwn hefyd dros blant yr un oed â ni sy'n gorfod gweithio am oriau hirion bob dydd gan golli'r rhyddid i chwarae a mwynhau. Gwna i ni sylweddoli mor ffodus rydyn ni.

Gofala am y cartrefi ar draws y byd sy'n cynnig lloches a chysur i blant a bendithia'r bobl sydd yn gweithio ynddyn nhw.

Er mwyn Iesu Grist. Amen.

GWAITH TRAWSGWRICWLAIDD
- Chwiliwch sut roedd pobl yn byw tua chanol y bedwaredd ganrif ar bymtheg
- Chwiliwch am wybodaeth am UNICEF.
- Wnaeth rhywun arall waith tebyg i Dr Barnardo?
- Ysgrifennwch weddi dros blant anffodus ein byd.

MIS MEDI – RHIF 8
ROSH-HA-SHANAH

THEMA – Y FLWYDDYN NEWYDD IDDEWIG

Mae pob crefydd yn dathlu gwyliau pwysig. Yng nghalendr yr Iddewon cawn hanes dwy ŵyl bwysig sy'n cael eu cynnal ddiwedd Medi.

 TEULU DYN (MWY O GLAP A CHÂN RHIF 64)

 DEUTERONOMIUM 16 : 13 – 17

BLWYDDYN NEWYDD YR IDDEW

Mae blwyddyn newydd yr Iddewon yn dechrau ar ddiwedd mis Medi neu ar ddechrau mis Hydref. Gŵyl Rosh-ha-Shanah ydy'r enw arni. Gŵyl ddifrifol iawn yw hon i ddathlu creu'r byd ac mae'r pwyslais mawr ar farn Duw. Yn ôl traddodiad maen nhw'n dweud bod Duw yn agor Llyfr y Bywyd ar y diwrnod hwn a bod enwau pawb a'u gweithredoedd wedi eu cofnodi ynddo.

Eto i gyd, ar noswyl gynta'r ŵyl bydd seremoni hwyliog a hapus. Cyn y pryd bwyd nos, bydd darnau o afal yn cael eu trochi mewn mêl a'u bwyta gan holl aelodau'r teulu. Pwrpas hyn yw atgoffa pawb mor bwysig yw gobeithio y bydd y flwyddyn newydd yn felys a llwyddiannus.

Yn ôl traddodiad, yn ystod y deng niwrnod sy'n dilyn yr Ŵyl, sef Deng Niwrnod o Edifeirwch, roedd Duw yn asesu pechodau'r bobl ac yn penderfynu ar gosb. Felly roedd yn gyfnod o weddïo taer ar iddo faddau eu pechodau. Deng niwrnod wedi'r flwyddyn newydd mae Dydd y Cymod. Yom Kippur ydy'r enw ar y diwrnod y bydd Duw, yn ôl traddodiad, yn barnu pechodau'r bobl ac yn rhoi maddeuant i'r rhai hynny sydd yn wir edifarhau am eu drygioni. Mae'n arferiad i'r Iddewon ymprydio am bum awr ar hugain a threulio rhan helaeth y diwrnod yn y synagog yn gweddïo am faddeuant.

Ymhen ychydig ddyddiau wedyn bydd Gŵyl y Tabernaclau. Y Sukkot ydy enw'r Iddewon arni. Gŵyl hapus yw hon. Mae'r rhan fwya o Iddewon yn adeiladu math o gwt, heb do iddo, yn yr ardd ac yn ei addurno â changhennau, blodau a ffrwythau. Yr enw arno ydy succah. Bydd llawer o deuluoedd yn bwyta eu prydau bwyd yn y succah, ac yn cysgu ynddo pan mae'r tywydd yn ffafriol.

Byddan nhw hefyd yn adeiladu succah oddi mewn i'r synagog ar gyfer yr holl gynulleidfa. Arwydd yw hyn o'r ffydd sydd ganddyn nhw yn Nuw, y Duw a amddiffynnodd Moses a'r Iddewon yn ystod y deugain mlynedd y buon nhw'n teithio drwy'r anialwch.

Yn ystod y gwasanaeth yn y synagog bydd y bobl yn chwifio canghennau palmwydd a helyg a ffrwyth o'r enw etrog i bob cyfeiriad er mwyn dangos i bawb ei bod yn bosibl dod o hyd i Dduw ymhob man ac ymhob gwlad.

I gloi dathliadau'r flwyddyn newydd bydd un diwrnod o wyliau sef y Simhat Torah, a'i ystyr yw 'llawenhau am y Torah'. Y Torah yw enw'r Iddewon ar bum llyfr cynta'r Beibl. Maen nhw'n dathlu gorffen cylch darllen blynyddol y Tora. Bydd y sgroliau yn cael eu tynnu o'r arch lle maen nhw'n cael eu cadw a byddan nhw'n gorymdeithio o gwmpas y synagog yn cario'r sgroliau hyn. Bydd plant yn ymuno â'r orymdaith gan chwifio eu baneri. I orffen caiff rhannau o lyfr Genesis eu darllen, i ddangos nad oes terfyn ar air Duw a'i fod yn parhau i siarad â chenhedlaeth ar ôl cenhedlaeth.

Dewch Blant Y Gwledydd
(Mwy o Glap a Chân Rhif 60)

Gweddïwn un o weddïau'r Iddewon – Ein Tad arwain ni oddi wrth bethau drwg at bethau da. Arwain ni oddi wrth bethau afreal at bethau go iawn. Arwain ni o dywyllwch i oleuni parhaol. Yn enw Duw. Amen.

Gwaith Trawsgwricwlaidd

- Mae gwersi y medrwn ni eu dysgu o'r Gwyliau arbennig hyn. Beth ydyn nhw?
- Mae Gŵyl Hindŵaidd enwog yn cael ei dathlu yr adeg yma. Chwiliwch am y wybodaeth.
- Mae gair arbennig yn y Gymraeg am bum llyfr cyntaf y Beibl. Tybed a fedrwch chi ddarganfod y gair?
- Mae pobl Tsieina yn dathlu blwyddyn newydd hefyd. Chwiliwch wybodaeth am yr ŵyl honno.

THEMA – SANT FFRANSIS O ASSISSI

Un wers mae'n rhaid ei dysgu wrth dyfu yw hunan ddisgyblaeth. Mae athletwyr a'u tebyg yn gorfod disgyblu eu hun wrth ymarfer yn gyson a disgyblodd Sant Ffransis o Assisi ei hun drwy ddilyn gair yr Iesu.

CYMER FY MYWYD I (MWY O GLAP A CHÂN RHIF 59)

LUC 9 : 1 – 3 A 6

HANES SANT FFRANSIS O ASSISSI

Crychodd y Pab ei drwyn pan welodd ddyn anniben o'i flaen. Roedd ei glogyn yn dyllau ac roedd tamaid o raff am ei ganol a'i wallt a'i farf heb eu cribo. Siaradodd y Pab yn oeraidd gyda dirmyg yn ei lais,

"Ac rwyt ti am i fi roi fy mendith arnat ti ac ar rai tebyg i ti! Rwyt ti'n dweud y dylai pawb fyw'n syml a gofalu am y bobl dlawd. Fe ddweda i wrthot ti be alli di wneud. Cer at y mochyn a byw yn ei dwlc e a phregetha wrtho fe! Rwyt ti'n ddigon brwnt!"

Plygodd y gŵr ei ben ac aeth o'r ystafell. Aeth allan i'r wlad a chwilio am dwlc mochyn. Gorweddodd ynghanol y budreddi gyda'r moch, yna, yn drewi'n ddifrifol, aeth yn ôl i weld y Pab a gofyn am ganiatâd i ffurfio Urdd lle byddai'r mynachod yn byw'n syml ac yn gofalu ac yn pregethu Crist ymysg y tlodion. Y tro yma sylweddolodd y Pab fod y gŵr o ddifri ac felly caniataodd i Urdd y Ffransisiaid gael ei ffurfio.

Ganwyd Ffransis tua 1181 mewn tref yn yr Eidal o'r enw Assisi. Yn fab i ŵr cyfoethog, roedd ganddo bopeth, cartre, dillad a bywyd bachgen ifanc cyfoethog ei ddydd. Gwledda a mwynhau dyna oedd ei fywyd. Roedd yn benderfynol o ddod yn filwr enwog. Yn ystod y cyfnod hwn cafodd salwch ac yn ystod ei salwch, gwelodd mor wag oedd ei ffordd o fyw a bod dilyn Iesu Grist yn cynnig bywyd lot yn well iddo. Yna, byddai'n gwella a byddai ei ffrindiau yn dod heibio a byddai'r hwyl a'r miri a'r mwynhau yn ail gychwyn.

Yna, dioddefodd salwch unwaith eto am gyfnod hir. Y tro hwn, wedi iddo wella, rhannodd ei holl gyfoeth, rhoddodd ei ddillad crand i'r tlodion a gwisgodd glogyn hir brown amdano wedi ei glymu â chortyn am ei ganol. Roedd ei dad yn gynddeiriog a chafodd ei erlid o Assisi. Aeth i fyw mewn ogof ar ochr y bryniau uwchlaw Assisi.

Cafodd freuddwydion lle byddai Duw yn siarad ag ef gan ddweud wrtho am ail adeiladu eglwysi. Aeth Ffransis ati i gasglu cerrig a'u cario am filltiroedd er mwyn gwneud hyn. Ar yr un pryd byddai'n helpu gwahangleifion ac unrhyw un oedd yn diodde. Ar yr un pryd, byddai'n pregethu ac yn dweud wrth bobl am Iesu Grist. Credai fod gan bob creadur a greodd Duw yr hawl i fyw a byddai bob amser yn rhoi lloches i greaduriaid oedd yn diodde. Yn ôl traddodiad, roedd adar yn hedfan o'i gwmpas. Treuliodd ei fywyd yn ceisio dilyn bywyd yr Iesu mor agos â phosib. Clywodd eraill am Ffransis ac fe ddaeth bechgyn ifainc tlawd a chyfoethog ato yn dymuno byw bywyd syml o wasanaeth fel ef.

Yn ystod ei salwch ola roedd y creithiau oedd ar ddwylo, traed a chorff yr Iesu i'w gweld yn amlwg ar gorff Sant Ffransis. Bu farw ar Hydref 3ydd 1228, ac oherwydd ei gariad at greaduriaid cofiwn amdano ar Hyfref y 4ydd fel nawdd sant y creaduriaid.

Dyma weddi sy'n cael ei chysylltu â Sant Ffransis:

Arglwydd, gwna ni'n offeryn dy hedd.
Lle mae casineb, boed i ni hau cariad,
Lle mae camwedd, maddeuant,
Lle mae amheuaeth, ffydd,
Lle mae anobaith, gobaith,
Lle mae tywyllwch, goleuni,
Lle mae tristwch, llawenydd.
Yn enw Iesu, Amen.

GWAITH TRAWSGWRICWLAIDD

- Mae nifer o storïau am Sant Ffransis, chwiliwch amdanyn nhw ac ysgrifennwch am un ohonyn nhw.
- Dowch o hyd i Assisi ar fap yr Eidal.
- Tynnwch lun Sant Ffransis mewn un o ddigwyddiadau yn y stori.

THEMA – CYMWYNASWR MAWR CYMRU

Gallwn ni ddiolch i William Salesbury ein bod ni heddiw yn siarad Cymraeg a bod Cymry yn dal yn mwynhau ysgrifennu barddoniaeth a nofelau Cymraeg. Meddyliwch fod y Testament Newydd yn y Gymraeg gyda ni ers Hydref 7fed, 1567.

MOLWN EF AM GYMRU (MWY O GLAP A CHÂN RHIF 90)

IOAN 6 : 27

Cyfieithiad newydd
Gweithiwch nid am y bwyd sy'n darfod ond am y bwyd sy'n para i fywyd tragwyddol.

Cyfieithiad Beibl William Morgan, yn seiliedig ar Destament Newydd William Salesbury
'Na lafuriwch am y bwyd 'rhwn a dderfydd, eithr am y bwyd yr hwn a bery i fywyd tragwyddol.'

HANES WILLIAM SALESBURY

Mae pawb yn gwybod mai yr Esgob William Morgan gyhoeddodd y Beibl Cymraeg cynta yn 1588. Allwn ni ddim ond diolch iddo am y gamp anhygoel hon.

Ond heddiw rydyn ni'n cofio am berson a welodd, cyn neb arall, bod angen llyfrau a Beibl yn Gymraeg. William Salesbury oedd y gŵr hwn. Yn Llansannan yn 1520 y cafodd ei eni ond treuliodd y rhan fwya o'i oes yn Plas Isaf, Llanrwst. Roedd yn dod o deulu cyfoethog ac felly cafodd addysg dda ac aeth i Rydychen i astudio Hebraeg, Lladin a Groeg yn ogystal â rhai ieithoedd eraill.

Rhwng 1547 a 1552 cyhoeddodd nifer fawr o lyfrau. Un o'r llyfr cynta i gael ei argraffu yn Gymraeg oedd geiriadur Saesneg/Cymraeg. Cyfieithodd lyfr ar y sêr a rhannau o'r Llyfr Gweddi Cyffredin a hefyd lyfr o ddiarhebion. Dymuniad William Salesbury oedd bod Cymry nid yn unig yn gallu darllen gair Duw yn Gymraeg ond hefyd bod ganddyn nhw lyfrau yn Gymraeg fyddai'n rhoi gwybodaeth iddyn nhw.

Protestant oedd William Salesbury. Felly, pan ddaeth y frenhines Mari, y Babyddes, i'r orsedd yn 1553 roedd yn rhaid iddo ffoi. Yn ôl y sôn, cuddio wnaeth e yn nhŷ ei dad yng Nghae-du gan aros yno nes daeth teyrnasiad Mari i ben yn 1558.

Yn 1563 pan ddaeth Elisabeth y Cyntaf i'r orsedd, pasiwyd deddf yn gorchymyn cyfieithu'r Beibl a'r Llyfr Gweddi Cyffredin i'r Gymraeg. Cafodd William Salesebury wahoddiad i weithio gyda'r Esgob Richard Davies, sef Esgob Tyddewi i wneud y gwaith. William Salesbury oedd yn benna gyfrifol am gyfieithu'r Llyfr Gweddi

Cyffredin ac ef oedd yn benna gyfrifol am gyfieithu'r Testament Newydd hefyd heblaw am ryw chwech o'r llyfrau. Cyhoeddwyd y ddau lyfr yn 1567.

Ond daeth y cydweithio rhwng William Salesbury a'r Esgob Richard Davies i ben. Cawson nhw ffrae a chyhoeddodd Salesbury ddim un llyfr arall wedi 1567. Bu'n brysur serch hynny am chwe blynedd yn ysgrifennu llyfr Llysieulyfr Meddyginiaethol ond chyhoeddwyd mo'r llyfr hwn tan 1997.

Mae enw William Salesbury yn holl bwysig yn ein hanes ni. Heblaw am ei waith ar y Testament Newydd fyddai'r Esgob William Morgan fyth wedi gorffen cyfieithiad llawn o'r Beibl erbyn 1588. Dyma un arall o fawrion Dyffryn Clwyd.

MOLWN, MOLWN (MWY O GLAP A CHÂN RHIF 79)

Diolch i Ti, O Dduw am y Testament Newydd ac am hanes yr Iesu y gallwn ni ei ddarllen yn ein hiaith ein hunain. Diolch i Ti hefyd am bobl sy'n gofalu am ein hiaith ni heddiw.

Diolch i ti am bobl fel William Salesbury welodd yr angen ganrifoedd yn ôl. Diolch i ti am Iesu. Ac mae'r holl hanesion amdano gyda ni yn Gymraeg!

Helpa ni i garu ein hiaith. Ti sydd wedi'i chreu hi a dwyt ti ddim am i unrhyw beth rwyt ti wedi'i greu ddiflannu oddi ar wyneb daear. Gwna ni'n weithgar dros ein hiaith, ein crefydd a'n diwylliant er mwyn Iesu Grist. Amen.

GWAITH TRAWSGWRICWLAIDD

- Chwiliwch am gopi o Destament Newydd William Salesbury a chymharwch ef â fersiwn heddiw o'r Testament.
- Ewch at y Beibl Saesneg a cheisiwch gyfieithu dwy adnod. Fe gewch weld pa mor anodd yw'r gwaith.
- Chwiliwch am hanes Cymry enwog eraill a ddiogelodd yr iaith Gymraeg.

THEMA – DIOLCH I DDUW, Y CREAWDWR MAWR

 DEWCH, RHOWCH GLAP (CLAP A CHÂN RHIF 1)

 LEFTITICUS 19 : 9 – 10

HANES HENRY ALFORD

Wrth ddweud 'Gweddi'r Arglwydd' dywedwn y geiriau, 'Dyro i ni heddiw ein bara beunyddiol,' wrth gwrs meddyliwn am yr holl bethau eraill a gawn, oherwydd byddai byw ar fara yn unig yn ddiflas iawn. Felly mae'n bwysig i ni fod yn ddiolchgar am bopeth.

Mae'r emyn 'Chwi ddiolchgar bobl dewch,' yn un o'r emynau mwya adnabyddus a phoblogaidd sy'n cael ei ganu yng nghapeli ac eglwysi ar hyd a lled Cymru adeg y cynhaeaf. Ac, wrth gwrs, cafodd ei gyfansoddi ar gyfer dathlu'r cynhaeaf.

Henry Alford gyfansoddodd yr emyn pan oedd yn ddeon Eglwys Gadeiriol Caergaint (Canterbury). Cafodd Henri Alford ei eni yn Llundain yn 1810 ar ddiwedd cyfnod anodd iawn yn yr ynysoedd hyn. Roedd Napoleon newydd gael ei garcharu ar ôl brwydr Waterloo, 1815. Cyn hynny, roedd wedi ceisio concro Lloegr. Un ffordd a ddefnyddiodd oedd rhwystro grawn rhag cyrraedd y porthladdoedd. Aeth ffermwyr felly i dyfu llawer mwy o ŷd ar eu tir. Wedi 1815, pasiodd y llywodraeth y Deddfau Grawn er mwyn diogelu bod ffermwyr yn dal i gael pris da am eu grawn er bod y rhyfel yn erbyn Napoleon wedi dod i ben. Hefyd fe stopion nhw fewnforio grawn o dramor. Yn naturiol roedd pris grawn yn uchel, felly allai'r bobl gyffredin ddim fforddio prynu blawd. Roedd protestio a therfysg a llawer yn marw o newyn.

Roedd Henry Alford yn bedwar deg saith oed pan gyfansoddodd yr emyn 'Chwi ddiolchgar bobl dewch.' Ef oedd yn gyfrifol am redeg Eglwys Gadeiriol Caergaint a'i gweithgareddau o ddydd i ddydd. Rhaid bod llawer yn llenwi ei feddwl wrth ysgrifennu'r emyn hwn ar gyfer y gwasanaeth diolchgarwch arbennig y flwyddyn honno.

Mae'n addas i ni gofio a diolch i Dduw adeg y cynhaea, nid yn unig yn ein gwlad fach ni ond ar draws y byd i gyd gan gofio, wrth i ni rannu'n deg, bod yna ddigonedd o fwyd ar gyfer bwydo holl boblogaeth y byd. Dyna yw neges emyn Henry Alford ac mae'r neges yn dal yn amserol a phwysig er iddo gyfansoddi'r emyn dros ganrif a hanner yn ôl.

DIGON I BAWB (MWY O GLAP A CHÂN RHIF 5)

Ein Tad, diolchwn i Ti am ein bwyd bob dydd. Cofia am y miliynau heddiw sy'n dioddef oherwydd newyn a phrinder. Gweddïwn y bydd ffyrdd yn cael eu darganfod i helpu'r miliynau hyn fel y cân nhw fwyd er mwyn byw.

Diolchwn am y rhai sydd yn gweithio yn ddiflino i ddod â dŵr glân a pheiriannau i drin y tir ac sy'n ymchwilio i greu gwell cynnyrch er mwyn bwydo pobl. Yn enw Iesu Grist a rannodd popeth oedd ganddo fel na fyddai neb heb fwyd. Amen

---

GWAITH TRAWSGWRICWLAIDD

- Chwiliwch fynegai llyfr emynau am yr emyn, 'Chwi ddiolchgar bobl dewch,' a darllenwch yr emyn.
- Mae llawer o newyn yn y byd heddiw. Lliwiwch ar fap y byd y gwledydd hynny sy'n diodde oherwydd newyn.
- Mae mudiadau fel Cymorth Cristnogol, Oxfam, Action Aid yn gwneud llawer o waith dyngarol yng ngwledydd tlota'r y byd. Chwiliwch am bamffledi a chyhoeddiadau gan y mudiadau hyn sy'n sôn am eu gwaith.
- Trafodwch pam fod 'trydydd byd' mewn bod? Onid un byd a ddylai fod heddiw?

Thema – Christopher Columbus

Roedd Christopher Columbus yn gwybod bod y byd yn grwn ond cafodd andros o waith perswadio eraill. Cafodd Iesu Grist ei wawdio a'i erlid am sefyll dros yr hyn roedd e'n ei gredu.

 Un Cam Bychan (Mwy o Glap a Chân Rhif 81)

 Ioan 6 : 38 – 43 a 47

Hanes Christopher Columbus

Yn 1451 yn Genoa yn yr Eidal y cafodd Christopher Columbus ei eni. Roedd Genoa yn borthladd pwysig a chafodd Christopher Columbus ddigon o gyfle i ddod i ddeall y môr. Roedd wrth ei fodd ar y môr ac yn deall byd llongau i'r dim. Y tro cynta iddo hwylio'n bell oedd ar fordaith o Genoa i'r môr o gwmpas Gwlad Groeg. Llwyddodd i ennill tipyn o arian ac yn hytrach na mynd yn ôl i Genoa, aeth ati i drefnu rhagor o fordeithiau. Aeth i Lisbon ym Mhortiwgal ac yno yr arhosodd. Roedd Columbus yn byw ei freuddwyd o fynd ar daith ymhell o Ewrop a hwylio draw tua'r gorllewin. Ond rhaid oedd cael arian mawr i wneud hynny. Doedd Brenin Portiwgal ddim yn barod i'w noddi felly aeth i lys Brenin Ferdinand a'r Frenhines Isabella yn Sbaen. O'r diwedd yn 1491, wedi cryn drafferth, cytunodd Brenin Sbaen roi nawdd iddo. Er bod y rhan fwya o bobl yn credu mai gwastad oedd y byd, roedd Columbus rywfodd wedi perswadio rhai yn llys Sbaen bod yna diroedd tu draw i'r gorwel eto i'w ddarganfod.

Roedd tair llong i hwylio ar y fenter fawr, sef y Santa Maria, llong Columbus ei hun, a dwy long dipyn yn llai eu maint sef y Nina a'r Pinta. Dydyn ni ddim yn sicr faint o forwyr oedd ar bob llong ond mae lle i gredu bod 40 ar y Santa Maria, a rhwng 20 a 30 ar y ddwy long arall. Roedd y criw bron i gyd yn forwyr profiadol ac aeth rhai swyddogion y llywodraeth ar y daith.

Doedd fawr o gysur ar y llongau, dim gwelyau na lle bwyta. Bydden nhw'n cysgu mewn unrhyw le diogel gan glymu eu hunain wrth y dec rhag cael eu golchi i'r môr. Eu bwyd oedd yr ieir a'r moch ar y llongau y bydden nhw'n eu lladd yn fwyd yn ôl y galw. Ar doriad gwawr ar Awst 3ydd 1492 gadawodd y llongau. Roedd Columbus wedi breuddwydio am y dydd hwn ers deng mlynedd. Hwyliodd i'r de tuag at Ynysoedd y Caneri ac yno bu'n rhaid aros i drwsio'r Nina a'r Pinta. Yna ar y 6ed o Fedi hwylion nhw tua'r gorllewin. I ble? Doedd neb yn gwybod.

Roedden nhw'n credu iddyn nhw weld tir ar Fedi'r 25 ond na. Erbyn hyn roedd y criw yn poeni na fydden nhw'n gweld Sbaen byth eto. Credodd Columbus iddo weld golau ar y tir ar noson yr 11eg o Hydref. Ond mae'n debyg mai morwr o'r enw Rodrigo de Triana ar y Pinta waeddodd "Tir, tir!" gynta y diwrnod wedyn ar Hydref 12fed. Roedd gwobr o bensiwn am oes i'w roi i'r un a welai dir gynta. Yn anffodus nid Rodrigo a gafodd y pensiwn ond Columbus ei hun gan iddo ddadlau iddo weld golau ar y tir y noson cynt. Roedden nhw wedi hwylio am 36 diwrnod a chreu hanes pan droedion nhw ar dir ynys y galwodd Columbus hi'n San Salvador er parch i Iesu Grist. Galwodd Columbus y brodorion yn Indiaid gan ei fod yn credu iddo gyrraedd Asia. Gwnaeth bedair mordaith i'r byd newydd a darganfod Trinidad, Puerto Rico a nifer o ynysoedd o gwmpas Cuba. Mae'n rhyfedd meddwl na chafodd America ei henwi ar ei ôl. Aeth y fraint honno i'w gydwladwr Amerigo Vespucci.

Bu farw Columbus yn 1505 yn Valladolid a'i gladdu yno. Erbyn hyn mae pobl yn credu bod ei weddillion yn Seville.

GYDA IESU GRIST (CLAP A CHÂN RHIF 66)

Ymhob peth a wnawn, O Dduw,
rho i ni'r dymuniad i chwilio am y gwirionedd;
rho i ni barodrwydd i wrando ar gyngor eraill;
rho i ni ddoethineb wrth wneud penderfyniad;
a rho i ni ffydd i gredu yn ein penderfyniad
a dewrder i brofi yr hyn a gredwn.
Rho i ni wyleidd-dra i gyfadde ein bod weithiau yn anghywir.
Er mwyn Iesu Grist. Amen.

GWAITH TRAWSGWRICWLAIDD

- Chwiliwch am hanes darganfyddwyr enwog eraill.
- Marciwch ar fap Sbaen daith gynta Columbus yn 1492.
- Ysgrifennwch stori antur am fôr-ladron.
- Tynnwch lun Columbus ar ei long y Santa Maria.

THEMA – DIOLCH

Yr adeg yma o'r flwyddyn ydy adeg y cyrddau diolchgarwch mewn capeli, eglwysi ac ysgolion. Bydd pobol yn dod â blodau, llysiau a ffrwythau yn rhoddion i addurno'r adeilad. Wedi'r gwasanaeth caiff rhain eu rhoi i'r rhai sydd mewn ysbyty neu mewn angen. Mae'r dyn yn ein stori heddiw wedi rhoi'r cyfan oedd ganddo i helpu eraill.

TI SYDD YN RHODDI'R CYNHAEAF (CLAP A CHÂN RHIF 6)

GENESIS 1 : 9 – 14

STORI

Ffermwr oedd Komoti yn byw flynyddoedd lawer yn ôl yn Japan. Roedd ei fferm ar lethrau'r bryniau uwchben pentre ar lan y môr. O'i fferm gallai weld y môr glas a'r tonnau'n torri ar y tywod melyn ar y traeth. Bob blwyddyn byddai'n casglu'r cynhaeaf. Cynhaeaf reis oedd gan Komoti a byddai'n ei gasglu a'i bentyrru mewn nifer o dasau mawr, uchel yn barod i'w ddyrnu.

Un flwyddyn, ar ddiwrnod Gŵyl y Cynhaeaf, roedd Komoti yn eistedd ar ei ben ei hun tu allan i'w gartre yn edrych i lawr ar y pentre. Roedd y strydoedd wedi eu haddurno'n lliwgar gyda lanterni a baneri o bob lliw, gan fod pawb yn dathlu. Roedd ei deulu i gyd wedi mynd i'r dathliadau ac roedd Komoti wedi aros gartre gyda'i ŵyr bach Taro.

Yn sydyn, teimlodd Komoti y tir yn ysgwyd o dan ei draed. Daeargryn! Mae'n digwydd yn aml yn Japan. Edrychodd i lawr ar y pentre a gwelodd fod pob dim i'w weld yn hollol naturiol yno. Ond yna, sylwodd Komoti fod y môr yn cilio nôl o'r traeth ac roedd mwy a mwy o'r pentrefwyr yn tyrru yno i weld y digwyddiad anghyffredin hwn. Edrychodd Komoti allan ar draws y bae ac yn y pellter, er mawr ddychryn iddo, sylwodd fod yna don enfawr yn ymgasglu a gwyddai y byddai'r don anferth honno cyn hir yn hyrddio'n ôl tuag at y traeth ac y byddai'r pentrefwyr yn siŵr o gael eu boddi.

Meddyliodd Komoti fod rhaid iddo rybuddio'r pentrefwyr ar unwaith Ond sut gallai e wneud hynny? Doedd dim pwrpas gweiddi na chwifio baner, fyddai neb yn ei glywed nac yn ei weld. Yna'n sydyn cafodd syniad. Galwodd ar ei ŵyr bach i ddod â ffagl iddo o'r tân yn y gegin. Daeth Taro â brigyn o'r tân yn union fel y gofynnodd Komoti iddo. Rhedodd Komoti gyda'r brigyn allan i'r cae at y teisi reis. Heb aros i feddwl plygodd a gosododd y naill das ar ôl y llall ar dân. Saethodd y fflamau i fyny ar hyd y teisi sych a chododd cymylau o fwg trwchus du i'r awyr.

Gwelodd y pentrefwyr ar y traeth y fflamau a'r mwg i fyny ar y bryn. Tân, gwaeddon nhw a dechreuodd pawb yno redeg o'r traeth ac i fyny'r bryn er mwyn rhoi help i'r ffermwr ddiffodd y tanau. Wrth wneud hynny roedden nhw hefyd yn rhedeg i ddiogelwch. Pan oedden nhw'n dringo'r bryn at y tân rhuthrodd tonnau anferth dros y traeth, lle roedd y pentrefwyr wedi bod yn sefyll, gan olchi'r cyfan i ffwrdd. Pe bai unrhyw un wedi bod yn sefyll yno ar y pryd, byddai wedi cael ei lyncu gan y tonnau anferth ond oherwydd Komoti roedd y bobl yn ddiogel ar ochr y bryn.

Collodd Komoti ei reis i gyd, ond ar Ŵyl y Cynhaeaf roedd wedi rhoi anrheg arbennig i'r pentrefwyr.

ESTYN DY LAW, FY FFRIND
(MWY O GLAP A CHÂN RHIF 46)

Ein Tad, diolchwn i Ti am dy holl roddion i ni adeg y cynhaea. Diolch am ein bwydo, ein dilladu ac am yr holl fendithion a dderbyniwn. Helpa ni, y rhai sydd â digon o bob dim, i gofio am y rhai hynny sydd heb ddim. Gwna ni yn blant sydd yn barod i roi ein harian i'r tlawd a'r newynog ar draws y byd, heb anghofio'r tlodion yn ein hardal. Yn enw Iesu Grist. Amen

GWAITH TRAWSGWRICWLAIDD

- Tynnwch lun naill ai'r olygfa a welodd Komoti neu'r olygfa a welodd y pentrefwyr o'r traeth.
- Chwiliwch am wybodaeth pam a beth sy'n achosi daeargryn.
- Faint y dylen ni wneud i helpu'r tlawd a'r rhai sydd heb fwyd yng Nghymru ac ar draws y byd? Trafodwch.
- Ysgrifennwch weddi yn gofyn am gymorth i'r rhai mewn angen.

THEMA – YMDRECH A LWYDDA

Mae ymdrech yn siŵr o lwyddo. Faint bynnag o allu sy gan berson, os nad yw'n barod i wneud ymdrech, yna does dim gobaith iddo lwyddo.

O DDUW Y CYNHAEAF (CLAP A CHÂN RHIF 16)

LUC 6 : 43 – 45

HANES THOMAS EDISON

Yn chwech oed roedd diddordeb mawr gan Thomas Edison i wybod beth fyddai'n digwydd petai'n gosod tŷ gwair ei dad ar dân. Fe gafodd wybod yn ddigon buan; llosgodd y tŷ gwair yn ulw ymhen munudau a chafodd yntau grasfa go iawn gan ei dad am wneud rhywbeth mor beryglus a gwirion.

Dyna ddechrau poenus i yrfa person sy'n cael ei ddisgrifio fel y dyfeisiwr mwya ohonyn nhw i gyd. Yn saith oed mynnodd ei athrawes, ar ôl ei ddysgu am ddeuddeng wythnos, fod ymennydd y crwt bywiog hwn yn gymysg i gyd. Arhosodd e ddim yn hir yn yr ysgol honno wedyn a chafodd ei addysgu gartre gan ei fam. Roedd yn hoffi holi cwestiynau ac am wybod sut roedd pethau'n gweithio. Roedd yn darllen yn eang ac wedi iddo ddarllen gwaith Shakespeare, meddyliodd y byddai'n hoffi bod yn actor. Ond gwyddoniaeth aeth â'i fryd.

Dangosodd yn ifanc ei fod yn gallu dal ati'n hir a datrys problem. Roedd yn barod i chwysu er mwyn cael yr ateb ac un fel yna oedd e trwy gydol ei fywyd. Buodd bron â gyrru ei fam yn wirion gyda'i arbrofion yn seler y cartre. Ac yno, yn ei amser rhydd, byddai'n dal i ddyfeisio pob math o bethau. Yn Boston bu'n gweithio gydag Alexander Graham Bell yn ceisio perffeithio y *telephone*. Symudodd wedyn i Efrog Newydd lle bu'n gweithio ar berffeithio y *phonograph* neu'r chwaraewr recordiau i ni heddiw.

Cafodd Edison ei siomi fod Graham Bell wedi dyfeisio'r ffôn cyn iddo fe lwyddo, ond gwnaeth hyn iddo fe weithio'n galetach. Yn wir fe ddyfeisiodd y bwlb trydan cynta. Yn sicr dyma'r ddyfais a gafodd y dylanwad mwya erioed ar ddynoliaeth. Erbyn Hydref 2il, 1883 llwyddodd i greu system drydan i ddinas Brockton. Y dasg enfawr oedd creu system debyg i Efrog Newydd gan nad oedd ffatrïoedd ar gael i greu'r deunyddiau angenrheidiol. Bu'n rhaid iddo felly wneud yr holl waith ei hun a gosod gwifrau yn y ddaear i fynd o dan y strydoedd ac i bob tŷ. Hefyd dyfeisiodd fesurydd i fesur faint o drydan oedd yn cael ei ddefnyddio ymhob tŷ er mwyn talu am y trydan. Llwyddodd Edison i wneud hyn i gyd a chant a mil o bethau eraill.

Roedd wrth ei fodd yn dyfeisio er mwyn rhoi cysur a phleser i bobl. Cynhyrchodd Edison y ffilm ddistaw gynta a hefyd y ffilm sain gynta yn 1904. Yn ystod ei oes cyflawnodd un mil a naw deg tri o wahanol ddyfeisiadau.

Bu farw Edison ar Hydref 18fed 1931 yn wyth deg pedwar oed. Ei eiriau ola wrth ei wraig oedd, "Mae'n hyfryd ac yn olau fan draw." Addas iawn bod y dyn a ddaeth â golau i ni ar y ddaear wedi gweld y golau llachar yn y nefoedd hefyd.

RHYWUN SY'N FYW (MWY O GLAP A CHÂN RHIF 76)

Ein Tad diolchwn am fywyd Thomas Edison ac am ei waith sydd wedi gwneud cymaint o wahaniaeth i'n bywyd ni ar y ddaear. Diolch i Ti am roi'r weledigaeth iddo a'r nerth i weithio a gweithio ac yna llwyddo.

Helpa ni ddysgu bod yn rhaid ymdrechu a dyfalbarhau a pheidio ag ildio os ydyn am lwyddo. Helpa ni weld mai Ti sy'n rhoi'r nerth yma i ni. Diolch Iesu am fod gyda ni bob dydd, er nad ydyn ni'n llwyddo bob tro. Amen.

GWAITH TRAWSGWRICWLAIDD
- Chwiliwch am hanes dyfeiswyr enwog eraill megis Alexander Graham Bell.
- Tynnwch lun bwlb trydan.
- Trafodwch beth ddywedodd Edison, na fyddai byth yn dyfeisio unrhyw beth a fyddai'n niweidio pobl eraill, megis arfau. Beth yw eich barn am hyn?
- Gwnewch gylchdro trydan syml (gyda batris) gan oleuo tri bwlb.

MIS HYDREF – RHIF 7
TRYCHINEB ABERFAN

THEMA – TRYCHINEB

Dros y blynyddoedd mae sawl trychineb wedi bod yng Nghymru yn arbennig yn y pyllau glo. Dynion fyddai'n cael eu lladd fel arfer gan adael gweddwon a phlant heb dad. Adeg trychineb Aberfan, y plant gafodd eu lladd.

 YR ARGLWYDD YW FY MUGAIL (CLAP A CHÂN RHIF 59)

 MATHEW 7 : 24 – 27

TRYCHINEB ABERFAN

Am chwarter wedi naw ar fore dydd Gwener, Hydref 21ain 1966, llithrodd tomen o wastraff glo i lawr ochr y mynydd uwchlaw pentre Aberfan ger Merthyr Tydfil. Cafodd ffermdy ei sgubo gan yr afon ddu a chafodd y teulu oedd yn byw yno eu lladd.

Islaw roedd plant Ysgol Gynradd Pantglas newydd ddychwelyd i'w dosbarthiadau wedi gwasanaeth y bore. Fe orffennon nhw'r gwasanaeth trwy ganu'r emyn 'Pob peth hardd sydd yn y byd.' Roedd yn fore heulog ar y mynydd a'r pentre wedi ei orchuddio gan haenen o niwl y bore. Roedd y gweithwyr glo ar y mynydd wedi gweld y domen yn dechrau llithro ond allen nhw wneud dim i rybuddio'r pentrefwyr nag i atal y llithriad. Yn y pentre clywodd pawb y sŵn, ond doedd dim byd o gwbl i'w weld.

Ysgrifennodd Gaynor Minett, merch wyth oed a oedd yn yr ysgol y bore hwnnw, ei hatgofion rai blynyddoedd wedyn.

"Roedd y sŵn yn anferthol a'r ysgol fel y bedd. Roedd pawb fel petaen nhw wedi eu rhewi yn eu cadeiriau. Llwyddais i godi a sefyll ar ben y ddesg. Aeth y sŵn y tu allan yn uwch ac yn uwch ac roedd yn agos iawn. Edrychais allan drwy'r ffenest a gweld y cyfan yn ddu. Alla i ddim cofio rhagor, ond deffrois i weld yr hunllef greulon o flaen fy llygaid."

Cafodd yr ysgol a rhyw ugain o dai eu llyncu gan y llithriad cyn iddo ddod i stop. Yna, roedd tawelwch llethol. Dywedodd gŵr a gafodd ei ddal yn y llithriad nad oedd dim sŵn plentyn nac aderyn i'w clywed yn y tawelwch.

Bu farw 144 o bobl yn y drychineb yn Aberfan. Roedd 116 ohonyn nhw'n blant Ysgol Gynradd Pantglas, tua hanner plant yr ysgol. Cafodd pump o athrawon yr ysgol eu lladd hefyd. Roedd yn ddigwyddiad mor erchyll fel bod pawb am helpu. Heidiodd cannoedd o bobl o bob cwr o Gymru yno i gloddio a chwilio a oedd rhywun yn dal yn fyw. Chafodd neb ei achub yn fyw ar ôl un ar ddeg o'r gloch y bore hwnnw. Ond buon nhw wrthi am wythnos cyn dod o hyd i'r holl gyrff.

Trychineb oedd hon a siglodd y gymuned leol, Cymru gyfan a'r byd i gyd a gallwch weld cofeb i'r rhai a gollodd eu bywydau ar ochr y mynydd.

Heddiw mae ysgol newydd yn Aberfan a chenhedlaeth newydd o blant. Ond fydd yr atgofion byth yn marw na'r hiraeth am y rhai a fu farw yn nhrychineb Hydref 21ain, 1996.

Pa effeithiau a gafodd y drychineb? Cafodd pob tomen lo ar draws de Cymru ei harchwilio gan y Bwrdd Glo er mwyn gwneud yn siŵr na fyddai'r un peth byth yn digwydd eto.

DANGOS CARIAD DUW (MWY O GLAP A CHÂN RHIF 62)

Ein Tad rydyn ni'n gwybod dy fod di gyda phawb sy'n diodde. Mae trychinebau naturiol yn digwydd, llifogydd, daeargrynfeydd a phobl yn colli popeth. Mae trychinebau'n digwydd weithiau am fod pobl bwysig, arweinwyr gwlad, yn esgeulus ac yn gwrthod gwrando.

Cysura y rhai hynny sydd mewn gofid a bydd yn Dad hawdd ei gael i bawb. Yn enw Iesu Grist. Amen

---

GWAITH TRAWSGWRICWLAIDD

- Chwiliwch am hanes trychinebau eraill yng Nghymru ac ar draws y byd.
- Ysgrifennwch weddi dros y rhai sydd yn dioddef mewn trychineb.
- Dewch o hyd i Aberfan ar fap o Gymru.
- Trafodwch – Beth yw'r wers ar ôl dioddef trychineb fel trychineb Aberfan?

THEMA – GWELD A SYLWEDDOLI

Roedd Henri Dunant yn hoff iawn o chwarae milwyr pan oedd yn blentyn gan greu brwydrau dychmygol gwych. Ond, pan aeth i faes brwydr go iawn, cafodd syndod ei fywyd.

HEDDWCH AR DDAEAR LAWR
(MWY O GLAP A CHÂN RHIF 65)

CORINTHIAD 13 : 11 – 14

HANES HENRI DUNANT

Cafodd Henri Dunant ei eni yn Geneva yn y Swistir yn 1828 yn fab i deulu cefnog crefyddol. Pan oedd yn blentyn, byddai wrth ei fodd yn creu brwydrau dychmygol gyda'i degannau o filwyr. Tyfodd yn ddyn busnes llwyddiannus iawn a daeth i nabod Napoleon yn dda.

Aeth i weld brwydr Napoleon yn Solferino yn yr Eidal yn erbyn yr Awstria. Cyrhaeddodd yno fel yr oedd y frwydr yn dod i ben. Hon oedd un o'r brwydrau mwya gwaedlyd a chreulon y ganrif. Cafodd dros bedwar deg mil o ddynion eu lladd a chafodd Dunant ei ddychryn. Yr hyn a welodd oedd dynion yn hanner marw, eraill yn gwaedu i farwolaeth ac eraill yn sgrechian mewn poen. Sylwodd nad oedd fawr o neb yn ceisio achub y cleifion na thrin eu clwyfau.

Aeth at y milwyr oedd yn gorwedd yno'n gwaedu a cheisio rhoi cysur i'r rhai oedd wedi eu clwyfo'n ddrwg. Bu ar faes y gad am dri diwrnod yn gwneud yr hyn roedd e'n gallu i filwyr y ddwy ochr. Wedi'r tri diwrnod daeth i gasáu rhyfel a deall ei fod yn rhywbeth erchyll. Newidiodd y tri diwrnod yn Solferino ei fywyd. Daeth i weld mor ddibwrpas oedd rhyfel ond gan wybod serch hynny y byddai dyn yn sicr o barhau i ryfela. Ond, er mwyn diogelu'r milwyr a fyddai'n cael eu clwyfo, roedd yn benderfynol o osod rheolau mewn rhyfel.

Ysgrifennodd lyfr ar y frwydr a welodd sef 'Atgofion Solferino'. Mynnodd Dunant y dylai cenhedloedd y byd sefydlu gwasanaeth meddygol ymhob gwlad drwy'r byd, er mwyn helpu unrhyw un a fyddai'n cael ei glwyfo mewn rhyfel. Hefyd mynnodd nad oedd hawl gan y gelyn mewn rhyfel ymosod ar feddygon, na nyrsys, nac ysbytai dros dro. Anghofiodd Dunant am ei fusnes llwyddiannus a theithiodd ar draws y byd yn cyflwyno ei syniadau i frenhinoedd a phrif weinidogion.

Galwodd gynhadledd yn Genefa yn Hydref 1863 a daeth cynrychiolwyr o un ar bymtheg o brif wledydd y byd yno. Yn Awst cafodd cytundeb rhyngwladol ei arwyddo sef Confensiwn Geneva. Cafodd Y Groes Goch ei sefydlu gan fabwysiadu arwydd arbennig, sef croes goch ar gefndir gwyn, lliwiau baner gwlad Dunant – y Swistir. Bellach, felly roedd rheolau pendant i'w dilyn ymhob rhyfel a chafodd y Groes Goch ei sefydlu ymhob gwlad.

Erbyn hyn roedd busnes Dunant wedi mynd i'r wal ac yntau wedi gwario ei holl arian ar yr ymgyrch i helpu ei gyd ddyn. Er y llwyddiant, trist fu bywyd Dunant ar ôl hynny. Diflannodd mewn unigrwydd am ugain mlynedd tan i athro ysgol ddod ar ei draws mewn Cartre Hen Bobl yn Heiden, pentre bach yn y Swistir. Cofiwyd amdano ac enillodd wobr heddwch Nobel yn 1901. Ond mynd nôl i ystafell 12 yn y Cartre a wnaeth Dunant tan ei farwolaeth yn 1910. Cafodd ei gladdu fel ci. Chafodd e ddim angladd, na neb i alaru ar ei ôl. Ond gadawodd Henri Dunant y rhodd mwya gwerthfawr i ddynoliaeth sef y Groes Goch sydd, ers ei sefydlu, wedi achub bywydau miloedd o ddynion a merched.

CANU AM DANGNEFEDD (CLAP A CHÂN RHIF 56)

Helpa ni, Dad nefol, i fyw mewn heddwch gyda'n gilydd, a'n hatal rhag dweud pethau cas wrth eraill. Gwna ni sylweddoli gymaint y gall geiriau cas frifo eraill ac achosi poen. Gwna ni feddwl cyn dweud na gwneud unrhyw beth sy'n creu drwg deimlad. Boed i ni reoli ein tymer, edrych am y da ym mhob un, gan faddau y rhai sy'n ceisio gwneud drwg i ni. Gwna ni fel Henri Dunant yn ymladdwyr dros heddwch ac yn bobol sy'n dangos cariad at ein cyd-ddyn. Er mwyn Ei enw, Amen.

GWAITH TRAWSGWRICWLAIDD

- Oes unrhyw ddaioni yn dod o ryfela? Trafodwch.
- Ewch ati i chwilio am hanes y Groes Goch.
- Sut mae Iesu yn dweud wrthon ni am drin ein gelynion?
- Chwiliwch am hanes Gwobr Nobel.

THEMA – DIOLCH AM BOBL SY'N RHOI EU BYWYD I WASANAETHU CRIST

Mae'n draddodiad yn yr Eglwys yng Nghymru ac yn yr Eglwys Babyddol i gofio am yr holl seintiau a roddodd eu bywyd dros Grist ar ddydd arbennig, Gŵyl yr holl Saint ar Dachwedd y cyntaf.

TYRD IESU GRIST (MWY O GLAP A CHÂN RHIF 69)

MARC 5 : 1 – 15

DIWRNOD OLAF MIS HYDREF A DIWRNOD CYNTAF MIS TACHWEDD

Fe glywsoch am Iesu yn bwrw'r ysbrydion drwg allan o'r dyn oedd yn byw ymhlith y beddau. Roedd yr ysbrydion yn gwneud iddo weiddi ac anafu ei hun â cherrig. Felly, helpodd e drwy fwrw allan y cythreuliaid. Yn y diwedd fe allech chi weld y dyn hwn yn eistedd wrth droed Iesu yn gwisgo ei ddillad ac yn ei iawn bwyll.

Heddiw fel yn yr hen amser, mae pobl yn gweddïo er mwyn cael gwared ar y drwg sydd y tu mewn i ni. Gallwn ddiolch nad oes rhaid i ni fyw mewn ofn, fel y bobl slawer dydd, oedd yn credu bod ysbrydion yn byw yn y coed neu mewn llyn ac yn dod allan i wneud drwg.

Rydyn ni heddiw'n dathlu Calan Gaeaf trwy wisgo fel gwrachod neu ysbrydion. Heddiw hefyd, mae'r arfer Americanaidd o fynd o gwmpas tai gan ofyn am ffafr neu chwarae tric wedi dod yn boblogaidd. Yr arfer yng Nghymru ar noson Calan Gaeaf oedd twco falau a bwyta cnau.

Amser maith yn ôl, noson Calan Gaeaf oedd y noson arbennig i'r ysbrydion drwg fel gwrachod a choblynnod ymddangos. Dyma eu cyfle i greu trafferthion cyn dydd yr holl saint. Byddai ffermwyr yn cynnau coelcerthi er mwyn cadw'r ysbrydion drwg rhag poeni'r anifeiliaid. Byddai eraill yn cerdded o gwmpas y caeau gyda thorchau o dân, eto er mwyn rhwystro'r ysbrydion drwg rhag gwneud niwed i'r cnwd.

Yn dilyn prysurdeb noson Calan Gaeaf, roedd y dydd cynta o Dachwedd, Dydd yr Holl Saint, yn ddiwrnod tawel. Fyddai'r ysbrydion drwg ddim yn mentro bod o gwmpas ar ddydd sanctaidd! Pe bai plentyn yn cael ei fedyddio'r adeg honno o'r flwyddyn, byddai teuluoedd cyfoethog yn y canol oesoedd yn rhoi llwy yr apostol iddo. Ar ben y llwy arbennig hon, roedd cerflun un o'r seintiau.

Y sant enwoca i ni'r Cymry yw Dewi Sant ac rydyn ni'n dathlu ei fywyd a'i ddylanwad arnon ni fel cenedl ar Fawrth y cynta. Person syml oedd e yn teithio o gwmpas Cymru yn pregethu Efengyl Crist, yn sefydlu eglwysi, rhai ohonyn nhw fel Llanddewibrefi ag enw Dewi arnyn nhw. Yn ôl yr hanes, cyflawnodd sawl gwyrth ac fe wynebodd baganiaid fel Boia a Satrapa ac ennill y dydd. Mae enwau cymaint o'n seintiau i'w gweld yn enwau lleoedd Cymru, enwau fel Teilo, Padarn, Garmon, Deiniol a Dyfrig. Ar Dachwedd y cynta mae'r Eglwys yng Nghymru a'r Eglwys Babyddol yn cofio am yr holl seintiau hynny sydd wedi dilyn yr Iesu a byw mor agos ag y gallen nhw at ei fywyd e.

Rydyn ni yng Nghymru yn credu bod pawb sy'n derbyn Crist yn sant ac yn rhoi eu bywyd i wasanaethu Crist a cheisio byw fel fe. Felly, does dim sôn yn ein capeli nag eglwysi anghydffurfiol am Ŵyl yr Holl Seintiau. Ond os ewch i Lydaw ar y dydd arbennig hwn, fe welwch flodau ar bob bedd yn y fynwent. Chrysanthemum yw'r hoff flodyn. Felly, peidiwch â phrynu potyn Chrysanthemum i'w roi fel anrheg.

GWRANDEWCH AR IESU (CLAP A CHÂN RHIF 70)

Ein Tad cofiwn heddiw am yr holl bobol sydd yn dilyn ffordd dy fab di. Dywedodd e, 'Myfi yw'r Ffordd, y Gwirionedd a'r Bywyd.' Diolch am y geiriau yna a diolch am y bobl sy'n dilyn y ffordd hon, yn rhoi bwyd i'r tlawd, yn gwisgo'r noeth ac yn ceisio rhoi trefn ar anhrefn dyn. Rho oleuni Duw yn eu bywydau. Gwna nhw'n rhydd i fyw eu bywydau heb ofn fel y gallan nhw deimlo cariad Crist. Yn ei enw Ef. Amen.

GWAITH TRAWSGWRICWLAIDD

- Gwnewch restr o'r enwau lleoedd yng Nghymru sy'n cynnwys enw sant.
- Chwiliwch am wybodaeth ac yna ysgrifennwch hanes un o'r seintiau hyn.
- Allwch chi fod yn sant heb fod yn Gristion? Trafodwch.
- Mae pobl yn dal i fod yn ofergoelus – megis ofn cerdded o dan ysgol. Chwiliwch am ragor o ofergoelion sy'n dal yn bodoli heddiw. Ydych chi'n ofergoelus?

MIS TACHWEDD – RHIF 1
CYSEGRU TALENT – MICHELANGELO

THEMA – DEFNYDDIO EIN DONIAU

Mae gan bob un ohonon ni dalent, dawn o ryw fath neu 'i gilydd. Ydyn ni'n gwybod hyn? Ydyn ni'n gwneud y defnydd o'r dalent honno? Dyma un dyn yn sicr a wnaeth.

 PE BAI GENNYF FORTHWYL (CLAP A CHÂN RHIF 63)

 LUC 6 : 6 – 10

CAMPWEITHIAU MICHELANGELO

Rhaid mynd i Rufain i weld un o gampweithiau enwoca Michelangelo. Rhaid mynd i mewn i'r Fatican ei hun, ac i mewn i Gapel y Sistine. Yno, dim ond i chi edrych i fyny ar y to, fe welwch un o gampweithiau godidoca'r byd.

Uwch eich pen mae 145 o luniau wedi eu peintio gan law meistr ar ei grefft ac un yn gwybod hanes yr Hen Destament a'r Testament Newydd yn fanwl. Mae Michelangelo wedi cynnwys 400 o gymeriadau'r Beibl yno sydd dros 5,000 o droedfeddi sgwâr. Gweithiodd am bedair blynedd a hanner, yn uchel ar ben sgaffaldau gan orwedd ar ei gefn wrth beintio, a'r paent yn disgyn fel brodwaith ar ei wyneb a'i farf. Roedd yn waith erchyll o anodd. A chredwch neu beidio, doedd Michelangelo ddim am ei wneud. Y Pab ei hun fynnodd ei fod yn peintio to ei gapel ef yn y Fatican.

Dan orchymyn y Pab, defnyddiodd Michelangelo frws paent yn lle'r morthwyl a'r cŷn arferol. Ar y pryd, roedd Michelangelo'n berson enwog, nid am weithio gyda phaent ond am ei waith gwych yn trin carreg.

Doedd tad Michelangelo, a oedd yn arlunydd ei hun, ddim am i'w fab ddilyn gyrfa fel artist. Yn bedair ar ddeg oed, aeth Michelangelo i Ysgol Gelf Fflorens ac yno, daeth i sylw Lorenzo de Medici, rheolwr y ddinas. Aeth wedyn i Rufain. Yno, cafodd gomisiwn i gerfio Pieta yn yr Eglwys Gadeiriol ei hun. Daeth yn enwog ar unwaith wedi gorffen y cerflun hwn o Mair yn dal corff marw yr Iesu wedi iddo gael ei groeshoelio. Er bod ei lofnod ar y gwaith, addawodd Michelangelo na fyddai byth yn gwneud hyn eto rhag i bobl dybio ei fod e'n meddwl ei hunan yn bwysig.

Aeth yn ôl i Fflorens. Tu allan i un o'r eglwysi yno, roedd talp o farmor bron ugain troedfedd o uchder. Dros y blynyddoedd roedd nifer o gerflunwyr enwog wedi bod yn ceisio gwneud rhywbeth o'r marmor ond heb lwyddo. Cuddiodd Michelangelo ei hun tu ôl i'r sgaffaldiau a buodd yn gweithio yno am dair blynedd.

Dyma gerflun enfawr Michelangelo o Dafydd, y bugail ifanc a laddodd y cawr o filwr sef Goliath. Pan gafodd ei ddadorchuddio roedd pawb yn rhyfeddu at y gwaith gwych. Roedd rhai cerflunwyr yn eiddigeddus. Dywedon nhw fod trwyn Dafydd yn rhy fawr. Ar unwaith, dringodd Michelangelo ysgol ac esgus naddu ychydig ar y trwyn a thaflu ychydig o lwch i lawr ar ben y cerflunwyr.

"Ydy hynna'n well?" holodd Michelangelo.

"O, ydy," meddai'r cerflunwyr. "Rwyt ti nawr wedi rhoi bywyd iddo." Ddywedodd Michelangelo ddim un gair wrthyn nhw.

Cerflunydd llwyddiannus oedd Michelangelo ac nid artist. Ond pan agorwyd Capel y Pab, y Sistine ar Dachwedd y cyntaf, 1512 fe welwyd bod Michelangelo yn artist mawr hefyd a bod y gwaith hwn yn un o'r creadigaethau celf gwychaf erioed. Roedd yn dri deg saith ar y pryd a buodd farw'n wyth deg a naw oed.

Tua diwedd ei fywyd, dywedodd Michelangelo, "Dw i wir yn credu bod Duw wedi fy newis i wneud y gwaith hwn. Hyd yn oed yn fy henaint, rwy'n gweithio o gariad at Dduw ac rwy'n rhoi fy holl obaith ynddo Ef."

Rhywun Sy'n Fyw (Mwy o Glap a Chân Rhif 76)

Diolch i ti am y rhai fel Michelangelo sydd yn ein syfrdanu â'u dawn anhygoel. Diolch bod Michelangelo yn gwybod mai oddi wrthot Ti mae'r ddawn yn dod a'i fod wedi cyflwyno ei waith i Ti. Helpa ni wneud yr un peth. Helpa ni ddefnyddio'n talent a chysegru'n dawn er gogoniant i Ti, Amen.

Gwaith Trawsgwricwlaidd

- Mae llawer o gampweithiau eraill gan Michaelangelo. Chwiliwch wybodaeth amdanyn nhw.
- Chwiliwch wybodaeth am ragor o arlunwyr enwog oedd yn byw yn yr Eidal yr un pryd â Michelangelo.
- Trowch at yr Hen Destament i 1 Samuel : 33 – 51 er mwyn darllen yr hanes. Yna, tynnwch lun o Dafydd y bugail.
- Siaradwch ac yna ysgrifennwch am eich hoff ddarlun.

THEMA – ANGEN CYMORTH

Rydyn ni i gyd yn teithio, i weld y teulu neu ffrind. Rydyn ni hefyd ar daith arall, sef taith bywyd. Mae'r gwasanaeth heddiw yn canolbwyntio ar y ffaith bod angen help arnon ni'n aml ar hyd taith bywyd.

YR ARGLWYDD YW FY MUGAIL (CLAP A CHÂN RHIF 59)

ACTAU 9 : 3 – 20 (TAITH PAUL I DAMASCUS)

HANES GLADYS AYLWARD

Roedd Gladys Aylward yn credu bod Duw wedi ei galw i fod yn genhades. Felly, yn chwech ar hugain oed, defnyddiodd Gladys Aylward yr holl arian roedd wedi eu cynilo dros y blynyddoedd wrth weithio fel morwyn, i brynu tocyn trên £47 a fyddai yn mynd â hi i Tsieina i fod yn genhades. Yno cwrddodd â Jeannie Lawson, cenhades saith deg a thair oed roedd wedi bod yn ysgrifennu ati hi cyn dod i Yangchen. Aethon nhw ati i droi eu cartre yn westy a pharatoi lle tu ôl i'r tŷ i asynnod y garafan asynnod.

Cafodd y dynion welyau clyd, bwyd da ac roedd bwyd a diod hefyd i'r asynnod, y cyfan am bris rhesymol. Roedd Gladys Aylward a Mrs Lawson yn adrodd storïau difyr am Iesu Grist iddyn nhw yn ogystal.

Daeth y gwesty'n boblogaidd. Daeth pobl i wybod am Gladys Aylward yn arbennig pan ofynnodd y Mandarin, sef llywodraethwr y dre, iddi ei helpu. Roedd gwrthryfel yn y carchar a doedd swyddogion y carchar ddim yn gallu gwneud dim i dawelu'r carcharorion.

"Pam fi?" holodd Gladys Aylward.

"Rydych chi'n mynd o gwmpas yn pregethu wrth y bobl nad oes angen bod ag ofn un dim os ydyn nhw'n credu yn Iesu Grist." oedd ateb y Mandarin.

Mentrodd Gladys Aylward i mewn i'r carchar lle roedd y sŵn yn fyddarol. Gwaeddodd nerth ei phen am dawelwch a dyma'r carcharorion, er mawr syndod, yn tawelu. Aeth Gladys Aylward at y Mandarin a dweud wrtho bod angen rhywbeth i'w wneud ar y carcharorion a bod angen rhoi bwyd yn rheolaidd iddyn nhw.

Un diwrnod daeth ar draws gwraig a merch fach yn begera ar gornel stryd. Prynodd Gladys y ferch am naw ceiniog a 'Naw ceiniog' fu ei henw byth wedyn. Dyma ddechrau ar ei gwaith mawr nesa sef edrych ar ôl plant amddifad. Daeth Jean a David Davies o Gymru yn genhadon i dre gyfagos a buon nhw'n gefn mawr i Gladys

Aylward. Yn ystod y rhyfel rhwng Tsieina a Siapan yn 1936 bomiwyd Yangcheng. Bu'n rhaid i'r bobl ddianc i'r mynyddoedd rhag cael eu lladd. Penderfynodd Gladys Aylward y byddai rhaid iddi hi fynd â rhyw gant o blant yn ei gofal, i Sian lle roedd Cartref i blant amddifad. Fe deithion nhw dros y mynyddoedd am ddeuddeng niwrnod mewn tywydd garw ac oerfel dychrynllyd ond cadwodd Gladys Aylward y plant mor ddiddig â phosib trwy ganu emynau.

Cyrhaeddon nhw'r Afon Felen ac roedd yn rhaid ei chroesi. Yn anffodus roedd y Siapaneiaid wedi gwahardd defnyddio cychod ar yr afon. "Mae Duw yn ein galluogi i wneud popeth, dim ond gofyn iddo," meddai Gladys Aylward. Felly, aeth hi a'r plant ati i weddïo a chanu emynau. Clywodd milwr Tsieinïeg y canu a rhoddodd help iddyn nhw groesi'r afon. Er bod gweddill y daith yn drafferthus, cyrhaeddon nhw'r Cartre yn Sian yn ddiogel. Bu Gladys Aylward yn wael am wythnosau wedi hynny. Gwellodd yn raddol a sefydlu eglwys yn Sian ond â'i hiechyd yn fregus, dychwelodd i Brydain yn 1947.

GOFAL TYNER DUW (CLAP A CHÂN RHIF 55)

Ein Tad diolch i ti am fywyd a gwaith Gladys Aylward. Diolch am yr esiampl a roddodd o beidio ag ildio ond yn hytrach dal ati. Diolch i Ti am ateb ei gweddi ac am fod yn nerth iddi bob amser. Wynebodd bob rhwystr yn ddewr a hyderus yn dy enw di.

Helpa ni fod yn ddewr ac yn gryf wrth i ni wynebu'r anawsterau yn ein bywydau. Helpa ni weddïo arnat Ti a rhoi ein ffydd ynot Ti bob amser. Er mwyn Iesu Grist. Amen.

GWAITH TRAWSGWRICWLAIDD

- Dilynwch daith Gladys Aylward ar fap China.
- Ysgrifennwch am daith fentrus yr hoffech chi ei gwneud.
- Mae cenhadon enwog eraill. Chwiliwch am wybodaeth amdanyn nhw.
- Tynnwch luniau a chreu stori am y plant yn dianc dros y mynyddoedd. Byddai'n help i chi pe baech chi'n gweld y ffilm, 'Inn of the Sixth Happiness' ar fywyd Gladys Aylward.

MIS TACHWEDD – RHIF 3
GONESTRWYDD – Y CACENNAU SEIMLLYD

THEMA – BOD YN ONEST

Weithiau mae'n haws dweud celwydd. Cofiwch fod un celwydd yn arwain at un arall. Llawer gwell, felly, yw bod yn onest hyd yn oed er bod hynny'n boenus ar brydiau.

 O DDYDD I DDYDD (MWY O GLAP A CHÂN RHIF 71)

 LUC 19 : 1 – 10 (HANES SACHEUS Y TWYLLWR)

STORI

Mewn pentre bach yn Tsieina roedd Mi-shong yn chwarae tu allan i'r bwthyn bach lle roedd hi a'i mam yn byw. Roedd ei thad wedi marw rai blynyddoedd yn gynt ac roedd bywyd yn galed iawn arnyn nhw ac anodd oedd cael dau ben llinyn ynghyd. Byddai mam Mi-shong yn gwneud cacennau bob dydd i fynd i'r farchnad a Mi-shong fyddai'n mynd yno i'w gwerthu gan nad oedd hi'n ddigon da ei hiechyd i gerdded i'r farchnad ac yn ôl. Byddai Mi-shing yn ddigon hapus yn gwneud hyn a byddai'r ychydig geiniogau a gâi am y cacennau yn ddigon i'w chadw hi a'i mam mewn bwyd, ond fawr ddim arall. Roedd mam Mi-shong yn gogyddes dda ac yn gwneud cacennau seimllyd iawn gan mai rhai felly roedd y Tsieineaid yn eu hoffi.

Un diwrnod gallai Mi-shong arogli'r cacennau wrth iddi chwarae a chyn hir galwodd ei mam arni a dweud bod y cacennau'n barod. Wedi cyrraedd y farchnad buodd Mi-shing ddim yn hir cyn gwerthu'r holl gacennau. Roedd wrth ei bodd ac yn hapus fel y gog wrth ddychwelyd adre a'r cwdyn bach lledr yn drwm o geiniogau i'w mam.

Ar y ffordd adre daeth ar draws cardotyn yn eistedd ar ochr y ffordd.

"Oes gen ti geiniog i'w sbario i gardotyn gael prynu tamaid o fara?" Roedd gan Mi-shong galon garedig, ac er ei bod hi a'i mam yn dlawd, teimlodd drueni dros y cardotyn ac estynnodd am y cwdyn lledr a thynnu allan geiniog iddo. Wrth estyn y geiniog fe gipiodd e'r cwdyn lledr o'i llaw a diflannu.

Eisteddodd yno â'r dagrau'n powlio wrth feddwl am ei mam yn ymdrechu gwneud yr holl gacennau a hithau heb ddim arian i'w roi iddi am ei gwaith caled. Wrth iddi feichio crio daeth Maer y dre heibio a holi beth oedd wedi digwydd.

"Paid â chrio," meddai, "mi ddaliwn ni'r lleidr ac fe gei di dy geiniogau yn ôl. Does gen i ddim amynedd gyda phobl anonest."

Galwodd ar yr heddlu ond er chwilio'n ddyfal drwy'r pentre a'r ffermydd cyfagos doedd dim golwg o'r cardotyn. Felly, penderfynodd y Maer geisio dal y lleidr ei hunan. Gan mai fe oedd y Maer penderfynodd bod yn rhaid i bawb dalu treth ar ddiwrnod marchnad. Eisteddodd ar gwr y pentre yn gwylio pawb yn dod i'r farchnad. Wrth ei ochr roedd bwced o ddŵr ac wrth i'r bobl ddod heibio, roedd yn rhaid dangos arian y dreth i'r maer cyn ei roi yn y bwced dŵr. Doedd dim yn anghyffredin yn hyn gan fod llawer o'r bobl wedi dod o'r caeau reis i'r farchnad ac roedd pridd a baw felly ar eu dwylo a'u harian.

Ganol y prynhawn daeth dyn dieithr trwsiadus yr olwg heibio, ac yn ffroenuchel taflodd ei arian i'r bwced dŵr. Syrthiodd yr arian i waelod y bwced. Yn sydyn gwaeddodd y Maer, "Dyna'r lleidr!" gan bwyntio at y dyn trwsiadus. Doedd neb yn gallu credu mai hwn oedd y lleidr. Ond sut roedd y Maer yn gwybod hynny? Roedd cacennau Mi-shong yn seimllyd ac felly byddai'r saim ar ei dwylo wrth gydio yn y ceiniogau. Pan daflodd y dieithryn ei arian i'r dŵr fe gododd y saim i wyneb y dŵr a dyna sut y cafodd y lleidr ei ddal. Mae'r anonest yn sicr o gael eu dal yn y pen draw.

RHOWN FAWL AM IESU (MWY O GLAP A CHÂN RHIF 52)

O Dduw, rho nerth i ni wneud beth sydd yn wir ac yn onest. Helpa ni fod yn ddewr a dweud y gwir. Rydyn ni'n gwybod dy fod di'n hoffi pobl sy'n agored a gonest. Dysg ni dderbyn y bai ac i gyfaddef ein bod yn anghywir. Gofynnwn hyn yn enw Iesu Grist, Amen.

GWAITH TRAWSGWRICWLAIDD

- Tynnwch lun unrhyw olygfa yn stori Mi-shong.
- Ar ôl darllen Luc 10 : 25 – 37 ysgrifennwch ddameg y Samariad Trugarog yn eich geiriau eich hunan.
- Crëwch stori sy'n dangos ei bod yn talu i ddweud y gwir bob amser.
- Actiwch y stori, neu hanes y Samariad Trugarog yn eich grŵp.

THEMA

Mae pobl yn ein byd wedi goresgyn llawer o rwystrau er mwyn cyrraedd eu huchelgais. Yn aml mae'r daith yn un boenus a chaled a hawdd fyddai ildio. Rhaid wrth lawer iawn o aberth bersonol. Un felly oedd Marie Curie.

RHODDI DIOLCH (MWY O GLAP A CHÂN RHIF 49)

ECCLESIASTICUS 5 : 8 – 10

HANES MARIE CURIE

Cafodd Marie Sklodovska ei geni yn 1867 yn Warsaw, prif ddinas gwlad Pwyl. Yn ferch ifanc roedd ganddi ddiddordeb mawr yn llyfrgell ei thad ac yn arbennig yn y cwpwrdd gwydr lle roedd yn cadw ei offer gwyddonol. Roedd yn benderfynol o ddysgu sut i'w defnyddio ryw ddydd. Ond doedd dysgu ddim yn hawdd, gan fod gwlad Pwyl yn cael ei rheoli gan Rwsia a doedd merched ddim yn cael eu hannog i astudio. Ond roedd Marie yn benderfynol. Yn bedair ar hugain oed symudodd i Baris ac er nad oedd yn deall Ffrangeg, roedd yn benderfynol o astudio Gwyddoniaeth a Mathemateg ym mhrifysgol y Sorbonne ym Mharis.

Roedd yn anodd dilyn y darlithoedd yn Ffrangeg ond o dipyn i beth meistrolodd yr iaith a phasiodd bob arholiad gydag anrhydedd. Cafodd gynnig ysgoloriaeth i aros yn y Sorbonne i wneud ymchwil ar nodweddion magnetig dur. Roedd yn hapus iawn ond roedd angen gweithdy mwy arni i gwblhau'r gwaith. Clywodd am fyfyriwr ifanc arall â gweithdy mawr gyda digonedd o le sef Pierre Curie. Gofynnodd iddo a fyddai'n barod rhannu ei weithdy ac fe fodlonodd. Symudodd Marie ei hoffer i'w weithdy ac yn wir cyn hir fe syrthiodd y ddau mewn cariad a phriodi.

Dyma'r adeg pan oedd gwyddonwyr yn gwneud ymchwil i mewn i ymbelydredd ac roedd Marie yn llawn chwilfrydedd am y pelydrau a allai dreiddio trwy bopeth. Dechreuodd ar flynyddoedd o waith anodd, gan wynebu methiant, tor calon, tlodi a diffyg cefnogaeth. Yn ystod yr amser hwn ganwyd dau o blant i Marie a Pierre. Byddai'n edrych ar ôl y cartre a gweithio mewn sied ar waelod yr ardd. Bu Pierre yn gefn aruthrol iddi.

O'r diwedd, darganfu yr hyn y bu'n chwilio amdano ers blynyddoedd – radiwm y metel glas gloyw. Roedd yn gwybod ei fod yn bwysig gan ei fod yn gallu lladd celloedd wedi eu heintio yn y corff. Roedd yn gwybod hefyd y gallai radiwm fod yn hynod beryglus i gelloedd iach y corff. Bwriodd Marie ati i ymchwilio er gwaetha'r peryglon.

Roedd galw mawr am radiwm ar draws y byd gan fod meddygon yn defnyddio llawer iawn ohono i iachau heintiau o bob math. Daeth enw Marie Curie a'i gŵr yn adnabyddus am eu gwaith yn datblygu radiwm. Ond roedd rhai papurau newydd yn eu cyhuddo o storio llawer ohono er mwyn ei werthu am bris uchel. Wrth gwrs celwydd oedd hynny.

Daeth trychineb erchyll i fywyd Marie pan gafodd Pierre ei ladd ar y stryd ym Mharis. Torrodd ei chalon, ond mynnodd ddal ati er cof am Pierre. Yn raddol gwaethygodd iechyd Marie; roedd y radiwm yn ei lladd. Ond daliodd i weithio tan ei marwolaeth yn 1934 gan fod ei gwaith yn dod â gobaith am fywyd gwell i filoedd o bobl ar draws y byd.

Byddai Marie Curie a'i gŵr Pierre wedi bod yn gyfoethog iawn petaen nhw wedi gwerthu eu darganfyddiadau ond rhoddon nhw'r cyfan am ddim er lles gwyddoniaeth ac er lles miliynau o bobl ar draws y byd. Er mwyn helpu eraill aberthodd Marie Curie ei bywyd.

Am Iechyd ac am Nerth (Clap a Chân Rhif 10)

Ein Tad diolchwn i Ti am fywyd a gwaith Marie Curie a'i gŵr. Diolch am y gobaith a roddodd i filoedd o bobl yn sgil eu darganfyddiadau. Diolch bod yna bobl yn barod i aberthu'r cyfan er mwyn eraill yn union fel Iesu Grist. Gwna ni yn barod i weithio er lles eraill bob amser, er mwyn ei enw. Amen.

Gwaith Trawsgwricwlaidd

- Chwiliwch am ragor o hanes bywyd a gwaith Marie Curie.
- Mae gwyddonwyr enwog eraill wedi gwneud darganfyddiadau pwysig ym myd meddygaeth, megis Pasteur a Flemming. Chwiliwch am eu hanes.
- Mae cymdeithas Marie Curie yn casglu arian tuag at ymchwil cancr. Casglwch ragor o wybodaeth am y gymdeithas.

Thema

Mae llawer ohonon ni ar ryw achlysur neu'i gilydd wedi bod mewn ysbyty. Rydyn ni'n ffodus bod y fath lefydd ar gael. Fe fyddai'n fyd gwahanol iawn heb yr ysbytai a'r bobl sy'n gweithio ynddyn nhw. Dyma hanes sefydlu un ysbyty enwog.

 O Arglwydd, Diolchaf (Mwy o Glap a Chân Rhif 14)

 Luc p.18 ad.35 – 43

Hanes Sefydlu Ysbyty St Bartholomew

Flynyddoedd yn ôl roedd digrifwr ar gael ymhob llys. Felly, pan fyddai gwledd neu ddathliad arbennig yn y llys byddai'r digrifwr yn creu adloniant i'r gwesteion. Un felly oedd Rahere a oedd yn cael ei gyflogi gan y Brenin Harri'r Cyntaf. Roedd holl ymwelwyr â llys y Brenin Harri'n gwybod am Rahere gan ei fod mor hwyliog a digri.

Digwyddodd newid mawr yn llys y Brenin Harri. Boddodd mab y Brenin ar long y White Ship ac roedd hiraeth mawr ar ei ôl. Bellach doedd dim chwerthin na hwyl yn y llys, dim gwleddoedd mawr ac felly doedd dim galw am wasanaeth Rahere. Penderfynodd Rahere felly fynd ar bererindod i Rufain. Yno bu'n wael iawn, aeth i lawr at yr afon Tiber i ynys fach St Bartholomew a gweddïo na fyddai farw ar dir dieithr ond y câi wella digon i fynd yn ôl i Lundain. Cafodd ei drin gan fynachod yn ysbyty y Tair Ffynnon ac yn wir fe wellodd ei iechyd. Pan oedd yn yr ysbyty cafodd freuddwyd bod St Bartholomew yn siarad ag e ac yn ei annog i ddychwelyd i Lundain ac adeiladu priordy ac ysbyty yno.

Dychwelodd adre o Rufain a chafodd ei ffrindiau sioc o'i weld. Doedd e ddim yn gwisgo dillad lliwgar fel y byddai'n arfer gwneud yn y llys ond yn hytrach clogyn llwyd mynachaidd. Aeth yn wylaidd at y Brenin gan ddweud wrtho am ei freuddwyd. Bodlonodd y Brenin a rhoddodd ddarn o dir iddo, ychydig y tu allan i furiau'r ddinas mewn man o'r enw Smoothfield a ddaeth yn ddiweddarach yn Smithfield. Yn 1123 dechreuon nhw ar y gwaith o adeiladu priordy ac ysbyty yno. Dechreuodd Rahere glirio'r tir ei hunan ac ymunodd llawer ag ef. Cyfrannodd eraill arian at y fenter er mwyn talu crefftwyr i wneud y gwaith adeiladu. Yn raddol fe lwyddon nhw godi'r adeiladau a chreu ysbyty, eglwys a phriordy syml.

Yn y flwyddyn 1133 rhoddodd y Brenin Siarter Frenhinol i'r ysbyty. Roedd y Siarter yn datgan mai Rahere oedd abad y priordy a bod y tlodion a'r mynachod yn yr ysbyty o dan ofal y Brenin. Ers pan gafodd yr ysbyty ei hagor dyw drws yr ysbyty ddim wedi cau o gwbwl i gleifion, tlodion na'r anghenus.

Bu farw Rahere yn 1144 a chafodd ei gladdu yn Eglwys St Bartholomew. Os ewch i Lundain heddiw ac i Smithfield, fe welwch ysbyty mawr St Bartholomew, un o ysbytai pwysica Llundain ac wrth ei hochr, eglwys wedi ei chysegru i St Bartholomew. Ynddi mae cerflun o'r un a'i hadeiladodd sef Rahere.

AM IECHYD AC AM NERTH (CLAP A CHÂN RHIF 10)

Ein Tad edrych yn garedig ar bawb sydd yn sâl ac yn diodde yn ein hysbytai. Bydd yn gymorth hawdd ei gael iddynt a lleddfa eu poen. Bydd gyda phawb sydd yn gweithio mewn ysbyty yn ddoctoriaid a nyrsys, Bendithia eu gwaith a nertha hwy yn eu galwedigaeth bwysig. Gwna ni yn blant a fydd yn barod i roi cymorth i eraill. Er mwyn Iesu Grist. Amen.

GWAITH TRAWSGWRICWLAIDD

- Edrychwch ar fap o Lundain am ysbyty St Bartholomew.
- Fedrwch chi enwi a dod o hyd i wybodaeth am ysbytai enwog eraill?
- Mae stori yn y Testament Newydd am Iesu yn iacháu dyn a gafodd ei ostwng trwy'r to ato. Darllenwch yr hanes yn Luc 5 : 17 – 26 ac yna adroddwch hi yn eich grŵp.
- Tynnwch lun Rahere yn dechrau ar y gwaith o adeiladu'r ysbyty.

THEMA

Mae amser i bopeth, medd Lyfr y Pregethwyr, Pennod 3 gan gynnwys amser i weithio. Mae'n bwysig ein bod yn cael agwedd iach tuag at waith.

MOLAF EF (CLAP A CHÂN RHIF 63)

LUC 10 : 1 – 10

STORI

Roedd merch fach yn byw yn y wlad ac yn hoffi chwarae allan yn y caeau trwy'r dydd a phob dydd. Roedd ei mam ar ei hôl yn ei rhybuddio y byddai'n tyfu i fod yn ddiog pe na bai'n dechrau ei helpu yn y tŷ i olchi llestri, glanhau a dysgu gwnïo.

"Rwyt ti'n ddigon hen nawr i wneud tipyn o waith yn y tŷ," meddai ei mam wrthi.

"Ond dydw i ddim yn hoffi gweithio yn y tŷ. Mae'n well gen i fod allan yn chwarae yn yr awyr iach. Plîs gadewch i fi fynd allan i'r coed am ychydig. Mi ddo i nôl i weithio wedyn."

Ond unwaith y byddai allan o'r tŷ fe fyddai'n anghofio popeth am ei haddewid i helpu ei mam.

Wrth iddi redeg allan o'r tŷ, ar draws yr ardd ac i lawr at y goedwig gynted ag y gallai ei choesau ei chario, croesodd wiwer goch ar draws ei llwybr.

"Wiwer goch," meddai'r ferch. "Rwy'n siŵr nag wyt ti'n gorfod gweithio. Rwyt ti'n cael chwarae yn y coed bob dydd yn neidio o frigyn i frigyn, i fyny ac i lawr fel rwyt ti'n mynnu. Dwyt ti ddim yn gorfod gweithio!"

"Ddim yn gorfod gweithio, wir!" meddai'r wiwer goch, yn flin. "Wyddost ti, rwy'n gweithio nawr. Mae gen i deulu yn byw yn yr hen goeden dderwen fan draw ac fe fues i wrthi drwy'r dydd ddoe a heddiw yn casglu cnau a mes fel bydd gyda ni ddigon o fwyd wedi ei storio dros y gaea. Does gen i ddim amser wir i siarad hefo ti fan hyn."

Ac i ffwrdd â'r wiwer yn sionc. Yr eiliad nesa fe hedfanodd gwenynen o gwmpas ei phen ac meddai,

"Wenynen fach, oes gen ti waith i'w wneud?"

"Gwaith!" cwynodd y wenynen, "wrth gwrs 'mod i'n gweithio. Rwy i wrthi drwy'r dydd yn casglu neithdar y blodau er mwyn gwneud mêl i ti. Does gen i ddim amser i chwarae!" a suodd y wenynen i ffwrdd ar ei thaith.

Cerddodd y ferch ymlaen gan feddwl am yr hyn a glywodd. Gyda hynny, wrth edrych i lawr o'i blaen, roedd morgrugyn yn llusgo briwsionyn o fara a oedd yn llawer mwy na'r morgrugyn.

"Forgrugyn bach," meddai'r ferch. " Gad y briwsionyn yna i fod. Mae e'n rhy fawr a rhy drwm i ti. Tyrd i chwarae a chael hwyl gyda fi ."

"Sdim ots gen i os ydy e'n rhy drwm neu'n rhy fawr, roeddwn i mor falch o ddod o hyd i fwyd. Mi lusga i fe. Does dim ots faint o amser bydda i'n ei gymryd i gyrraedd y nyth. Chwarae wir, does gen i ddim amser!"

Ymlaen yr aeth y morgrugyn yn hapus ei fyd. Gyda hynny cododd y ferch a throi am adre ar ei hunion.

"Mam," meddai. "Dw i wedi sylweddoli bod byd natur i gyd yn gweithio. Oes gen ti waith i fi?"

Rhoddodd ei mam ffedog iddi ac aeth ati i helpu yn y tŷ a fu yna ddim grwgnach wedyn pan oedd gwaith i'w wneud.

OS WYT TI'N HAPUS (CLAP A CHÂN RHIF 58)

Rho i ni nerth a'r awydd, o Dduw, i weithio hyd eitha ein gallu. Helpa ni wynebu pob rhwystr yn ddewr ac yn hapus. Pa waith bynnag sydd o'n blaen, helpa ni i'w wneud yn dda er ein lles ni ein hunain ac er lles eraill. Gofynnwn hyn yn enw Iesu Grist, Amen.

GWAITH TRAWSGWRICWLAIDD

- Tynnwch lun y ferch fach allan gyda'r creaduriaid.
- Ysgrifennwch stori eich hunan am fachgen neu ferch nad oedd yn hoffi gweithio.
- Ym mha ffordd mae coeden yn 'gweithio'?
- Pam bod yn rhaid i ni weithio? Trafodwch.

THEMA

Allwch chi weithio ar eich pen eich hunain? Ydych chi'n barod i wneud penderfyniad? Beth am wneud penderfyniad anodd?

YR ARGLWYDD YW FY MUGAIL (CLAP A CHÂN RHIF 59)

MATHEW 25 : 14 – 29

HANS Y BUGAIL

Roedd Hans yn llanc ifanc yn byw yn yr Almaen ac yn bugeilio defaid ei feistr. Un diwrnod, ac yntau'n bugeilio'r defaid, daeth heliwr heibio a'i holi faint o ffordd oedd i'r pentre agosa. Atebodd y llanc ei bod yn siwrnai o ryw chwe milltir ond y byddai rhaid iddo fod yn ofalus gan fod y llwybr yn gul, troellog a llithrig iawn mewn rhai mannau. Byddai'n rhaid i'r heliwr ofalu rhag colli ei ffordd gan fod nifer o lwybrau eraill yn arwain i gyfeiriadau gwahanol. Meddyliodd yr heliwr am ychydig ac yna gofynnodd a fyddai'r bugail yn fodlon ei arwain i'r pentre gan ddweud y byddai'n cael ei dalu'n dda am hynny. Esboniodd Hans na allai adael y defaid rhag ofn iddyn nhw grwydro i'r goedwig a chael eu lladd gan fleiddiaid.

Roedd yr heliwr yn barod i dalu am bob dafad a fyddai'n cael ei lladd.

Ond, gwrthod wnaeth Hans a dweud mai ei waith e oedd gofalu am ddefaid ei feistr a bod yn rhaid bod yn deyrngar i'w feistr bob amser. Ceisiodd yr heliwr yr ail waith. Y tro yma fe gynigiodd edrych ar ôl y defaid pe bai'r llanc yn mynd i'r pentre i nôl rhywun y gallai ei arwain i'r pentre. Ceisiodd sicrhau'r llanc na fyddai'n gadael y defaid o'i olwg hyd nes y byddai wedi dod yn ôl ac fe gai dâl am fynd. Unwaith eto doedd dim yn tycio. Esboniodd Hans nad oedd yn nabod yr heliwr ac felly sut gallai ei drystio tra byddai e i ffwrdd. Allai'r bugail byth â bod yn siŵr y byddai'r heliwr yn cadw at ei air. Chwarddodd yr heliwr gan ddweud y byddai wrth ei fodd pe bai ei weision e mor deyrngar â'r bugail.

Yn y fan daeth nifer o farchogion allan o'r goedwig gyfagos a phan welon nhw'r heliwr daethon nhw ato.

"Syr!" gwaeddodd un o'r marchogion. "Rown i'n meddwl eich bod chi ar goll."

Sylweddolodd Hans yn fuan, er mawr syndod iddo, mai tywysog y deyrnas oedd yr heliwr y bu'n siarad ag e. Dychrynodd a dechreuodd bryderi y byddai'r tywysog yn ei gosbi am beidio â'i arwain i mewn i'r pentre. Ond gwenu wnaeth y tywysog a chanmol y bugail am fod mor ffyddlon a theyrngar i'w feistr.

Ymhen rhai wythnosau daeth negesydd oddi wrth y tywysog at Hans. Roedd y tywysog yn cynnig swydd i'r llanc fel gwas personol gan gynnig cyflog da iddo gan ei fod yn gwybod y byddai bob amser yn deyrngar a dibynnol. Cytunodd Hans dderbyn y swydd ond yn gynta, roedd am sicrhau bod ei feistr yn cael digon o amser i edrych am fugail yn ei le.

Felly aeth Hans ati i fugeilio'r defaid am rai wythnosau. Yna pan ddaeth ei feistr o hyd i fugail newydd aeth i lys y tywysog a bu yno'n gweithio'n ufudd a ffyddlon i'w feistr newydd am flynyddoedd lawer.

EI GARIAD EF (CLAP A CHÂN RHIF 61)

Ein Tad rho i ni'r dewrder i ddweud y gwir bob amser a gwneud y pethau y gwyddon ni sy'n iawn, hyd yn oed os yw'n golygu ein bod ni ar ein pen ein hunan. Dysg ni i wneud ein gwaith yn onest, ac yn ffyddlon a theyrngar yn y pethau bychain, fel y bydd pobl yn medru ein trystio mewn pethau pwysig bywyd pan fyddwn yn hŷn. Yn enw Iesu Grist. Amen.

GWAITH TRAWSGWRICWLAIDD

- Yn y darn o'r Testament Newydd, beth oedd neges yr Iesu ynglŷn â theyrngarwch?
- Tynnwch lun un digwyddiad yn stori Hans.
- Actiwch gyda'ch partner, y rhan lle mae'r tywysog yn cyfarfod â'r bugail. Gallwch greu sgwrs yn seiliedig ar yr hanes yn y stori.
- Trafodwch, beth yw gonestrwydd.
- I bwy ac i ba bethau rydych chi'n deyrngar? Gallwch ystyried addewid Urdd Gobaith Cymru

Thema

Mae'r chwedl y clywch chi heddiw yn dilyn patrwm cyffredin mewn hen chwedlau. Mae cymeriadau da a drwg ynddyn nhw. Bydd popeth da yn digwydd i'r drwg ond yna fe ddigwydd rhywbeth annisgwyl sy'n arwain at ddiweddglo hapus. Mae yna wers bwysig yn y chwedl hefyd. Tybed allwch chi ddweud beth yw'r wers yn y chwedl hon?

Wrth Ddilyn Crist (Clap a Chân Rhif 52)

Mathew 18 : 23 – 24

Chwedl

Roedd yn fore braf o Hydref, gyda'r haul yn tywynnu'n gynnes ar wyneb Llywela wrth iddi gerdded i lawr at y ffynnon. Wrth gerdded roedd hi'n meddwl ac yn clywed geiriau ei chwaer Llinos yn dweud wrthi am fynd i nôl dŵr o'r ffynnon ac i beidio bod yn hir.

"Dyw hi byth yn dweud dim byd addfwyn na charedig wrtha i," meddyliodd Llywela ac eto roedd hi mor hardd. Llinos oedd y ferch hardda yn y pentre.

"Does neb yn dweud 'mod i'n hardd," meddai Llywela wrth ei hunan gan edrych ar ei hadlewyrchiad yn nŵr y ffynnon.

Yn nŵr y ffynnon roedd wyneb mawr crwn yn edrych yn nôl arni. Heb yn wybod iddi, roedd hen wraig ag wyneb rhychiog yn eistedd wrth ochr arall y ffynnon yn ceisio 'molchi. Sylwodd Llywela fod yr hen wraig yn cael cryn drafferth i 'molchi ei breichiau.

"Fe helpa i chi 'molchi'ch breichiau," meddai Llywela wrthi.

A chyda hynny aeth Llywela ati i 'molchi breichiau'r hen wraig. Roedden nhw'n go fudr a bu wrthi'n dyner yn ei molchi rhag gwneud dolur iddi.

"Rwyt ti mor garedig," meddai'r hen wraig mewn llais cynnes melfedaidd. "Dyna dda wyt ti yn rhoi dy amser i helpu hen wraig ddiflas fel fi."

Rwy'n falch iawn o fedru bod o help i chi," meddai Llywela.

"Wel, fe hoffwn i dy wobrwyo di am fod mor garedig. Fe gei di unrhyw ddymuniad rwyt ti eisiau."

"Wir i chi," meddai Llywela, "fedrwn i ddim cymryd dim oddi wrthoch, chi. Dw i mor falch ein bod ni wedi cyfarfod a chael cyfle i siarad."

Gwenodd yr hen wraig a dweud "Edrych yn y ffynnon 'y merch i."

Fe gafodd Llywela syndod ei bywyd. Roedd yr wyneb mor wahanol. Dim wyneb crwn, mawr ond yr wyneb hardda welodd Llywela erioed. Trodd i ddiolch i'r hen wraig ond doedd dim golwg ohoni. Roedd wedi diflannu.

Pan gyrhaeddodd adre doedd Llinos ddim yn ei hadnabod ond wedi i Llywela ddweud peth o'r hanes, dyma hi'n gweiddi arni yn ei ffordd arferol.

"Trystio ti i gael y lwc i gyd. A nawr mae'n debyg dy fod yn meddwl dy fod yn harddach na fi. Wel, dwyt ti ddim a fydd neb arall yn meddwl hynny chwaith!"

Ond y cyfle cynta a gafodd Llinos aeth hi lawr at y ffynnon.

"Beth ddywedodd Llywela? Bod rhywun a welodd wrth y ffynnon wedi dweud wrthi y gallai gael unrhyw beth roedd hi eisiau! Rwy'n mynd i fod y ferch gyfoethoca yn y byd."

Cyrhaeddodd y ffynnon ac yno gwelodd hen wraig yn 'molchi.

"Allwch chi'n helpu i 'molchi mreichiau plîs?" gofynnodd yr hen wraig mewn llais crynedig.

All hen wraig fel hon ddim rhoi dymuniad i mi, meddyliodd Llinos.

"Cer allan o'n ffordd i yr hen wraig wirion. Rwy'n edrych am rywun all roi i fi fy nymuniad." Daeth gwên flinedig ar draws wyneb yr hen wraig.

"Gan dy fod ti mor gas ac anghwrtais," meddai, "gwell i ti edrych arna i."

Wrth edrych ar yr hen wraig newidiodd Llinos o fod yn ferch hardd i fod yn hen wraig â'i hwyneb yn rhychiog a garw.

Cymorth i'r Methedig (Clap a Chân Rhif 46)

Ein Tad, rydyn ni'n dymuno bod yn garedig ac yn dymuno gwneud cymwynas. Helpa ni weld cyfle a phan ddaw cyfle helpa ni weithredu. Rho nerth i ni ystyried pawb. Ie pawb y down i gysylltiad â nhw.

Maddau i ni pan fyddwn yn hunanol. Mae'r hunan yn aml yn dod rhyngon ni'r a'r hyn y gallen ni ac y dylen ni ei wneud ac yn wir yr hyn y dymunwn ni ei wneud.

Helpa ni, o Iesu mawr. Yn dy enw y gofynnwn hyn, Amen.

Gwaith Trawsgwricwlaidd
- Tynnwch lun unrhyw ddigwyddiad yn y stori.
- Allwch chi chwilio am storïau tebyg a chofnodi un ohonyn nhw.
- Trafodwch y ddihareb 'Nid wrth ei big y mae adnabod cyffylog.'
- Darllenwch y stori am y gwas nad oedd yn fodlon maddau yn
  Mathew 18 : 21 – 35.

THEMA

Ddechrau Rhagfyr yw tymor yr Adfent yn y ffydd Gristnogol; cyfnod paratoi ar gyfer dyfodiad Iesu. Mae goleuni yn chwarae rhan amlwg wrth ddisgwyl goleuni Crist i'r byd a hefyd yn y gwyliau Iddewig a Hindŵaidd yn ystod yr adeg hon o'r flwyddyn.

GWAEDDA AR Y MYNYDD (CLAP A CHÂN RHIF 25)

ESEIA 11 : 1 – 5

TAIR GŴYL LLE MAE GOLAU'N BWYSIG

Gŵyl yr Hindŵ

Mae canhwyllau a golau yn bwysig iawn yr adeg hon o'r flwyddyn. Yng nghŵyl fawr yr Hindŵiaid, Diwali, cafodd Rama a Sita eu harwain adre o'u hanturiaethau gan filoedd o olau bach o'r enw divas.

Gŵyl yr Iddew

Mae'r Iddewon yn dathlu Gŵyl Y Goleuni o'r enw Chanukah. Caiff canhwyllbren arbennig ei defnyddio yn y dathlu. Mae naw cannwyll ar y ganhwyllbren, un fawr yn y canol sy'n cael ei goleuo ar ddechrau'r ŵyl a phedair cannwyll ychydig yn llai bob ochr. Caiff un gannwyll bob dydd ei goleuo ar gyfer wyth niwrnod y dathlu. Enw'r ganhwyllbren yw menorah.

Gŵyl y Cristion

Yn ein heglwysi, ar Sul cyntaf yr Adfent, caiff un gannwyll ei goleuo a bydd pum cannwyll wedi eu gosod mewn cylch, gyda'r un yn y canol mewn torch o ddail gwyrdd. Caiff y pedair yn y cylch eu goleuo ar y pedwar Sul sydd yn Adfent. Ddydd Nadolig caiff y gannwyll yn y canol ei goleuo gyda'r gweddill. Ystyr Adfent yw dyfodiad, sef dyfodiad Iesu Grist yn oleuni i'r byd.

STORI

Amser maith yn ôl roedd gan frenin dri mab. Roedd y Brenin yn mynd yn hen a phenderfynodd ei bod yn amser dewis un o'r meibion i'w olynu. Roedd yn hoff iawn o'r tri ac nid gwaith hawdd oedd iddo ddewis pa un ddylai fod yn frenin ar ei ôl. Penderfynodd osod tasg iddyn nhw er mwyn dewis yr un mwya doeth o'r tri, gan adael i'r dasg wahaniaethu rhyngddyn nhw.

Un bore galwodd y tri mab ato a rhoddodd arian iddyn nhw a dweud wrthyn nhw am fynd allan i brynu unrhyw beth a fynnen nhw er mwyn llanw'r neuadd wledda yn y palas. Roedd yn rhaid iddyn nhw ddychwelyd cyn iddi nosi. Aeth y tri mab allan i'r ddinas ac i'r farchnad i chwilio'n ddyfal. Buon wrthi drwy'r dydd ac erbyn min nos roedd y tri wedi dychwelyd i'r palas at eu tad ac yn barod. Galwodd y tad ar y mab cynta. Gyda llu o weision dyma'r mab yn ceisio llanw'r neuadd gyda gwellt. Er iddyn nhw weithio'n ddyfal doedd ganddo ddim yn agos digon o wellt i lanw'r neuadd. Diolchodd ei dad iddo a galw yr ail frawd. Daeth yr ail fab i mewn ac roedd gydag yntau nifer o weision yn cario sachau ar eu cefnau. Roedd y sachau yn llawn tywod a buon nhw wrthi yn ei wasgaru dros lawr y neuadd ond eto doedd dim digon o dywod i lanw'r neuadd. Diolchodd ei dad iddo a'i orchymyn i alw'r trydydd brawd.

Daeth y trydydd mab i mewn i'r neuadd. Doedd dim un gwas yn ei ddilyn. O'r arian a gafodd gan ei dad, rhoddodd yr arian yn ôl iddo. Gofynnodd i'r gweision oedd yn y neuadd ddiffodd y torchau oedd yn goleuo'r neuadd. Wedi gwneud hynny aeth y mab i'w boced a thynnu allan gannwyll a'i goleuo. Llanwodd golau'r gannwyll y neuadd. Gwelodd y ddau frawd arall sut y llanwodd y goleuni'r neuadd ac roedden nhw'n gwbl gytun pwy fyddai'n olynu eu tad.

RWY'N CARU'R HAUL (MWY O GLAP A CHÂN RHIF 58)

Dyma ran o weddi Hindŵaidd sy'n cael ei defnyddio yn ystod Diwali.

Arwain ni oddi wrth bethau drwg at ddaioni.
Arwain ni oddi wrth bethau ffug at bethau da a defnyddiol.
Arwain ni o dywyllwch i oleuni. Amen.

GWAITH TRAWSGWRICWLAIDD

- Gyda, batri, gwifren, bwlb ac ati, gwnewch gylchdro syml i ddangos bwlb yn fflachio, fel ar goeden Nadolig.
- Chwiliwch am luniau o dorch yr Adfent a gwnewch un syml eich hunan.
- Mae ystyr i bob un o'r canhwyllau yn nhorch yr Adfent. Fedrwch chi gofio ystyr pob un ohonyn nhw?
- Tynnwch lun neuadd y palas gyda'r tad a'i feibion yng ngolau'r gannwyll.

THEMA – YMDRECH A LWYDDA

 DEWCH I DŶ FY NHAD (MWY O GLAP A CHÂN RHIF 88)

 LUC 4 : 16 – 21

HANES MARI JONES

Byddai Mari Jones a'i mam yn mynd i'r eglwys bob Sul yn Llanfihangel y Pennant wrth droed Cader Idris. Dyma'r lle cafodd Mari ei geni ym mis Rhagfyr 1784. Yn yr eglwys, byddai wrth ei bodd yn clywed y darlleniadau o'r Beibl a'r hanesion am Iesu Grist. Ond wedi'r gwasanaeth roedd yn drist am nad oedd yn gallu darllen yr hanesion hyn ei hunan yn ei Beibl ei hun. Doedd ganddi ddim Beibl.

Pan agorodd ysgol mewn pentre cyfagos aeth Mari yno i ddysgu darllen, a llwyddodd i wneud hynny'n gyflym. Ond roedd hi'n dal yn drist am ei bod hi'n gwybod na allai ei mam byth fforddio prynu Beibl iddi. Roedd ei thad wedi marw pan oedd hi ond yn bedair oed ac roedd bywyd yn galed i Mari a'i mam. Ond er gwaetha hyn, roedd y ddwy'n llwyddo i gael dau ben llinyn ynghyd. Penderfynodd Mari fynd ati i gynilo pob ceiniog er mwyn prynu Beibl.

Roedd Beibl gan Mrs Evans, cymdoges Mari. Bob prynhawn Sadwrn fe fyddai Mari yn mynd i'r tŷ er mwyn darllen ei Beibl hi. Pan ddywedodd Mari ei bod yn cynilo, rhoddodd Mrs Evans gywion bach iddi er mwyn iddi eu magu. Yna, pan ddechreuon nhw ddodwy wyau byddai Mari yn eu gwerthu. Byddai Mari'n golchi dillad, glanhau, chwynnu gerddi, gwau sanau a chadw gwenyn, y cyfan er mwyn casglu digon o arian. O dipyn i beth, ar ôl chwe blynedd o gynilo, roedd ganddi ddigon i brynu Beibl.

I brynu Beibl roedd yn rhaid i Mari Jones fynd i'r Bala i siop y Parch Thomas Charles, taith un ffordd o bron chwe milltir ar hugain. Ond doedd Mari'n pryderu dim am y daith. Wedyn byddai ganddi ei Beibl ei hunan.

Yn haf 1800, a hithau ddim eto'n un ar bymtheg oed, cychwynnodd am y Bala â'i harian yn ddiogel yn ei phwrs. Cerddodd lawer o'r ffordd yn droednoeth er mwyn arbed ei hesgidiau. Wedi cychwyn ben bore, cyrhaeddodd y Bala yn hwyr yn y dydd a siop Thomas Charles ar gau. Cnociodd a Thomas Charles ei hun atebodd y drws. Dywedodd Mari ei neges wrtho ond doedd ganddo'r un Beibl ar ôl heblaw am un roedd wedi ei addo i'w ffrind.

Y fath siom. Roedd wedi cynilo am chwe blynedd a cherdded chwe milltir ar hugain dim ond i gael gwybod nad oedd Beibl ar gael. Pan glywodd Thomas Charles ei stori aeth i nôl y Beibl roedd wedi ei addo i'w ffrind a'i gyflwyno i Mari. Aeth yn ôl i Lanfihangel yn ysgafn droed. Roedd hi ar ben ei digon.

Cafodd ymdrech Mari Jones i gael Beibl ddylanwad mawr ar Thomas Charles. Mewn pwyllgor pwysig yn Llundain adroddodd hanes Mari Jones a dywedodd bod angen ffurfio cymdeithas i sicrhau bod 'Beibl i bawb o bobl y byd'. O ganlyniad cafodd y British and Foreign Bible Society ei ffurfio. I Mari Jones mae'r diolch am fodolaeth y gymdeithas sydd hyd heddiw yn dal i sicrhau bod Beiblau ar gael ym mhob iaith posibl ar gyfer pawb ledled y byd. Hi ysbrydolodd Thomas Charles o'r Bala.

Gallwch weld cofeb Mari Jones yn adfeilion ei chartre, Tŷ'n y Ddol, yn Llanfihangel y Pennant.

GWRANDEWCH AR IESU (CLAP A CHÂN RHIF 70)

Diolch, O Dad, bod gennym y Beibl yn Gymraeg. Diolch am Mari Jones a wnaeth mwy na chael Beibl iddi hi ei hun. Ysbrydolodd Thomas Charles ac mae hi hyd yn oed heddiw yn ysbrydoliaeth fel bod Beiblau yn cael eu hanfon i bob rhan o'r byd.

Helpa ni drysori'r Beibl a mwynhau ei ddarllen fel Mari. Bendithia waith Cymdeithas y Beiblau sy'n sicrhau Beibl i bawb o bobl y byd. Er mwyn Iesu Grist, Amen.

GWAITH TRAWSGWRICWLAIDD
- Ysgrifennwch sgwrs Mari Jones gyda Thomas Charles neu ei sgwrs hi gyda'i mam ar ôl cyrraedd gartref.
- Trefnwch, ar bapur, daith o'ch ysgol i Lanfihangel y Pennant.
- Chwiliwch am ragor o wybodaeth am Gymdeithas y Beiblau.

MIS RHAGFYR – RHIF 3
GWNEUD EICH GORAU – MOZART

THEMA – DATBLYGU TALENT

Pan welwn rywun yn perfformio ar offeryn fel y piano yn chwech oed, rydyn ni'n ei ystyried yn blentyn talentog. Ond mae cael bachgen pum mlwydd oed yn perfformio darn clasurol yn berffaith yn anghredadwy. Gallai Wolfgang Amadeus Mozart wneud hynny ar y piano a'r ffidil.

PE BAI GENNYF FORTHWYL
(MWY O GLAP A CHÂN RHIF 88)

SALM 150 : 1, 3, 4, 5, 6

HANES MOZART

Cafodd Mozart ei eni ym mis Ionawr 1756, yn Salzburg, Awstria. Roedd yn un o saith o blant, bu pump farw yn ystod eu babandod gan adael dim ond Mozart a'i chwaer Nannerl. Cafodd ei enw ar ôl ei dad-cu Wolfgang Amadeus.

Yn saith oed, roedd ei chwaer yn gallu canu'r piano'n feistrolgar. Byddai ei brawd bach yn hoffi mynd at y piano hefyd ac yn dair oed dechreuodd ddysgu chwarae. Dim ond hanner awr y cymerodd i Wolfgang Amadeus Mozart feistroli a dysgu ar ei gof ei ddarn piano clasurol cynta ac yntau heb fod yn chwech oed. Cyn hir roedd yn cyfansoddi ei ddarnau piano ei hun ac roedd y gweithiau hyn yn arwydd cynnar o'r gerddoriaeth y byddai'n ei gyfansoddi.

Lledaenodd yr hanes am Mozart a'i chwaer a'u dawn anhygoel ar draws Awstria fel tân gwyllt. Manteisiodd eu tad ar y cyfle o wneud arian trwy fynd â'i ferch a'i fab talentog i berfformio yn nhai boneddigion yr ardal. Yna, penderfynodd eu tad fynd â nhw ar daith i Vienna ac ar y ffordd buon nhw'n cynnal cyngerdd cyhoeddus i bwysigion ardal Linz. Cafodd pawb eu synnu gan ddawn Mozart ar y piano a'r ffidil ac yntau ond yn chwech oed. Cyrhaeddodd y newyddion Vienna o'u blaen a chafodd Mozart wahoddiad i roi cyngerdd i'r Ymerawdwr ym mhalas Schonbrunn. Dywedodd ei dad i'r ymweliad fod yn llwyddiant ysgubol a bod Wolfgang wedi neidio i gol gwraig yr Ymerawdwr a'i chusanu'n eiddgar.

Cawson nhw wahoddiadau o bob man, gan fod pawb am glywed yr athrylith chwech oed ac fe deithion nhw ar hyd a lled dinasoedd Ewrop. Yna, bu Mozart yn wael ac yn sâl am fisoedd, ond roedd ei dad yn dal yn awyddus i deithio. Ac yntau yn saith oed gadawodd y teulu Salzburg i deithio yn Ffrainc a buon nhw oddi cartre am dair blynedd. Yn ystod y tair blynedd hyn buon nhw'n perfformio i Frenin

Ffrainc ac i Frenin Lloegr. Yn Llundain bu eu tad yn wael iawn. Buan y diflannodd eu harian ac er iddyn nhw geisio cynnal cyngherddau ac ymddangos eilwaith o flaen y Brenin doedden nhw ddim yn ennill llawer bellach. Roedd Nannerl erbyn hyn y 13 oed a Wolfgang yn 9 oed, felly roedd y wefr o glywed bachgen chwech oed yn perfformio wedi diflannu. Ar y daith adre buon nhw i gyd yn sâl a bu bron i Mozart a'i chwaer farw o typhoid. Yna, pan fuodd y fam farw, fe ddychwelodd pawb i Salzburg.

Priododd Mozart â Constanza Weber ac er i'r ddau fod yn hapus, roedd bywyd yn galed, arian yn brin ac iechyd Mozart yn fregus. Serch hynny cyfansoddodd 21 o operâu, 41 symffoni, heb sôn am goncertos diri, y cwbwl mewn blwyddyn. Yn wir cyfansoddodd yn doreithiog ryfeddol mewn cyfnod byr. Yn 1791 dechreuodd ysgrifennu Requiem. Roedd yn sicr bod hyn yn arwydd ei fod ar fin marw. Ac yn wir cyn iddo orffen y gwaith bu farw ar Ragfyr 5ed,1791 a'i gladdu mewn bedd tlotyn yn Vienna. Does dim hyd yn oed carreg i nodi'r bedd. Caiff Mozart ei ystyried fel yr athrylith gerddorol mwya erioed.

DYRO GÂN (CLAP A CHÂN RHIF 57)

> Diolch i Ti ein bod y gallu gwrando a mwynhau cerddoriaeth y meistri fel Mozart. Diolch am fedru gwerthfawrogi yr hyn a glywn. Gwna i ni sylweddoli fod gan bob un ohonon ni dalent i'w defnyddio. Helpa ni ddefnyddio'n talentau er lles eraill ac er clod i Ti. Yn enw Iesu Grist. Amen

---

GWAITH TRAWSGWRICWLAIDD

- Gwrandewch ar amrywiol weithiau gan Mozart. Disgrifiwch pa deimladau y mae'r gerddoriaeth yn ei fynegi i chi.
- Roedd nifer o gyfansoddwyr byd enwog eraill yn byw yr un cyfnod â Mozart. Pwy oedden nhw?
- Pam rydych chi'n meddwl bod cerddoriaeth Mozart yn dal yn boblogaidd heddiw?
- Tynnwch lun Mozart yn blentyn yn perfformio yn un o dai crand Awstria.

THEMA

Rhagfyr 6ed yw dydd Sant Nicholas, nawddsant y plant. Tyfodd llawer o storïau a thraddodiadau o gwmpas Sant Nicholas. Dyma un ohonyn nhw.

Y CYFRIFIAD (MWY O GLAP A CHÂN RHIF 29)

LUC 2 : 1 – 5

STORI

Yn fachgen ifanc roedd Sant Nicholas yn gyfoethog iawn. Ond er ei gyfoeth doedd gan Sant Nicholas ddim diddordeb mewn arian a phenderfynodd y byddai'n rhannu ei gyfoeth rhwng y tlodion. Aeth ati'n ofalus i rannu ei gyfoeth fel bod y rhai roedd ei angen fwya yn ei dderbyn.

Ar gyrion y dre, roedd tad a thair merch yn byw yn dlawd iawn mewn bwthyn bach. Un diwrnod digwyddodd Sant Nicholas gerdded heibio'r bwthyn ac wrth basio clywodd sŵn crio yn dod o'r tŷ. Arhosodd i wrando a chlywodd un o'r merched yn dweud wrth ei thad,

"Dad, gad i ni fynd allan i'r stryd i fegera am fwyd. Mae byw heb fwyd fel hyn yn annioddefol." Yna clywodd y tad yn ateb,

"Na, paid a mynd heddiw, gad hi tan fory. Fe weddïa i ar Dduw i'n helpu ni."

Aeth Sant Nicholas adre gynted ag y medrai. Aeth i mewn i gist fawr yn y llofft a thynnodd allan gwdyn bach lledr ac ynddo ddarnau o aur. Y noson honno, aeth allan yn hwyr iawn wedi i bawb fynd i gysgu. Wrth iddo gyrraedd bwthyn y tad a'r tair merch roedd plu eira'n disgyn yn dew. Safodd ar flaenau ei draed a chan fod y simne bron â syrthio, gollyngodd y cwdyn lledr i lawr trwy'r simne. Yna prysurodd i ffwrdd yn ôl am ei gartre. Gan fod eira ar lawr ni wnâi unrhyw sŵn wrth gerdded. Fore trannoeth, cafodd tad y merched syndod mawr pan welodd y cwdyn lledr yn y lle tân a'r arian ynddo. Aeth ar ei liniau a diolch i Dduw er na wyddai sut nac o ble y daeth y trysor.

Y noson honno aeth Sant Nicholas i'r bwthyn fel y noson cynt a gadael cwdyn lledr ac aur ynddo ar gyfer yr ail ferch. Yna, ciliodd am adre gynted ag y gallai. Os cafodd tad y merched syndod y bore cynta roedd yn methu â chredu'r hyn a welodd ar yr ail fore. Ond aeth ati i ddiolch i Dduw unwaith eto heb wybod pwy oedd wedi rhoi'r aur iddo. Roedd yn benderfynol o gadw golwg ar y drydedd noson. Wedi iddi dywyllu aeth allan a chuddio ger y bwthyn.

Wedi iddo fod yn gwylio am rai oriau, gwelodd gysgod rhywun yn agosáu at y bwthyn yna'n ymestyn wrth dalcen y tŷ a gadael i rywbeth gwympo i lawr y simne.

Daeth tad y merched allan o'i guddfan a gafael yng nghlogyn y person dieithr. Pan sylweddolodd mai Sant Nicholas oedd e aeth ar ei liniau a gofyn,

"Pam na fuaset ti'n dangos dy hunan Sant Nicholas?"

Atebodd yntau.

"Dyma fy ffordd i o wneud rhai'n hapus, ond rhaid i ti addo na fyddi di'n dweud wrth neb, dim hyd yn oed wrth dy ferched. Os wyt am ddiolch, rho ddiolch i Dduw oherwydd fe wnaeth fy ngyrru i yma."

Dyma un o'r llu anrhegion a ddosbarthodd Sant Nicholas yn enw Duw, a gwnaeth hyn yn gyfrinachol bob tro. Ef yw hoff Sant y plant ac yn yr Iseldiroedd maen nhw'n galw Sant Nicholas yn Santa Clos. A dyna pam mae plant ar draws y byd yn hongian eu hosannau gan obeithio y daw Santa a'u llanw ag anrhegion ar noswyl Nadolig.

EBOL BYCHAN (CLAP A CHÂN RHIF 23)

Cofiwn y Nadolig hwn O, Dad, am y miloedd hynny sy'n byw mewn caledi. Wrth i ni fwynhau'r ŵyl helpa ni gofio bod yna filiynau o blant ar draws y byd angen cymorth. Agor ein calonnau fel y byddwn ni'n gwneud ein gorau i'w helpu yn enw Iesu Grist, Amen.

GWAITH TRAWSGWRICWLAIDD
- Tynnwch lun unrhyw olygfa yn y stori.
- Ysgrifennwch eich stori eich hunan am Sion Corn.
- Mae gwledydd Ewrop yn dathlu'r Nadolig mewn amrywiol ffyrdd. Chwiliwch wybodaeth am y Nadolig mewn rhannau eraill o Ewrop.
- Ysgrifennwch garol Nadolig eich hunan. Cofiwch fod yn rhaid i garol ddefnyddio hanes geni Iesu.

THEMA – YSBRYD Y NADOLIG

 DAWEL NOS

 LUC 2 : 8 – 16

STORI

Carol o Awstria yw 'Dawel Nos'. Rhaid i ni fynd yn ôl i'r flwyddyn 1818 ac i bentre Oberndorf sydd ddim yn bell o Salzburg. Yno, mae offeiriad y pentref, Joseph Mohr wrthi'n brysur yn paratoi gwasanaeth arbennig ar gyfer noswyl Nadolig. Roedd wythawd yn mynd i ganu yn y gwasanaeth gyda Franz Gruber, prifathro ysgol y pentre, yn eu harwain. Roedd pawb wedi bod yn ymarfer a phawb nawr yn edrych ymlaen at y gwasanaeth fyddai'n cychwyn dathliadau'r Nadolig.

Dridiau cyn y noson fawr, aeth yr offeiriad i'r eglwys. Digwyddodd sylwi bod llygod wedi gwneud twll ym megin yr organ. Yr adeg honno roedd rhaid pwmpio'r fegin er mwyn cael gwynt i weithio'r organ. Sylweddolodd Joseph Mhor nad oedd gobaith trwsio'r organ cyn y Nadolig. Aeth i'r ysgol i ddweud wrth Franz Gruber am gyflwr yr organ. Cytunodd y ddau y byddai rhaid ceisio canu heb organ a gwneud y gorau o'r gwaetha.

Y diwrnod canlynol, aeth Joseph Mhor i ymweld â theulu allan yn y wlad lle roedd babi newydd gael ei eni. Roedd yr olygfa yn union fel llun ar garden Nadolig; eira yn gorchuddio pob man, y coed fel petai addurniadau drostyn nhw a'r awyr yn las pur. Ar ei ffordd adre, dechreuodd Joseph Mohr gyfansoddi penillion yn ei ben. Erbyn iddo gyrraedd gartre, roedd ganddo garol gyfan wedi'i chyfansoddi ac aeth ati i'w hysgrifennu ar bapur.

Penderfynodd fynd â'r geiriau at Franz Gruber. Roedd hwnnw wrth ei fodd ac aeth ati'r noson honno i gyfansoddi alaw i fynd ar y geiriau. Erbyn y bore roedd alaw a geiriau 'Dawel Nos' yn gyflawn. Galwodd Franz Gruber yr wythawd at ei gilydd er mwyn dysgu'r garol newydd yn barod erbyn y gwasanaeth noswyl y Nadolig. Perfformiwyd 'Dawel Nos' am y tro cynta yn eglwys fach Obendorf ar noswyl Nadolig 1818. Ddyddiau wedyn daeth atgyweiriwr yr organ i drwsio'r fegin. Wedi iddo orffen, aeth i chwarae'r organ ac ar yr organ roedd copi o'r garol. Gwirionodd arni a gofynnodd i Joseph Mohr am gopi. O dipyn i beth lledaenodd y garol ar draws Awstria. Clywodd yr Ymerawdwr hi ac fe gyhoeddodd fod y garol 'Dawel Nos' i'w chanu ymhob eglwys trwy Awstria bob Nadolig.

Yn anffodus oherwydd llifogydd cyson, aeth cyflwr eglwys Obendorf o ddrwg i waeth ac yn 1908, bu'n rhaid ei thynnu i lawr. Oherwydd y garol 'Dawel Nos', roedd pobl yn gwybod am Obendorf a phawb am gynnig help i ail godi'r eglwys. Fe lifodd miloedd o bunnoedd i'r pentre oddi wrth bobl ar draws y byd ac erbyn 1910, roedd eglwys fach newydd ar safle'r hen eglwys. Mae hi yno heddiw ynghanol Obendorf yn gofeb i awduron y garol.

CALYPSO'R NADOLIG (MWY O GLAP A CHÂN RHIF 42)

Ein Tad, helpa ni i fod yn dawel am ychydig funudau. Mae ein meddwl yn llawn o bethau yn ymwneud â'r Nadolig. Helpa ni nawr, y funud hon, i feddwl am y Nadolig. I feddwl am wir ystyr y Nadolig.

Maddau i ni bod yr hyn mae Siôn Corn yn dod i ni, yn fwy pwysig yn aml iawn na Iesu, mab Duw, ddaeth i'r byd y Nadolig cynta hwnnw ym Methlehem. Dyro, o Dduw, dy fendith ar eiriau a cherddoriaeth 'Dawel Nos' y funud hon, yn ein hysgol ni. Rho'r geiriau a'r gerddoriaeth yn ein calon, fel y gallwn dy addoli di. Yna, bydd yr Iesu gyda ni ac ystyr y Nadolig yn fyw ynon ni. Yn enw Iesu Grist. Amen.

GWAITH TRAWSGWRICWLAIDD

- Chwiliwch am Obendorf ar fap Awstria. Yna chwiliwch am Salzburg.
- Tynnwch lun unrhyw olygfa yn y stori.
- Beth yw eich hoff garol chi? Copïwch a dysgwch hi ar eich cof.
- Dydy'r Nadolig yn ddim ond yn amser i fwynhau, bwyta a chael anrhegion. Trafodwch.

THEMA – Y GOEDEN NADOLIG

Anrheg yw'r goeden Nadolig sydd i'w gweld bob blwyddyn ynghanol Llundain yn rhodd gan bobl Norwy. Mae'r stori heddiw am goeden Nadolig a oedd yn tyfu yn agos at y beudy lle cafodd y baban Iesu ei eni dros ddwy fil o flynyddoedd yn ôl.

CAROL NATUR (CLAP A CHÂN RHIF 29)

IOAN 1 : 1 – 16

STORI

Adeg geni Iesu Grist roedd pawb yn hapus. Roedd yr anifeiliaid a byd natur yn hapus hefyd. Roedd y baban fyddai'n dod â heddwch a thangnefedd i'r byd wedi ei eni. Ac fe ddaeth pobl o bell ac agos i weld y baban Iesu gan ddod ag anrhegion gyda nhw.

Gerllaw y stabl, lle cafodd y baban Iesu ei eni, roedd tair coeden ac roedden nhw'n gallu gweld pawb oedd yn mynd a dod o'r stabl. Roedden nhw, fel y bobl a fyddai'n ymweld â'r stabl, yn awyddus i roi anrheg i'r baban. Dywedodd y balmwydden fawr osgeiddig:

"Mi ddewisa i'r ddeilen fwya sydd gen i yn anrheg i'r baban ac fe fyddan nhw'n gallu ei defnyddio i ffanio'r Iesu pan fydd e'n boeth."

"Mi rodda i fy olew gorau i'r baban Iesu ac fe all ei fam roi diferion ar ei dalcen," meddai'r olewydden, a safai wrth ymyl y balmwydden."

"Ond beth alla i ei roi yn anrheg i'r baban?" holodd y binwydden fach a oedd yn tyfu wrth ddrws y stabl.

"Ti!" meddai'r ddwy goeden arall. "Dydy'r Iesu ddim eisiau dy nodwyddau pigog di yn agos ato. Does gen ti ddim byd i'w roi i'r Iesu, mae hynny'n siŵr!" meddai'r ddwy goeden fel deuawd.

Roedd y binwydden yn teimlo'n drist a diflas am nad oedd ganddi ddim i'w gynnig yn anrheg i'r Iesu. Roedd y balmwydden a'r olewydden yn berffaith iawn, doedd ganddi hi, y binwydden, ddim y gallai ei roi yn anrheg.

Roedd un o'r angylion, a ddywedodd wrth y bugeiliaid fod y baban Iesu wedi ei eni, wedi clywed y sgwrs ac roedd yn cydymdeimlo â'r binwydden druan. Meddyliodd am ffordd o godi ei chalon a'i chael i deimlo bod ganddi hithau rywbeth i'w gynnig i'r baban. Wrth iddi nosi roedd yr awyr yn glir a'r sêr i'w gweld yn llanw'r ffurfafen. Dyma'r angel yn gofyn i rai o'r sêr a hoffen nhw ddod i lawr a gorffwys ar frigau'r binwydden. Gyda hynny dyma nifer o'r sêr yn ufuddhau, yn disgyn o'r awyr ac aros ar frigau'r binwydden gan ei goleuo yn hardd.

Gyda hynny dyma'r baban Iesu yn deffro ac yn agor ei lygad ac wrth i olau'r binwydden ddisgyn ar ei wyneb, fe roddodd wên lydan. Bob blwyddyn fe gofiwn am ben blwydd yr Iesu ar y Nadolig drwy roi anrhegion i'n gilydd i gofio am ei enedigaeth Ef. Hefyd yng nghornel y rhan fwya o dai, bydd y binwydden Nadolig wedi ei haddurno'n lliwgar. Gyda goleuadau'n fflachio, mae'r goeden yn disgleirio ar wynebau hapus merched a bechgyn yn union fel y gwnaeth y sêr ar y baban Iesu. Fe gafodd y binwydden ei gwobr gan nad oes un goeden arall yn cael gweld cymaint o wynebau hapus.

Seren Uwchben (Clap a Chân Rhif 2)

Ein Tad, diolchwn i Ti am ein cartrefi, am ein rhieni, brodyr a chwiorydd. Diolchwn fod gennyn ni do uwch ein pen a bwyd i'w fwyta, yn arbennig yn ystod gwyliau'r Nadolig. Dros yr Ŵyl yn arbennig, rho sylw i'r rhai sy'n ddigartre a'r rhai sydd yn byw mewn tlodi ac mewn angen. Bydd yn gymorth hawdd ei gael iddyn nhw a gwna ni'n fwy parod i'w helpu. Yn enw Iesu Grist. Amen.

Gwaith Trawsgwricwlaidd

- Beth am wneud addurniadau ar gyfer eich coeden Nadolig?
- Ysgrifennwch stori ddychmygol am un o'r addurniadau ar y goeden Nadolig.
- O ble mae ein coed Nadolig yn dod?
- Chwiliwch am wybodaeth sut a phryd y dechreuon ni addurno ein tai gyda choeden Nadolig?

THEMA – CAEL CYFLE I DDATHLU'R NADOLIG

Mae coed bythwyrdd yn cael lle pwysig yn ystod y Nadolig. Y mwya poblogaidd mae'n siŵr yw'r celyn. Mae'n draddodiad cael celyn i addurno'r tŷ yn ystod y Nadolig. Mae'r binwydden hefyd yn bwysig adeg y Nadolig. Dyma stori am foch y coed arbennig.

HOLDIRIO (MWY O GLAP A CHÂN RHIF 29)

MATHEW 2 : 6 – 12

CHWEDL MOCH Y COED

Roedd hi'n ddeng niwrnod cyn y Nadolig ac roedd pawb wrthi'n brysur yn addurno'r goeden Nadolig. Roedd eu mam wrthi'n brysur yn gwau. Fe awgrymodd i'r plant am beintio moch y coed yn arian a'u hongian ar y goeden, yn union fel roedd pobl y mynyddoedd yn ei wneud.

"Pam bod pobl y mynyddoedd yn hongian moch y coed arian?" holodd y plant. Adroddodd eu mam y chwedl a glywodd hi flynyddoedd yn ôl.

"I fyny yn y mynyddoedd, amser maith yn ôl, roedd merch ifanc o'r enw Gretchen yn byw. Roedd hi'n dlawd iawn, oherwydd roedd ei rhieni wedi marw pan oedd hi'n ifanc, a hi fu'n edrych ar ôl y plant eraill yn y teulu. Roedd yn agosáu at y Nadolig ac roedd Gretchen yn gofidio sut roedd hi'n mynd i allu fforddio anrheg a melysion i'w brodyr a'i chwiorydd.

Felly un noson oerllyd iawn, a'r plant eraill yn eu gwely, sleifiodd Gretchen allan o'r tŷ a mynd am y goedwig i gasglu moch coed. Gan ei bod yn dywydd mor oer, meddyliodd y gallai werthu'r côns fel tanwydd ac yna fe fyddai ganddi ychydig arian i brynu anrhegion bach i'w theulu.

Yn y goedwig roedd Riwben yn byw. Roedd rhai'n credu bod gan Riwben alluoedd hud ond doedd Gretchen ddim yn credu hynny. Digwyddodd Riwben edrych allan drwy'r ffenest fach yn ei fwthyn pren a gwelodd Gretchen yn crwydro rhwng y coed. Aeth allan drwy'r drws ac yn ei lais bach gwichlyd, gofynnodd i Gretchen beth roedd hi'n wneud. Atebodd hithau ei bod yn casglu moch coed i'w gwerthu fel tanwydd gan fod y tywydd mor rhewllyd. Aeth ymlaen i esbonio i Riwben bod ganddi frodyr a chwiorydd iau a'i bod am geisio rhoi Nadolig hapus iddyn nhw, er eu bod yn dlawd iawn.

Roedd Riwben yn ddyn bach digon caredig a rhwbiodd ei farf llaes wen gan feddwl sut gallai helpu Gretchen. Yna, dyma Riwben yn pwyntio at binwydden fawr a dweud wrth Gretchen mai o dan honno y byddai'n dod o hyd i'r moch coed mwya. "Casgla gymaint ohonyn nhw ag y gallu di," dywedodd. Gyda rhyw chwerthiniad doniol diflannodd Riwben yn ôl i'r bwthyn. Roedd y moch coed yn anferth ac fe ddywedodd Gretchen wrthi'i hunan y byddai'n siŵr o wneud arian da wrth werthu'r côns anferthol hyn. Wedi llwytho ei basged gymaint ag y gallai ei gario, dychwelodd am adre. Wrth iddi gerdded tuag adre roedd y fasged yn teimlo'n drymach a thrymach ac erbyn cyrraedd carreg y drws roedd hi bron â methu cario'r llwyth.

Gwaeddodd ar ei brodyr a'i chwiorydd i ddod i weld. Pan gydion nhw yn y moch coed roedden nhw wedi troi'n arian pur ac yn disgleirio fel diemwntiau. Roedd ganddyn nhw ddigon o arian i gael anrhegion Nadolig ac arian i'w cadw am weddill eu hoes. Dyna pam y mae pobl y mynydd yn hongian moch coed arian ar eu coeden Nadolig. Nawr beth am i ni orffen ein coeden ni," meddai Mam wrth y plant.

CAROL NATUR (CLAP A CHÂN RHIF 28)

Diolchwn i Ti am yr hwyl a'r mwynhad a gawn adeg y Nadolig. Wrth i ni fod yn brysur yn gwneud ein haddurniadau lliwgar, helpa ni i beidio â bod mor glwm yn ein hapusrwydd ein hunan ac anghofio gwneud y Nadolig yn un hapus i eraill. Mae'r Beibl yn dweud, "Gwell rhoi na derbyn." Helpa ni gredu hyn. Er mwyn Iesu Grist, Amen.

GWAITH TRAWSGWRICWLAIDD

- Fedrwch chi chwilio am storïau eraill o fyd natur yn ymwneud â'r Nadolig.
- Casglwch foch coed a'u lliwio'n aur ac arian a'u rhoi fel addurniadau ar goeden Nadolig.
- Gwnewch garden Nadolig gyda golygfa o'r stori yn llun ar y tu blaen.
- Ysgrifennwch bennill addas i'w roi ar garden Nadolig.

Thema – Y Daith o Nasareth i Fethlehem

Rhagfyr 16eg ac mae naw niwrnod arall tan y Nadolig. Mae'n debyg y byddai wedi cymryd naw niwrnod i Joseph a Mair deithio ar gefn asyn o Nasareth i Fethlehem. Ar y dyddiad hwn bydd plant ym Mecsico yn cerdded o gwmpas eu pentrefi er mwyn cofio am daith Mair a Joseph. Dyma stori arall am ddigwyddiad ar y daith.

Brysia i Fethlehem (Mwy o Glap a Chân Rhif 30)

Luc 2 : 8 – 13

Stori

Amser maith yn ôl ar y bryniau gerllaw Bethlehem, roedd bugail yn edrych ar ôl ei ddefaid. Wrth ei ochr roedd ei fag lledr ac ynddo glogyn o groen dafad i'w gadw'n gynnes pan fyddai'n rhewllyd o oer. Y noson honno roedd ganddo hefyd ei ffon fugail i'w defnyddio pan fyddai anifeiliaid gwyllt yn ymosod ar y praidd. Roedd tanllwyth o dân braf o'i flaen, ac yn sefyll yn gwylio'r defaid roedd tri o gŵn ffyrnig yr olwg ac roedd y defaid yn gorwedd yn dynn wrth ymyl ei gilydd.

Dyn unig oedd y bugail. Doedd e ddim yn ddyn caredig iawn, felly doedd ganddo ddim ffrindiau o gwbl. Yn ystod y nos teimlodd y bugail yn gysglyd. Caeodd ei lygaid a syrthio i gysgu. Yn sydyn, cafodd ei ddeffro gan gyfarth gwyllt y cŵn. Roedd rhywun dieithr yn agosáu a gyda hyn clywodd lais,

"Ffrind caredig, fyddet ti'n fodlon rhoi benthyg peth o'r glo poeth o'r tân yna i mi? Mae 'ngwraig a'r babi bach mewn stabl oer a llaith ac mae'n rhaid i mi geisio eu cadw'n gynnes."

Ar unwaith, galwodd y bugail ar ei gŵn. Dyma'r cŵn yn cyfarth a dangos eu dannedd miniog ond wrth iddyn nhw agosáu at y dyn fe orweddon nhw ar y llawr gan lyfu ei law yn dyner. Gwylltiodd hyn y bugail a chododd ei ffon a'i thaflu a'i holl nerth at y dieithryn ond er ei bod yn mynd yn syth ato, yn sydyn gwyrodd y ffon i'r ochr ac aeth heibio iddo'n ddiniwed. Cerddodd y dyn dierth drwy'r defaid heb iddyn nhw gyffroi na hyd yn oed ddeffro.

"Ffrind caredig," meddai'r dieithryn am yr ail waith, "fyddet ti'n barod i mi gael peth o'r glo poeth o'th dân er mwyn i fi gael tân i gynhesu fy ngwraig a'r baban yn y stabl oer?"

Dychrynodd y bugail wrth sylweddoli nad oedd y cŵn wedi ymosod arno, ac nad oedd wedi llwydd i'w daro â'i ffon ac na chafodd y defaid mo'i ofn hyd yn oed. Yna sylweddolodd y bugail nad oedd ganddo unrhyw ffordd o gario'r glo poeth, felly dywedodd wrtho am helpu ei hunan. Plygodd y dyn dierth a chododd beth o'r glo poeth a'u gosod yn ei glogyn heb losgi ei ddwylo na'i glogyn. Yna gwaeddodd y bugail arno,

"Pwy wyt ti?"

"Fedra i ddim dweud wrthot, gyfaill," meddai'r dieithryn. "Wnei di ddim credu os nad wyt ti'n barod i ddod i weld drosot ti dy hunan."

Cododd y bugail, gafaelodd yn ei fag lledr a'i ffon gan ddilyn y dieithryn, a oedd yn cario'r glo poeth, i lawr ochr y bryn. Daeth at y stabl ym Methlehem lle'r oedd ei wraig a'u plentyn bach yn gorwedd mewn preseb. Gŵr angharedig fu'r bugail erioed ond toddodd ei galon galed pan welodd y baban yn gorwedd yn y preseb. Aeth i'w fag lledr a thynnodd allan ei glogyn o groen dafad a'i osod yn dyner dros y babi i'w gadw'n gynnes. Gynted ag y gwnaeth y gymwynas hon fe sylweddolodd pwy oedd y dieithriaid ac uwch ei ben clywodd angylion yn canu, "Gogoniant i Dduw yn y goruchaf ac ar y ddaear heddwch ac ewyllys da i ddynion." Plygodd y bugail o flaen y preseb ac addolodd y baban Iesu.

CÂN Y PRESEB (MWY O GLAP A CHÂN RHIF 23)

Ein Tad, fel yr aeth y bugeiliaid ar frys i weld y baban Iesu dylen ninnau gynnig ein mawl a'n diolch i Ti y Nadolig hwn. Helpa ni sylweddoli mor bwysig yw bod yn garedig wrth eraill. Gwna'n sicr mai dathlu geni'r Iesu y byddwn ni y Nadolig hwn a helpa ni dyfu yn fwy tebyg iddo Ef bob dydd. Yn enw Iesu Grist, Amen.

GWAITH TRAWSGWRICWLAIDD
- Tynnwch lun unrhyw ran o'r stori.
- Lluniwch garden Nadolig yn ymwneud â'r bugeiliaid. Lluniwch bennill i'w gynnwys yn y garden.
- Ysgrifennwch garol fer am y bugeiliaid.
- Pa mor berthnasol yw stori'r geni i ni heddiw? Trafodwch.

THEMA – RHOI ANRHEGION

Mae pawb yn hoff o roi a derbyn anrhegion adeg y Nadolig. Ond fe fydd miliynau o deuluoedd ar draws y byd na fydd yn gallu fforddio un anrheg gan eu bod nhw'n dlawd. Dyma stori am ferch fach dlawd a fynnodd roi anrheg i'r baban Iesu.

 FI A'M DRWM (CLAP A CHÂN RHIF 26)

 LUC 2 : 15 – 17

STORI

Roedd Rebecca wedi bod yn gwylio'r mynd a dod drwy'r dydd. Roedd yn byw yn agos at westy bach ym Methlehem. Tu ôl i'r gwesty roedd beudy ac i'r fan honno gwelodd fugeiliaid tlawd yr olwg, tywysogion yn eu dillad crand yn dod ag anrhegion i'r baban oedd yn gorwedd mewn preseb yn y beudy. Roedd Rebecca'n gwybod hynny, oherwydd iddi gael cip i mewn drwy'r drws pan oedd criw o bobl o gwmpas. Roedd hi wedi clywed y gwartheg yn brefu yn y beudy ac asyn yn udo'n uchel. Byddai wrth ei bodd yn gallu mynd i mewn a chynnig anrheg i'r baban ond roedd hi'n dod o deulu tlawd iawn.

Meddyliodd am dipyn ac yna cafodd syniad. Cofiodd weld blodau'n tyfu ar y bryniau tu allan i furiau Bethlehem pan aeth yno gyda'i rhieni i ymweld â'i theulu. Roedd wrth ei bodd yn casglu blodau i'w mam ac roedd eu harogl mor ogoneddus. Byddai blodau yn hyfryd i'r baban. Byddai e'n gallu eu harogli am ddyddiau.

Cododd a ffwrdd â hi allan drwy gatiau Bethlehem ac i fyny ochr y bryniau i chwilio am y blodau hardda y medrai ddod o hyd iddyn nhw. Bu'n chwilio'n ddyfal ond yn anffodus doedd dim blodyn i'w weld yn unman gan mai'r Gaeaf oedd hi. Trodd Rebecca am adre'n drist a blinedig â dagrau yn ei llygaid am nad oedd wedi llwyddo cael anrheg i'r baban yn y stabl.

Roedd yn tywyllu erbyn iddi gyrraedd muriau Bethlehem a dechreuodd redeg drwy'r strydoedd cul er mwyn cael cyrraedd ei chartre'n ddiogel. Wrth iddi redeg heibio'r beudy sylwodd ar y lantarn yn disgleirio yn y tywyllwch a phenderfynodd gael un cip bach drwy gil y drws cyn mynd adre. Aeth ymlaen ar flaenau'i thraed tuag at y drws. Arhosodd yn sydyn mewn syndod. Camodd yn ôl. Yno, ar y llwybr o'i blaen, yn disgleirio yng ngolau'r lantarn, roedd clwstwr o'r blodau hardda a welsai Rebecca erioed. Doedden nhw ddim yno pan aeth heibio yn y bore.

"Mae'n rhaid mai Duw blannodd rhain," meddai, "er mwyn i fi eu rhoi yn anrheg i'r baban yn y preseb."

Cydiodd yn ofalus yn y blodau hardd, gwyn ac aeth i mewn i'r stabl, penlinio wrth y preseb a'u rhoi'n anrheg i'r baban Iesu. Yn ôl y chwedl dyna sut daeth y Rhosyn Nadolig cynta i'r byd.

Cwsg Heb Fraw (Clap a Chân Rhif 3)

Ein Tad, diolch dy fod wedi ein dysgu i roi yn ogystal â derbyn. Gweddïwn y Nadolig hwn y bydd arweinwyr y byd yn sylweddoli mai drwy roi y bydd ein byd yn dod yn well lle i fyw ynddo.

Cofia'r anghenus, a'r rhai sy'n cael eu gormesu a'r rhai sy'n diodde mewn unrhyw ffordd. Boed i'r Nadolig hwn ddod â heddwch i'n byd. Yn enw'r Tywysog Tangnefedd, Iesu Grist, Amen.

Gwaith Trawsgwricwlaidd

- Tynnwch lun Rhosyn Nadolig.
- Lluniwch weddi yn gofyn am heddwch y Nadolig hwn.
- Beth yw'r anrheg y dymunech ei gael y Nadolig hwn?
- Pa anrheg fyddech chi'n ei roi i arweinyddion ein byd y Nadolig hwn?

THEMA – CYNORTHWYO ERAILL

Er mwyn i ni ddeall sut un yw Duw anfonodd Iesu Grist ei fab i fyw ar y ddaear fel dyn cyffredin. Sylweddolodd y tywysog Dimitri bod yn rhaid iddo yntau fod yn un o'r tlodion ar ei ystad.

GŴYL NADOLIG YW HI (MWY O GLAP A CHÂN RHIF 40)

IOAN 1 : 1 – 14

STORI

Yn y bedwaredd ganrif ar bymtheg etifeddodd y Tywysog Dimitri o Rwsia stad fawr a llawer o gyfoeth ar ôl ei dad. Roedd disgwyl i'r tywysog ifanc, fel llawer o dywysogion cyfoethog eraill Rwsia ar y pryd, fwynhau ei hunan a chael amser da yn gwario arian ei dad. Ond nid felly y bu, gan fod y Tywysog Dimitri yn wahanol ac yn pryderu'n fawr am gyflwr y tenantiaid oedd yn byw ar y stad fawr o dan ei ofal ef.

Yn aml byddai'n teithio o gwmpas y pentrefi bach a'r ffermydd ar ei stad, a gweld fod llawer ohonyn nhw'n byw mewn tlodi difrifol. Ceisiodd eu haddysgu sut i wella eu bywyd trwy fod yn lân, a gofalu am eu hiechyd, ond yn gwbl ofer. Yr ateb y byddai'n ei dderbyn bob tro oedd ei bod yn hawdd iddo fe siarad a chanddo gymaint o gyfoeth. Sut roedd disgwyl i dywysog wybod sut roedd y cardotyn tlota'n byw? Iddyn nhw roedd y tywysog fel petai'n byw ar blaned arall. Allai e byth ddeall y caledi roedden nhw'n ei ddiodde bob dydd, bob blwyddyn.

Roedd y Tywysog Dimitri yn ddigon deallus i weld nad oedd yn cael unrhyw ddylanwad ar ei denantiaid. Felly doedd dim amdani ond ceisio ffordd arall. Rai blynyddoedd yn ddiweddarach daeth gŵr dieithr â barf hir, hir, mewn dillad carpiog i un o'r pentrefi ar y stad. Llwyddodd i rentu ystafell gan un o'r pentrefwyr. Dywedodd wrth y pentrefwyr ei fod yn feddyg. Lledaenodd y newyddion yn gyflym fod meddyg wedi dod i fyw i'r pentre. Daethon nhw ato o bob cyfeiriad gyda'u problemau, gan nad oedd un ohonyn nhw wedi cael cyfle i fynd at feddyg cyn hynny. Cawson nhw gynnig moddion ac eli, llawer iawn o gynghorion ynglyn â glendid a'r math o fwyd y dylen nhw ei fwyta. Yn wir bu gwelliant mawr yn safon byw y pentrefwyr a'r trigolion.

Wedi peth amser symudodd y meddyg i bentre arall a gweithredu yn yr un modd yno, ac roedd gwelliant mawr unwaith eto. Symudodd o bentre i bentre ar draws stad y tywysog. Roedd trigolion y stad wedi gwella eu byd tu hwnt i bob disgwyl. Roedd y strydoedd yn lân gan fod cwteri wedi eu hagor, pob tŷ yn dwt a glân a'r bobl yn bwyta bwyd maethlon. Mor wahanol i'r adeg pan aeth y tywysog Dimitri o gwmpas i gyfarfod â'u denantiaid.

O dipyn i beth daeth y tenantiaid i wybod mai'r meddyg blêr a'i farf hir oedd y tywysog Dimitri ei hunan. Fel Iesu Grist, roedd yn rhaid iddo fod yn un ohonyn nhw cyn y byddai yn cael ei dderbyn. Dyna paham rydyn ni'n dathlu Gŵyl y Nadolig i gofio bod Duw wedi dod aton ni fel un ohonon ni, drwy ei fab Iesu Grist.

DWY FIL O FLYNYDDOEDD YN ÔL
(MWY O GLAP A CHÂN RHIF 75)

Diolchwn i Ti am ddangos dy hun i ni trwy dy fab Iesu Grist. Diolch am yr esiampl a roddodd i ni. Helpa ni i fyw yn ein bywyd bob dydd yn fwy tebyg i Iesu Grist, gan geisio gwneud ein gorau dros eraill. Yn enw Iesu Grist. Amen.

GWAITH TRAWSGWRICWLAIDD

- Tynnwch lun unrhyw olygfa yn y stori.
- Trafodwch sut medrwch chi, bobl ifanc, newid cyflwr y byd?
- Beth sy'n eich gwneud yn hapus ?
- Meddyliwch am dri pheth yr hoffech eu newid y Nadolig hwn.

THEMA – MAE'N DDECHRAU BLWYDDYN A THYMOR NEWYDD

Ydych chi wedi gwneud adduned? Ydych chi'n meddwl y byddwch chi'n medru cadw'r adduned? Dyma gyfle i ni ddechrau o'r newydd a gallwn ni ddysgu o'r camgymeriadau a wnaethon ni'r llynedd.

 EI GARIAD EF (CLAP A CHÂN RHIF 61)

 SALM 23

STORI

Mae'r stori yma am dri chymeriad gwahanol iawn:

Roedd y teulu'n byw wrth ymyl coedwig fawr. Roedd Gwenno yn ferch serchog a hapus, ond roedd Martha yn hynod o greulon a chas yn enwedig wrth Gwenno. Roedden nhw'n byw gyda'u llysfam ac roedd hi'n ffafrio Martha ac yn gadael iddi bryfocio Gwenno.

Ar fore Dydd Calan dywedodd Martha wrth Gwenno,

"Cer i'r goedwig Gwenno a chasgla dusw o fioledau i fi gael eu gwisgo."

Roedd Martha'n gwybod yn iawn nad oedd fioledau'n tyfu yn Ionawr ac wrth i'w chwaer adael y tŷ'n drist am y goedwig dechreuodd chwerthin yn braf.

Druan o Gwenno, buodd hi'n chwilio'n ddyfal drwy'r dydd ond heb lwyddiant. Erbyn min nos roedd hi'n teimlo'n oer, heb fwyta drwy'r dydd ac yn teimlo'n ofnus iawn yn y goedwig dywyll. Yn sydyn, gwelodd dân yn y goedwig a throdd a mynd tuag ato. Wrth agosáu gwelodd ddeuddeg carreg ac yn eistedd ar bob carreg roedd bodau anghyffredin. Dyma Ddeuddeg Mis y Flwyddyn.

Dywedodd Gwenno wrth Ionawr ei bod yn chwilio am fioledau.

"Fioledau! Yr adeg yma o'r flwyddyn!" gwichiodd Ionawr. "Dydyn nhw ddim yn tyfu yn nyfnder y gaea."

"Rwy'n gwybod hynny, ond bydd fy chwaer yn wallgo os dychwela i adre hebddyn nhw."

Cododd Ionawr o'i sedd a chyflwynodd ei ffon hud i'w gyfaill Mawrth a'i gyfeirio at yr orsedd ucha. Eisteddodd Mawrth a chwifiodd y ffon hud. Gyda hynny ffrwydrodd y tân yn fflamau mawr gan lamu tua'r awyr. Diflannodd yr eira i gyd ac yn y gwyrddni roedd fioledau yn tyfu. Yn gyflym casglodd Gwenno dusw hardd ohonyn nhw. Gwaeddodd, Diolch. Diolch yn fawr iawn a rhedodd adre nerth ei thraed.

Cafodd ei llysfam a'i chwaer sioc pan welon nhw Gwenno â'r tusw o fioledau. Cipiodd Martha'r tusw oddi ar Gwenno heb gymaint â diolch.

Fore trannoeth, er mwyn pryfocio ei chwaer unwaith eto, gorchymynnodd Martha i Gwenno fynd i'r goedwig i hela mefus. Druan o Gwenno, cerddodd drwy'r dydd ond fel y diwrnod cynt gwelodd dân yn y pellter a rhedodd tuag ato. Yno, gwelodd Ddeuddeg Mis y Flwyddyn. Dywedodd Gwenno ei bod yn chwilio am fefus. Edrychodd Ionawr ar Fehefin a chwifiodd yntau'r ffon hud, ciliodd yr eira a throdd y dail yn sydyn yn fefus coch braf. Aeth Gwenno ati i'w casglu ac wedi diolch rhedodd am adre a'i ffedog yn llawn o fefus.

Allai ei llysfam na Martha gredu eu llygaid.

"Pam na fuaset ti'n casglu rhagor?" oedd unig ymateb ei chwaer. Yna, gafaelodd Martha yn ei chlogyn er mwyn mynd i'r goedwig i gasglu mefus. Daeth ar draws y Deuddeg Mis.

"Beth rwyt ti eisiau?" gofynnodd Ionawr.

"Meindia dy fusnes!" atebodd Martha'n swta.

Edrychodd Ionawr draw ar Ragfyr a gyda'i gilydd fe chwifion nhw'r ffon hud a dechreuodd fwrw eira'n drwm. Lle llwyddodd Gwenno gael cymwynas methu â wnaeth Martha.

GWRANDEWCH AR IESU (CLAP A CHÂN RHIF 70)

Ein Tad, ar ddechrau blwyddyn newydd helpa ni fod yn garedig a goddefgar wrth ein gilydd. Dysga ni fod yn amyneddgar ac yn barod i wrando ar eraill. Helpa ni rannu cariad ac ewyllys da drwy'r flwyddyn. Bydd gyda ni drwy dymhorau'r flwyddyn. Bendithia ein gwaith, ein hathrawon a'n rhieni, er mwyn Iesu Grist. Amen.

GWAITH TRAWSGWRICWLAIDD

- Darluniwch unrhyw olygfa o'r stori.
- Beth feddyliwch chi yw neges y stori?
- Beth yw tarddiad y gair Ionawr?
- Ysgrifennodd Eifion Wyn gerdd i fis Ionawr, chwiliwch amdani a'i chopïo.

THEMA – MAE'N DDECHRAU BLWYDDYN A THYMOR NEWYDD

Mae damweiniau'n digwydd yn ddyddiol, pa mor ofalus bynnag y mae rhywun. Weithiau gall damweiniau erchyll newid cwrs bywyd person. Dyna ddigwyddodd yn hanes Louis Braille.

AM IECHYD AC AM NERTH (CLAP A CHÂN RHIF 10)

MARC 8 : 22 – 26

HANES LOUIS BRAILLE

Stori yw hon a ddigwyddodd mewn pentre bach yn agos i Baris lle cafodd Louis Braille ei eni yn Ionawr 1809. Yn siop sadler ei dad roedd Louis, tair oed, wrthi'n brysur yn dynwared ei dad drwy wneud tyllau yn y lledr. Yn anffodus, llithrodd y bradol ac aeth yn syth i mewn i'w lygaid. Bu mewn poen difrifol, cafodd haint yn y llygad ac fe ledaenodd i'w lygad iach. Aeth yn hollol ddall o'r dydd hwnnw yn 1812 hyd ddiwedd ei oes yn 1852.

Ond nid dyna ddiwedd y stori o bell ffordd. Unwaith y daeth yn ddigon hen, fe gafodd ei anfon i ysgol y deillion ym Mharis, lle dysgodd ddarllen wrth gyffwrdd â llythrennau mawr wedi eu gwneud o gardfwrdd. Roedd yn blentyn annwyl, galluog ac yn awyddus i ddysgu. Yn ddeuddeg oed dechreuodd ymdrechu'n ddyddiol i geisio dyfeisio ffordd well i'r deillion ddarllen. Roedd teimlo llythrennau fel y byddai e'n gwneud, yn araf ac yn gostus. Cafodd syniad gan Charles Barbier. Fe ddyfeisiodd e gyfres o ddotiau wedi eu codi ar bapur tew ar ffurf pob llythyren. Roedd hyn yn welliant mawr ar yr hen ddull, ond eto doedd Louis ddim yn teimlo mai hwn oedd yr ateb.

Am dros dair blynedd ac yntau'n dal yn fachgen ysgol, bu wrthi'n meddwl sut roedd dyfeisio gwell system. O'r diwedd dyfeisiodd system llawer symlach a mwy effeithiol na dull Barbier o ddotiau wedi eu codi ar bapur. Mae'r dotiau wedi eu grwpio mewn ffyrdd arbennig i ddynodi pob llythyren yn y wyddor. Wedi oriau o ymarfer a llawer iawn o chwysu cyflwynodd Louis y ddyfais i'w athrawon.

Aeth disgyblion eraill yr ysgol ati i arbrofi gyda'r ffordd newydd ac yn fuan iawn fe welon nhw fod dull Louis yn effeithiol iawn. Drwy ddefnyddio blaen eu bysedd, roedd y deillion yn dod i adnabod trefn y dotiau ac felly'r llythrennau yn gymharol hawdd. Yn ara lledaenodd y dull trwy Ffrainc a chafodd ei alw'n ddull Braille, sef llys enw Louis.

Mae Braille yn dal i gael ei ddefnyddio gan y deillion heddiw fel y ffordd fwya effeithiol a chyflym o ddarllen. Caiff llyfrau ar bob pwnc dan haul eu cyhoeddi mewn Braille. Treuliodd Louis Braille ei fywyd fel athro yn dysgu plant dall, ac roedd hefyd yn organydd arbennig iawn.

Erbyn heddiw gall deillion ddefnyddio rhaglenni cyfrifiadurol i brosesu geiriau ar gyfrifiadur a'i gynhyrchu mewn Braille. Ie, Braille, y dull a gafodd ei ddyfeisio gan y bachgen bach a gollodd ei olwg trwy ddamwain ond a oedd yn benderfynol o helpu holl ddeillion eraill y byd i ddarllen a chyfathrebu fel unrhyw berson cyffredin. Er ei anabledd, treuliodd Louis Braille fywyd hapus iawn yn helpu eraill. Cafodd ei gladdu yn ei bentre genedigol yn Coupvray, ond ganrif yn ddiweddarach cafodd ei gorff ei symud i orwedd gyda mawrion Ffrainc yn y Pantheon ym Mharis. Yn wir roedd Louis Braille yn un o gymwynaswyr mawr y byd.

Un Cam Bychan (Mwy o Glap a Chân Rhif 81)

Ein Tad, diolch i Ti am ymdrech Louis Braille. Mae e wedi bod yn gymaint o help i bobl ddall. Heddiw, yn y mis y cafodd ei eni, dyma ni'n diolch i Ti am arwain Louis i wneud ei gymwynas fawr dros y deillion. Gwna ni yn ddiolchgar o'n golwg a helpa ni ddeall yn well broblemau rhai sydd ag anabledd arnynt. Diolchwn ni ein bod yn gallu gweld a mwynhau harddwch dy greadigaeth. Gofynnwn hyn yn enw Iesu Grist. Amen.

Gwaith Trawsgwricwlaidd

- Chwiliwch am dudalen o bapur Braille. Sylwch sut mae'r dotiau wedi eu gosod. Fedrwch chi wneud synnwyr ohonyn nhw?
- Mae Cymdeithas Papur Sain bron ymhob ardal. Chwiliwch am ragor o wybodaeth am y math o waith maen nhw'n ei wneud. Cynigiwch helpu drwy ddarllen go gyfer â'r papur.
- Trafodwch: petai raid, pa un byddech chi yn dewis ei golli – golwg neu glyw?
- Mae cŵn y deillion yn rhai arbennig. Chwiliwch wybodaeth am y math o gŵn a gaiff eu dewis a'r hyfforddiant bydd yn cael ei roi i'r cŵn a'r person dall.
- Chwiliwch am stori am gi dall a'i feistr.

THEMA – MAE'N DDECHRAU BLWYDDYN A THYMOR NEWYDD

Does dim cymaint o sôn am y gwahanglwyf heddiw gan fod triniaeth rad iawn ar gael er mwyn ei atal. Er hyn mae miloedd ar draws y byd yn dal i ddiodde o'r gwahanglwyf. Yn amser y Tad Damien doedd dim triniaeth ar gael a byddai'r gwahanglwyfus yn cael eu gadael i farw allan o olwg pawb, rhag iddyn nhw heintio eraill.

DUW MAWR POB GOBAITH
(MWY O GLAP A CHÂN RHIF 70)

MATHEW 8 : 1

HANES Y TAD DAMIEN

Cafodd Joseph de Vuester ei eni yn fab i dyddynwr tlawd yng Ngwlad Belg, yn Ionawr 1840. Pan oedd yn bedair ar bymtheg oed aeth i ymweld â'i frawd a oedd yn hyfforddi i fod yn offeiriad. Penderfynodd yntau yn y fan a'r lle y byddai'n dilyn ei frawd a mynd yn offeiriad. Roedd ei frawd yn paratoi i fod yn genhadwr yn ynysoedd Hawaii ond yn anffodus torrodd ei iechyd ac fe wirfoddolodd Joseph fynd yn ei le. Felly, yn bedair ar hugain oed ac wedi mabwysiadu'r enw'r Tad Damien, ffarweliodd â'i deulu gan wybod na fyddai yn eu gweld nhw byth eto. Roedd yn credu ei fod yn cyflawni ewyllys Duw wrth fynd yn genhadwr.

Roedd digon o waith i'w wneud ar ynysoedd Hawaii, sefydlu eglwysi, adeiladu ysbytai, helpu'r tlodion a phregethu am Iesu Grist. Ond roedd yn poeni'n fawr fod pobl yn diodde o'r gwahanglwyf yn cael eu hanfon i ynys Molokai a'u gadael yno. Roedd y Tad Damien yn teimlo iddo gael ei alw i fynd i edrych ar ôl y gwahangleifion hyn. Ceisiodd ei ffrindiau ei berswadio i beidio â mynd i Folokai gan y byddai ef yn siŵr o ddal y gwahanglwyf ac na fyddai'n dychwelyd oddi yno. Ond roedd Tad Damien yn benderfynol.

Cafodd ei synnu'n fawr pan gyrhaeddodd yr ynys. Roedd y gwahangleifion yn byw mewn amgylchiadau difrifol, heb do uwch eu pennau, heb fwyd, llawer ohonyn nhw'n meddwi ar ddiod wedi ei wneud o wreiddiau coed, eu clwyfau'n gwaedu'n agored. Doedd y Tad Damien ddim yn gwybod ble roedd dechrau. Ond aeth ati i adeiladu tai, eglwysi ac ysbytai syml. Bu'n golchi clwyfau a cheisio lleddfu poen nifer fawr o'r gwahangleifion. O dipyn i beth gwellodd yr amgylchiadau ar ynys Molokai a llwyddodd i gael llawer o feddyginiaethau pwrpasol i'r ynys. Byddai llawer o'r cleifion yn dod i wrando ar y Tad Damien yn cynnal gwasanaethau a throdd llawer ohonyn nhw'n Gristnogion. Roedd hefyd wedi llwyddo perswadio eraill i ddod i'w helpu ar yr ynys.

Ymhen rhai blynyddoedd roedd e wedi adeiladu ysbyty ac ynddi feddygon a nyrsys a allai edrych ar ôl y gwahangleifion. Yn ogystal ag edrych ar ôl y cleifion aeth y meddygon hyn ati i geisio darganfod ffyrdd o wella'r gwahanglwyf ac erbyn heddiw mae'n bosibl rheoli'r clefyd gyda thabledi rhad iawn.

Un bore Sul, ddeuddeng mlynedd wedi iddo osod ei droed ar Molokai, cyfarchodd ei gynulleidfa o wahangleifion fel hyn, "Yr ydyn ni, wahangleifion…."

Roedd yr anochel wedi digwydd. Bellach roedd y Tad Damien wedi ei heintio â'r clefyd. Yn ddewr parhaodd i weithio drostyn nhw a sicrhau yn ogystal bod offeiriaid ifanc yn dod i Folokai i'w gynorthwyo. Gofalodd fod meddyginiaethau yn cyrraedd yr ynys. Yn raddol, cafodd y gwahanglwyf afael ar y Tad Damien a bu farw'n dawel gan wybod ei fod wedi gwneud ei orau dros y cleifion ar yr ynys ac y byddai'r gwaith yn parhau. Ac yn wir, mae gwaith y Tad Damien yn parhau heddiw, y gwaith roedd yn credu bod Duw wedi ei alw i'w wneud.

O, Arglwydd, Diolchaf
(Mwy o Glap a Chân Rhif 14)

Ein Tad, diolchwn i Ti am esiampl anhunanol pobl fel y Tad Damien a roddodd ei fywyd i helpu eraill, pa mor fawr bynnag y perygl. Diolchwn am bawb sy'n gweithio heddiw i wella amgylchiadau'r rhai sy'n dioddde mewn unrhyw ffordd ar draws y byd. Bydd yn gymorth hawdd ei gael iddynt. Gweddïwn dros wahangleifion a phobl sy'n dioddde o Aids heddiw. Lleddfa eu poen trwy Iesu Grist, Amen.

Gwaith Trawsgwricwlaidd
- Chwiliwch am ynys Molokai ar fap y byd.
- Chwiliwch am ragor o wybodaeth am y gwahanglwyf.
- Mae'r 'World Health Organisation' yn ceisio rheoli heintiau ar draws y byd. Chwiliwch am wybodaeth ar eu gwaith.
- Sut gallwn ni fod o help i'r gwahangleifion?

MIS IONAWR – RHIF 4
GÊM Y BÊL DDU – CALAN HEN

THEMA – CALAN HEN

Mae'r rhan fwyaf ohonon ni'n dathlu'r flwyddyn newydd ar Ionawr y cynta. Ond mewn rhai ardaloedd o Gymru, fel rhannau o Sir Benfro ac ardal Llandysul, bydd y flwyddyn newydd yn cael ei dathlu ar yr Hen Galan, ar Ionawr y deuddegfed.

 GYDA IESU GRIST (CLAP A CHÂN RHIF 66)

 IOAN 15 : 1 – 10

HANES CALAN HEN ARDAL LLANDYSUL

Ar fore Calan Hen, ar Ionawr y deuddegfed, roedd yn arferiad slawer dydd rhoi 'brecwast' i'r bechgyn a'r dynion a fu'n helpu ar y ffermydd yn ystod y cynhaea. Roedd y 'brecwast' yn digwydd yn fore iawn ac erbyn naw o'r gloch y bore roedden nhw wedi cael eu gwala o gwrw a gwirodydd cartre ac felly byddai pawb mewn hwyliau da i gymryd rhan yn gêm y 'bêl ddu'.

Gêm bêl-droed, o ryw fath, oedd hon yn cael ei chwarae rhwng dynion plwyf Llanwenog a phlwyf Llandysul. Gatiau eglwys Llanwenog a gatiau eglwys Llandysul oedd y goliau ac roedd chwe milltir rhyngddyn nhw. Doedd dim llawer o reolau yn perthyn i gêm y bêl ddu; roedd hawl gwneud bron unrhyw beth. Byddai ymladd mawr rhwng bechgyn y ddau blwyf yn digwydd yn gyson yn ystod y dydd. Wrth iddyn nhw yfed mwy o gwrw a gwirodydd yn ystod y dydd ac fel y byddai'r cefnogwyr yn mynd yn fwy croch, byddai'r gêm yn mynd yn fwy peryglus a'r ymladd yn fwy gwaedlyd. Erbyn diwedd y dydd byddai nifer o gyrff gwaedlyd a briwedig yn dychwelyd adre.

Yn 1822 daeth y Parch Enoch James yn ficer plwyf Llandysul. Gwelodd beth oedd yn digwydd yn ystod Calan Hen a chwiliodd am ateb. Yn 1833 sefydlodd ŵyl newydd trwy wahodd deuddeg o ysgolion Sul plwyfi ardal Llandysul i ddod i'r eglwys yn Llandysul ar Ionawr 12fed i ddarllen y pwnc a chanu anthemau o fawl i Dduw. Yn ystod y gwyliau cynnar bu chwaraewyr gêm y bêl ddu'n aflonyddu ar yr ŵyl. Mae'n debyg un flwyddyn i'r chwaraewyr gicio'r bêl i mewn trwy un drws yr eglwys ac allan drwy'r llall. Ond o dipyn i beth tyfodd yr ŵyl ac fe ddiflannodd gêm y bêl ddu'n llwyr.

Felly Gŵyl Gristnogol yw Calan Hen heddiw yn ardal Llandysul. Mae'r ŵyl wedi parhau ar hyd y blynyddoedd bron ar yr un ffurf. Caiff pennod o'r Ysgrythur ei gosod i'w astudio gan bob ysgol Sul, cyn Calan Hen. Caiff y pwnc ei lefaru ac yna bydd offeiriad gwadd yn holi cwestiynau ac ar ddiwedd yr hanner awr bydd pob ysgol Sul yn canu anthem neu emyn i gloi eu cyfraniad. Erbyn heddiw bydd rhwng deuddeg a phedair ar ddeg o eglwysi cylch Llandysul yn dod i'r Ŵyl gan ddechrau am ddeg o'r gloch y bore a gorffen tua phump o'r gloch y pnawn.

Felly o fod yn ddathliad yn llawn medd-dod, ymladd a chwarae'r bêl ddu, trawsnewidiodd y Parch Enoch James Calan Hen i fod yn ŵyl barchus Gristnogol. Mae'n bleser gallu dweud bod yr Ŵyl wedi parhau yn ddi-dor er 1833 a'r gefnogaeth i Calan Hen yn dal yn gryf.

DEWCH, RHOWCH GLAP (CLAP A CHÂN RHIF 1)

Diolch i Ti, O Dad am ddynion ac ardaloedd sy'n barod i roi eu hamser i Ti. Diolch i Ti am yr esiampl a gawn gan rywun fel y Parch Enoch James a welodd fod modd dathlu mewn ffordd a fyddai'n dod â chlod a mawl i Ti yn hytrach na dod â gofid, loes a thrafferth i bobl. Helpa ni wneud y dewisiadau cywir wrth i ni dyfu. Gofynnwn hyn yn enw Iesu Grist, Amen.

GWAITH TRAWSGWRICWLAIDD

- Trafodwch. Beth oedd ymateb chwaraewyr 'gêm y bêl ddu' wedi i'r Parch Enoch James geisio cael gwared ar y gêm er mwyn sefydlu Gŵyl eglwysig?
- Caiff yr Hen galan ei ddathlu mewn rhannau eraill o Gymru mewn ffyrdd gwahanol. Fedrwch chi ddod o hyd i hanes y dathliadau yn Sir Benfro?
- Ysgrifennwch stori a chithau'n un o chwaraewyr gêm y bêl ddu.
- Tynnwch lun dychmygol o'r gêm.

THEMA – Y DULL DI-DRAIS O BROTESTIO

Y dull di-drais Mahatma Ghandi o'r India oedd un o'r cynta i ymladd heb ddefnyddio trais; dim gynnau, dim tanciau, dim bomiau. Diodde a rhesymu oedd ei arfau.

CANU AM DANGNEFEDD (CLAP A CHÂN RHIF 56)

MATHEW 5

GALATIAID 5

LUC 2

HANES MAHATMA GHANDI

Y tro cynta i'r byd glywed am Mahatma Ghandi oedd pan ymladdodd dros yr Indiaid yn Ne Affrica. Ymladd fel cyfreithiwr wnaeth e yn erbyn rheolau'r wlad oedd yn gwneud pawb yn israddol i'r dynion gwyn mewn pŵer ar y pryd. Am ugain mlynedd, bu'n ymladd ac fe wnaeth hyn mewn ffordd wahanol; defnyddiodd ddulliau di-drais. Diodde oedd arf Ghandhi. Mewn protest, byddai plismyn gwyn yn ei guro e ac Indiaid eraill â ffyn, yn eu cam-drin yn gorfforol ac yn eu rhoi yn y carchar nes bod y carchardai yn llawn.

Yn y diwedd fe ddeallodd llywodraeth De Affrica pa mor greulon ac annheg oedd y rheolau a'r deddfau hyn ac fe newidion nhw'r rheolau ar gyfer yr Indiaid. Ond newidion nhw mo'r rheolau ar gyfer y dynion duon oedd yn byw yn Ne Affrica. Rhaid byddai aros am bron i ganrif arall, cyn bod dynion du, brodorion De Affrica, yn cael chwarae teg yn eu gwlad eu hun.

Aeth Ghandi yn ôl i'r India yn arwr. Ond roedd brwydr arall o'i flaen gartre yn yr India. Prydain Fawr oedd yn rheoli'r India ac roedd yr Indiaid yn cael eu trin yn israddol yn eu gwlad eu hun. Sylweddolodd Ghandhi y byddai'n rhaid cael gwared ar y Prydeinwyr a'u milwyr cyn y byddai India'n rhydd. Ond yn gynta, ei waith oedd cael yr Indiaid eu hun i gyd-dynnu a chydweithio. Pregethodd heddwch a chymod ymhlith pawb o bob crefydd, Cristnogion, Hindŵ a Mwslim. Rhaid parchu pawb gwaeth beth fo eu crefydd, tras, neu liw. Dywedodd unwaith, "I like your Christ but I don't like your Christianity." Mynnodd y byddai'n rhaid i bobl India weithredu fel un cyn cael gwared ar lywodraethwyr yr India. Roedd yn credu nad drwy ymladd â gynnau y bydden nhw'n ennill ond trwy ddulliau heddychlon. Roedd am i'w bobl wrthod byw yn ôl cyfraith Lloegr a phe bydden nhw'n cael eu harestio, byddai'n rhaid derbyn y gosb a mynd i garchar yn heddychlon.

Daeth miliynau i ddilyn Ghandhi a dros y blynyddoedd aeth hi bron yn amhosib i Brydain lywodraethu. Byddai miloedd ar filoedd o bobl yn dod i wrando ar y dyn bach, tenau hwn yn gwisgo dillad traddodiadol. Roedd yn dweud y gwir yn blaen am fywyd tlawd y bobl ac annhegwch y gyfraith. Erbyn 1947 sylweddolodd Prydain nad oedd croeso bellach iddyn nhw yn yr India ac fe adawon nhw i'r Indiaid eu hun lywodraethu. Roedd arweiniad di-drais Ghandhi wedi ennill unwaith eto.

Serch hynny doedd Ghandi ddim yn hapus. Roedd Prydain wedi caniatáu rhannu'r India, gan roi Pacistan i'r Mwslemiaid a gweddill yr India i'r Hindŵiaid. Roedd Ghandi am i'r Hindŵ a'r Mwslim gyd-fyw. Ymladdodd eto. Ei arfau, fel bob amser, oedd peidio bwyta, dim ond yfed ychydig o ddŵr a hynny am gyfnodau hir. Am iddo brotestio mor gadarn, byddai'n cael ei roi yn y carchar. Roedd hyn yn tynnu sylw pawb at y rhaniad yma yn ei wlad. Daeth y cyfan i ben fin nos Ionawr 30ain 1948 pan gafodd ei saethu dair gwaith, ac yntau ar y ffordd i'r deml i weddïo. Talodd y byd i gyd deyrngedau lu i'r gŵr a oedd yn credu mewn heddwch a chariad at bob dyn uwchlaw pob dim arall.

Byd sy'n Llawn o Hedd
(Mwy o Glap a Chân Rhif 48)

Ein Tad diolchwn i Ti am fywyd Mahatma Ghandi. Fe ddysgodd wers anodd i ni, gwers dydyn ni ddim eisiau ei dysgu. Mae hi mor hawdd ymladd, colli tymer, rhoi ergyd a chicio nôl. Maddau i ni mai fel hyn rydyn ni'n byw o hyd.

Helpa ni i weld mai drwy fod yn debyg i Grist mae cael heddwch a thegwch yn y byd. Fe ddywedodd, "Câr dy gymydog fel ti dy hun." ac fe ddangosodd y gallwn ni gydfyw yn hapus gyda'n gilydd a helpu'n gilydd beth bynnag fo ein crefydd, lliw ein croen neu'n hamgylchiadau. Er mwyn Iesu Grist a aeth i'r groes droston ni. Amen.

Gwaith Trawsgwricwlaidd

- Mae eraill wedi gweithredu fel Ghandi megis Martin Luther King. Chwiliwch am wybodaeth.
- Mae Hindŵiaeth ac Islam yn grefyddau amlwg iawn yn y byd. Sut mae un yn fwy tebyg na'r llall i Gristnogaeth?
- All gweithredu fel y gwnaeth Ghandi fod yn llwyddiannus yn y byd heddiw? Trafodwch.
- Chwiliwch ar fap am India, Pacistan a De Affrica.

Thema – Gorchest ac Aberth

Meddyliwch am funud am yr adeilad rydych ynddo nawr. Pryd cafodd yr ysgol ei hadeiladu? Beth oedd yma cyn yr ysgol? Pwy adeiladodd yr ysgol? Faint o amser a gymerodd hi i'w hadeiladu?

Dewch Bawb i Foli Duw (Clap a Chân Rhif 62)

Genesis 11 : 1 – 11

Hanes Adeiladu Wal Fawr China

Dechreuon nhw adeiladu Wal Fawr China dros ddwy fil o flynyddoedd yn ôl, pan gafodd bron i 2,400km ohoni ei chodi. Dros y canrifoedd maen nhw wedi ychwanegu ati nes ei bod erbyn hyn dros 5,000 km. Dyma'r wal fwya sy'n bod. Yr Ymerawdwr Shi Huangdi oedd yn teyrnasu rhwng 221 – 206 c.c, ac ef oedd yn gyfrifol am ddechrau'r gwaith er mwyn atal y gelyn, y Mongoliaid, rhag ymosod ar ei deyrnas, a hefyd er mwyn cadw trefn ar rai o'r llwythau roedd wedi eu gorchfygu.

Rhoddodd gyfarwyddiadau manwl i'r adeiladwyr ynglŷn â hyd, lled ac uchder y wal. Roedd y wal i fod yr un lled ag wyth ceffyl ar ei gwaelod a chwe cheffyl o led ar y top a'r un uchder â phum dyn. Fe gafodd carcharorion eu rhyddhau i weithio ar y wal ac roedd y fyddin yno, i ofalu na fyddai 'run ohonyn nhw'n dianc. Hefyd fe ddefnyddion nhw ddrwgweithredwyr, cerddorion, athrawon, beirdd, llenorion, artistiaid a gwerinwyr cyffredin. Roedd tua miliwn o bobl yno'n adeiladu'r wal wreiddiol. Roedden nhw'n gweithio ddydd a nos, saith niwrnod yr wythnos. Byddai unrhyw un a fyddai'n cwyno neu'n ceisio dianc yn cael ei gladdu'n fyw o dan y wal. Treuliodd llawer iawn o'r Tsieineaid eu holl fywyd yn adeiladu'r wal ac fe gafodd miloedd ar filoedd ohonyn nhw eu claddu o dan y wal. Dywed hen gred fod un person wedi marw am bob carreg sydd yn y wal. Mewn 4,000 o filltiroedd gallwch ddychmygu faint o Tsieineaid a fu farw. Dyna pam y byddai rhai'n galw'r wal yn Fynwent Hir.

Fe gafodd ei hadeiladu o friciau, cerrig a phridd heb unrhyw offer heblaw dwylo i wneud y gwaith Yn union fel corff draig anferth mae'r wal yn troelli dros fynyddoedd i lawr ac ar draws unigeddau a thir ffrwythlon a chaiff ei hystyried yn un o ryfeddodau'r byd. Daw miloedd o ymwelwyr i weld a cherdded ar hyd rhannau o'r wal bob blwyddyn. Dros y canrifoedd mae llawer ohoni wedi syrthio a dirywio'n arw ond mae'n dal i ddenu twristiaid.

Fe lwyddon nhw orffen y 2,400km cynta mewn rhyw ddeng mlynedd ac mae iddi dŵr gwylio deulawr bob canllath. Mewn Tsieinieg yr enw arni yw Wan-Li Qang-Qeng sydd yn golygu Wal Hir – rhyw 4,000 o filltiroedd. Rydych chi'n gallu gweld y wal o loerennau sy'n amgylchynu'r ddaear ond lwyddodd mo Neil Armstrong a'i griw ei gweld o'r lleuad pan aethon nhw yno

Roedd y wal yn un o saith rhyfeddod yr hen fyd. Mae'n dal yn un o ryfeddodau'r byd heddiw a heb os yn gampwaith pensaernïol. Ond ydy'r fath orchest yn teilyngu'r fath aberth?

MAE DUW YN CARU PAWB (CLAP A CHÂN RHIF 44)

Diolch i Ti am y gwersi y medrwn eu dysgu gan hanes. Diolchwn heddiw fod gennyn ni'r dechnoleg a'r peiriannau addas fel nad oes rhaid i bobl aberthu eu bywydau wrth adeiladu. Diolchwn hefyd ein bod yn fwy ymwybodol o angen pobl. Amen.

GWAITH TRAWSGWRICWLAIDD

- Beth am geisio gwneud model bach o'r wal?
- Mae'r flwyddyn Tsieinieg yn dechrau tua diwedd Ionawr. Mae i bob blwyddyn ei dewis anifail. Wyddoch chi beth yw'r anifail am eleni?
- Fedrwch chi ddangos y Wal Fawr ar fap y byd?
- Astudiwch ryw adeilad pwysig neu enwog yn eich ardal chi gan gasglu cymaint o wybodaeth â phosibl amdano.

THEMA – CAREDIGRWYDD

Roedd Iesu Grist yn barod bob amser i helpu'r cleifion. Byddai'n dda i ninnau feddwl am y cleifion y gwyddon ni amdanyn nhw, a cheisio gwneud rhywbeth i'w helpu. Gadewch i ni feddwl am y rhai sy'n sâl mewn ysbytai neu gartrefi.

MAENT IDDO YN BLANT (CLAP A CHÂN RHIF 40)

IOAN 4 : 46 – 53

STORI

Roedd ci bach ar goll! Roedd yn crwydro'n ôl a blaen gan geisio dod o hyd i'w gartre ond mynd yn bellach a phellach oedd e'n wneud. Cyn hir, roedd wedi blino'n lân, roedd angen bwyd arno ac roedd ei dafod goch yn hongian o'i geg. Roedd yn dyheu am ddiferyn i'w yfed. Bob tro roedd rhywun yn cerdded heibio byddai'n codi ar ei draed gan ysgwyd ei gynffon fel petai'n gofyn iddyn nhw gymeryd gofal ohono, a'i fwydo. Ond doedd neb yn cymeryd unrhyw sylw ohono, a gorweddodd yn y llwch yn drist a diflas.

Cyn hir trodd ei ben i wrando; roedd rhywun yn dod ar hyd y ffordd mewn clogyn hir llwyd yn union fel mynach. Neidiodd y ci bach ar ei draed gan ysgwyd ei gynffon yn fywiog. Plygodd y mynach ac arllwysodd ychydig o ddŵr o'i botel ac aeth i'w sgrepan a rhoi ychydig fwyd i'r ci bach.

"Druan ohonot ti, gi bach. Wyt ti am ddod gyda fi?"

Ysgwydodd y ci ei gynffon yn llon ac aeth y ddau i lawr y ffordd garegog gyda'i gilydd.

Roedd y mynach yn teithio fel pererin o un man i'r llall gan helpu'r anghenus a'r cleifion gymaint ag y gallai. Yn fuan daethon nhw i ddinas fawr. Sylwodd y mynach fod pawb yn cerdded yn frysiog a golwg ddiflas, bryderus ar wynebau pawb. Sylwodd fod llawer yn gorwedd ar welyau tu allan i'w tai.

"Beth sy'n bod yma?" gofynnodd y mynach i rywun a oedd yn cerdded heibio.

"Mae llawer o bobl yn diodde o'r pla. Mae rhywun ymhob tŷ wedi dal y pla. Mae'r ysbytai'n llawn ac felly all y doctoriaid a'r nyrsys ddim trin rhagor ac o ganlyniad rhaid eu gadael nhw tu allan." Prysurodd ar ei daith.

"Mi â i'w helpu," meddai'r mynach wrth y ci bach. Ffwrdd â'r ddau i chwilio am yr ysbyty. Wedi cyrraedd cynigiodd helpu. Rhybuddiodd y meddygon e am y perygl o ddal y pla. Unig ateb y mynach oedd y byddai Duw yn gofalu amdano.

Felly aeth y mynach ati i fwydo a chysuro'r cleifion gan eistedd gyda'r rhai gwael yn ystod y nos. Byddai'r ci bach yn neidio ar ben y gwely, siglo ei gwt gan ddod â gwên i wyneb y cleifion.

Un noson roedd y mynach yn teimlo'n eitha sâl a sylweddolodd ei fod wedi dal y pla. Casglodd ei eiddo a heb ddweud gair wrth neb, gadawodd yr ysbyty â'r ci bach wrth ei sodlau. Roedd digon o waith gan y meddygon a'r nyrsys heb sôn am edrych ar ei ôl e. Wedi cerdded am hydoedd cyrhaeddodd goedwig fechan ac eisteddodd yno yng nghysgod coeden. Cofio dim wedyn beth ddigwyddodd er ei fod yn credu iddo weld angylion yn plygu drosto a'i gysuro.

Pan ddeffrodd roedd y ci bach yno'n ysgwyd ei gynffon a daeth tyddynwr i'r golwg. Roedd y ci wedi rhedeg i fwthyn yn y goedwig i chwilio am help. Rhoddodd y tyddynwr ei freichiau cyhyrog o gwmpas y mynach a'i godi a'i gario'n ôl i'w fwthyn, lle cafodd aros tan iddo wella'n llwyr. Wedi iddo gryfhau, cychwynnodd y mynach ar ei daith gan barhau i helpu eraill ac yn naturiol, wrth ei sodlau roedd y ci bach.

Gwrandewch ar Iesu (Clap a Chân Rhif 70)

Gweddïwn dros y rhai hynny sydd yn sâl yn ysbytai ein gwlad. Diolch i Ti am ddawn y meddygon a'r nyrsys sydd yn eu trin. Bydd gyda phawb sy'n diodde mewn unrhyw ffordd, bendithia nhw a lleddfa eu poenau. Helpa ni fod yn barod i roi cymorth i unrhyw un sydd yn diodde, er mwyn Iesu Grist, Amen,

---

Gwaith Trawsgwricwlaidd

- Tynnwch lun unrhyw ran o'r stori.
- Ysgrifennwch un o hanesion Iesu Grist yn iacháu rhywun sâl.
- Gwnewch garden i unrhyw un sy'n sâl gan ddymuno gwellhad buan iddo.
- Ceisiwch gael nyrs neu ddoctor i ddod i siarad â chi am eu gwaith.

THEMA – GŴYL Y CARIADON

Gŵyl y Cariadon Ionawr 25ain, dydd y Santes Dwynwen. Dyma ddydd cariadon Cymru sy'n debyg i ddydd Sant Ffolant y Saeson ym mis Chwefror.

EI GARIAD EF (CLAP A CHÂN RHIF 61)

1 CORINTHIAD 13 : 4 – 8, 13

HANES DWYNWEN

Tywysoges oedd Dwynwen, merch i Brychan Brycheiniog, brenin oedd yn byw amser maith yn ôl yn y 5ed ganrif. Roedd hi'n dywysoges hynod o brydferth a phob dyn yn syrthio mewn cariad â hi.

Un tro roedd yna wledd fawr ym mhalas Brychan. Daeth pawb yno yn eu dillad hardd, lliwgar i ddawnsio a bwyta tan oriau mân y bore. Sylwodd y tywysog Maelon Gwynedd ar harddwch anhygoel Dwynwen. Cyn diwedd y noson roedd e mewn cariad â hi a chyn pen dim amser, roedd wedi gofyn i Dwynwen ei briodi. Roedd Dwynwen hefyd wedi'i swyno gan Maelon ond roedd un rhwystr mawr rhag iddi ei briodi. Roedd hi'n ferch grefyddol iawn ac roedd hi wedi penderfynu bod yn lleian. Roedd rhai'n dweud nad oedd ei thad yn fodlon iddi briodi Maelon gan ei fod e wedi dewis gŵr arall iddi. Eto i gyd roedd Maelon yn dal eisiau priodi Dwynwen.

"Tyrd efo fi. Fe awn yn ôl i Wynedd ac fe briodwn yno."

Gwrthododd Dwynwen roi unrhyw sicrwydd iddo fe. Cynddeiriogodd Maelon ac fe adawodd y llys mewn tymer.

Roedd Dwynwen yn drist ar ôl i Maelon adael ac aeth i'r goedwig i chwilio am dawelwch ac i weddïo. Yn ei gweddi gofynnodd i Dduw gael gwared ar y teimladau o gariad oedd ganddi tuag at Maelon. Daeth angel ati a chynnig cwpan iddi. Dywedodd yr angel wrthi y byddai'r ddiod yn cael gwared ar ei theimladau tuag at Maelon. Y munud hwnnw, cyn i Dwynwen allu yfed dim, daeth Maelon drwy'r goedwig ar frys. Gwelodd y cwpan ac yfodd y ddiod. Dychrynodd Dwynwen o weld beth ddigwyddodd i Maelon. O flaen ei llygaid trodd yn lwmpyn o rew.

Yn ei braw, aeth ar ei gliniau a gofyn i Dduw ganiatáu tri dymuniad iddi.

Y dymuniad cynta oedd bod Maelon yn cael dod yn ôl yn fyw.

Yr ail ddymuniad oedd bod Duw yn edrych yn garedig ar y rhai oedd yn caru ei gilydd a'r dymuniad hwn a wnaeth Dwynwen yn Nawdd Sant y Cariadon.

Ei dymuniad olaf oedd y byddai'n gallu rhoi ei bywyd yn llwyr i Dduw ac na fyddai byth yn priodi.

Aeth Dwynwen i Ynys Llanddwyn yn Sir Fôn. Yno sefydlodd le sanctaidd ar gyfer lleianod fel hi ei hun a daeth merched ati, rhai oedd wedi torri eu calon wedi iddyn nhw golli eu cariadon. Er i Dwynwen farw mor bell yn ôl â 465, gallwch weld olion yr hen eglwys yn Llanddwyn heddiw.

Yn agos at yr eglwys, mae ffynnon gysegredig sydd wedi denu pobl ar hyd y canrifoedd. Byddai merched a bechgyn mewn cariad yn mynd yno i holi pysgodyn hud. Byddai symudiadau'r pysgodyn yn rhoi'r ateb. Hefyd, byddai merched yn taflu ychydig friwsion ar wyneb y dŵr ac yn gosod hances boced trostyn nhw. Pe bai'r pysgodyn yn dod i'r wyneb byddai hynny'n brawf bod y cariad yn ffyddlon. Mae pobl yn dal i ymweld â'r ffynnon ac mae gweld chydig o swigod bach ar wyneb y dŵr yn ddigon i wneud cariadon ifanc yn hapus.

Yn ystod y blynyddoedd diwetha, bydd llawer yn gyrru carden Santes Dwynwen i'w cariad. Cofiwch nawr am Ionawr 25ain!

CARU'R IESU (MWY O GLAP A CHÂN RHIF 73)

Ein Tad, rho dy fendith ar y rhai rydyn ni'n eu caru; Mam a Dad, brodyr a chwiorydd, a phob un sy'n agos iawn aton ni. Gofala, o Dduw, am ein rhieni. Helpa ni i fod yn ufudd ac i ofalu amdanyn nhw ar hyd ein bywyd fel maen nhw'n gofalu amdanon ni. Diolch i ti am Iesu Grist ac am ei esiampl. Roedd e'n driw i'w deulu, ei dad, ei fam ei frodyr a'i ffrindiau. Amen.

GWAITH TRAWSGWRICWLAIDD

- Tynnwch lun Dwynwen yn y wledd neu yn y goedwig yn gweddïo.
- Chwiliwch am hanes llwyau caru a chynlluniwch eich llwy garu eich hun.
- Beth mae Iesu Grist yn ddweud wrthon ni am gariad?
  Darllenwch Mathew 23 : 36 – 40
- Gwnewch garden Santes Dwynwen a'i hanfon at rywun sy'n agos atoch.

THEMA – DIOGI

Un o'r pethau tristaf am fis Ionawr yw bod llawer iawn o blant, erbyn diwedd y mis, wedi diflasu ar nifer o'u hanrhegion Nadolig. Ond yn dristach byth yw mai cŵn yn aml iawn yw'r anrheg hwnnw.

PWY RODDODD (MWY O GLAP A CHÂN RHIF 66)

DIARHEBION 6 : 6 – 11

STORI

Os oes cartre i gŵn yn eich ardal chi ewch am yno am dro ddiwedd mis Ionawr. Mi fydd y lle yn orlawn. Peidiwch ag oedi'n rhy hir ger caets unrhyw gi neu fe fyddwch yn siŵr o godi ei obeithion bod yna gartre newydd iddo. Cofiwch fod y cŵn i gyd wedi cael eu cam-drin: naill ai wedi cael eu gadael ar ryw fynydd ac wedi bod ar goll am amser, neu wedi cael eu taflu allan o'u cartre, neu wedi cael eu hanafu'n fwriadol.

Yn Battersea yn Llundain mae'r cartre mwya i gŵn ym Mhrydain lle mae pedwar can pum deg a chwech o gytiau. Dros gyfnod o flwyddyn bydd dros un deg wyth mil o gŵn yn dod i'r cartre hwn. Daw'r rhif mwya ym mis Ionawr am fod plant wedi diflasu ar y bwndel bach annwyl o fflwff a gyrhaeddodd ddydd Nadolig. Bellach mae'n ormod o drafferth gan fod angen ei fwydo, ei lanhau, mynd ag e am dro, a gofalu nad ydyn nhw'n ymosod ar y blodau yng ngardd drws nesa. Yn wahanol i degan neu fideo neu gêm gyfrifiadur, mae ci yn greadur byw ac yn hoffi cael sylw a maldod a gall hynny fod yn niwsans weithiau.

Dyw cartrefi cŵn byth yn cau a pha mor anodd bynnag yw'r amgylchiadau, fyddan nhw ddim yn gwrthod unrhyw greadur. Mae llawer o'r cŵn yn cael eu derbyn mewn cyflwr truenus. Llawer iawn ohonyn nhw heb gael bwyd ers diwrnodau. Bydd rhai cŵn wedi cael eu troi o'u cartrefi ac wedi bod yn crwydro o gwmpas yn chwilio am damaid. Bydd cŵn eraill yn hynod ofnus am eu bod wedi cael eu cam-drin gan eu perchnogion. Felly dyw hi ddim yn waith hawdd cael cartre i'r math hyn o gŵn. Mae angen gofal, sylw a chariad arnyn nhw. Dychmygwch petaech chi yn cael eich gadael ar ochr y ffordd, mewn lle dieithr, yn oer a gwlyb, heb fwyd a heb gysgod. Dyna sy'n digwydd i lawer o greaduriaid ym mis Ionawr.

Rhan o greadigaeth Duw yw pob creadur ac fe ddylen ni barchu bywyd pob un ohonyn nhw. Cofiwn bob amser nad anifail anwes dros dro yw cath neu gi ond anifail anwes am oes a rhan o'r teulu. Parchwn bob creadur a'i drin yn union fel y disgwyliwn ni gael ein trin. Mae'n werth mynd am dro i gartre cŵn. Sylwch ar lygaid y cŵn ac fe welwch y tristwch sydd ynddyn nhw wedi iddyn nhw gael eu gwrthod a'u gadael. Felly cofiwch fod yn garedig wrth bob anifail gan eu bod yn rhan bwysig o greadigaeth Duw.

DUW WNAETH Y CREADURIAID (CLAP A CHÂN RHIF 60)

Diolchwn i Dduw am y pleser a'r cysur a gawn gan ein hanifeiliaid anwes. Dysg ni fod yn garedig wrth bawb y down ar eu traws, pobl ac anifeiliaid. Atgoffa ni mai rhan o'th gread Di yw'r cyfan. Gofynnwn hyn yn enw Iesu Grist, Amen.

GWAITH TRAWSGWRICWLAIDD
- Cymharwch beth yw anghenion anifail a'ch anghenion chi. Rhowch y rhai tebyg a'r rhai gwahanol gyda'i gilydd.
- Tynnwch lun neu gwnewch 'collage' o'ch hoff anifail neu'ch anifail anwes.
- Gwnewch restr o reolau sut mae edrych ar ôl anifail anwes.
- Ysgrifennwch stori am unrhyw greadur.

Cofeb Jemima Nichols

THEMA – RHOI ANRHEGION

Mae Chwefror y cynta yn ddydd Gŵyl Seiriol Sant. Wrth gofio am Seiriol daw enw Cybi yn syth i'r cof. Mae stori ddiddorol am y ddau sant hyn.

ENWOGION CYMRU (MWY O GLAP A CHÂN RHIF 60)

SALM 112

HANES DAU SANT – CYBI A SEIRIOL

Mab i'r Brenin Salom o Gernyw oedd Cybi a chafodd ei eni tua 483. Gadawodd ei gartre yng Nghernyw a daeth yn offeiriad yng Ngwent i ddechrau cyn teithio dros y dŵr i'r Iwerddon. Dychwelodd oddi yno a daeth i Benrhyn Llŷn ac yna symud i Sir Fon. Mae ei enw e ar un o drefi pwysica'r ynys sef Caergybi a hefyd ar ynys Cybi. Buodd farw tua 555 a chafodd ei gladdu ar ynys Enlli.

Cafodd Seiriol ei eni'n ddiweddarach tua'r flwyddyn 490 yn fab i'r Brenin Owain Danwyn. Sefydlodd Seiriol ei hun yn Sir Fon a chododd eglwys fach ym Mhenmon. Wedi hynny cododd ei ddau frawd briordy ym Mhenmon a Seiriol oedd abad cynta Penmon. Wedi cysegru ei fywyd i bregethu a dysgu'r bobl am Dduw ac Iesu Grist, symudodd ar ddiwedd ei yrfa i ynys sydd gerllaw Penmon, i ynys Seiriol. Yn naturiol ddigon daeth Cybi a Seiriol i adnabod ei gilydd yn dda ac mae llyfrau heddiw yn cyfeirio atyn nhw fel Seiriol wyn a Chybi felyn.

Mae'n debyg i Cybi a Seriol gytuno cyfarfod yn rheolaidd ger Ffynnon Clorach a oedd yn ymyl Llanerchymedd. Cerdded i gyfarfod ei gilydd y byddai'r ddau. Wrth gerdded tuag at Clorach byddai Cybi bob amser yn wynebu'r haul. O gyfeiriad arall y deuai Seiriol a byddai ef yn cerdded yno â'i gefn at yr haul. Wedi treulio rhai oriau gyda'i gilydd yn trafod y Beibl a gweddïo byddai'r ddau'n dychwelyd adre. Erbyn hynny byddai'r haul eto yn wynebu Cybi ac yn taro ar gefn Seiriol. Felly roedd lliw haul braf ar Cybi tra nad oedd Seiriol yn dal yr haul o gwbl. Dyna sut y cawson nhw eu galw'n Cybi felyn a Seiriol wyn.

Yng nghalendr yr eglwys cofiwn am Seiriol Sant ar y dydd cynta o Chwefror ac fe gofiwn am Cybi ar Dachwedd y pumed bob blwyddyn. Roedd y bumed a'r chweched ganrif yng Nghymru yn enwog iawn am ei seintiau. Mae Seiriol wyn a Chybi felyn yn haeddu eu cofio am eu gwaith yn lledaenu neges Iesu Grist ar draws Ynys Môn.

GWYBODAETH YCHWANEGOL

Mae llawer o seintiau yn gysylltiedig â Sir Fôn a phentrefi wedi eu henwi ar eu hôl megis Llanddwyn ar ôl Dwynwen. Mae Llangristiolus wedi ei enwi ar ôl Cristiolus, Bodedren ar ôl Edern Sant ond y ddau sant enwoca a dreuliodd eu bywydau ar ynys Môn yw Seiriol a Chybi. Roedden nhw'n byw yno yn y chweched ganrif.

MOLWN EF AM GYMRU (MWY O GLAP A CHÂN RHIF 90)

Diolchwn i Ti, O Dad am fywyd a gwaith Seiriol a Chybi. Helpa ni ddilyn eu hesiampl i fyw bywydau syml a bod yn ddilynwyr ffyddlon i Ti, trwy geisio gwneud daioni yn y gymuned lle rydym yn byw, er clod i Iesu Grist, Amen.

GWAITH TRAWSGWRICWLAIDD

- Enwch gymaint o seintiau Cymru ag y medrwch.
- Tynnwch lun dychmygol o Seiriol wyn a Chybi felyn.
- Ysgrifennwch hanes unrhyw sant sy'n gysylltiedig â'ch ardal chi.
- Oes seintiau heddiw? Trafodwch.

THEMA – RHOI ANRHEGION

Ar Chwefror 2il, y cafodd yr Iesu, yn faban bach, fynd i'r deml yn Jerwsalem. Gŵyl Fair y Canhwyllau yw'r diwrnod hwn yng nghalender yr eglwys a chaiff canhwyllau eu goleuo i'n hatgoffa fod Iesu wedi dod i oleuo'r byd. Yn yr hen amser roedd yn arferiad dod â'r holl ganhwyllau a oedd yn y tŷ i'r eglwys i'w bendithio fel bod sicrwydd y byddai ganddyn nhw olau am y flwyddyn i ddod.

 DYRO GÂN (CLAP A CHÂN RHIF 7)

 MATHEW 5 : 14 – 16

HANES CYCHWYN URDD Y SISTERSIAID

Teimlodd criw bach o fynachod nad oedd bywyd yn y mynachlogydd yn ddigon agos i fywyd Crist. Byddai Crist am iddyn nhw fyw bywyd syml, gweithio'n galed ac addoli Duw heb unrhyw addurn na cherfluniau o'u cwmpas. Felly adeiladon nhw fynachdy yn Citeax yn Ffrainc yn 1098. Dyma gychwyn Urdd y Sistersiaid.

Roedd y bywyd yn galed a rhai'n methu dilyn y drefn hon ac yn gadael. Yn wir roedd yr abad yn poeni na fyddai neb ganddo ar ôl. Ond un dydd, er mawr syndod iddo, daeth criw mawr o ddynion at y drws. Wedi dod i greu trafferth, meddyliodd yr abad, ond, na. Agorodd y drws iddyn nhw a'u croesawu. Eu harweinydd oedd Bernard ac roedd ei bedwar brawd gydag e a dau ddeg saith o ffrindiau. Roedden nhw i gyd am ymuno â'r fynachlog.

Er bod Bernard a'i frodyr yn dod o deulu cyfoethog iawn, roedden nhw'n dymuno byw'r bywyd syml, caled hwn heb fod yn berchen ar ddim. Roedd Beranard yn disgleirio fel pregethwr. Denodd llawer o fechgyn ifanc i ymuno ag e a chyn hir cychwynnon nhw fynachdy arall mewn lle o'r enw Cwm Casineb. Wedi cyrraedd yno newidiodd Bernard enw'r ardal i fod yn Gwm y Goleuni, Clairvaux yn Ffrangeg. A rydyn ni'n nabod Bernard heddiw fel Sant Bernard o Clairvaux, Bernard Cwm y Goleuni.

Lledaenodd Urdd y Sistersiaid oleuni Crist ar draws gorllewin Ewrop. Daethon nhw i Gymru a sefydlu mynachlogydd yma mewn mannau tawel, anghysbell. Dysgon nhw fechgyn ifanc Cymru i drin y tir, magu defaid ac yn bwysig iawn i ddarllen a charu gair Duw. Dyma'r Urdd sefydlodd fynachlog Hendy Gwyn ar Daf, Ystrad Fflur, Ystrad Marchell, Cwm Hir lle mae corff Llywelyn ein Llyw Olaf, Cymer ger

Dolgellau, Glyn y Groes yng nghysgod Castell Dinas Brân ac wrth gwrs Abaty Aberconwy, man claddu Tywysogion Gwynedd.

Un arall a ddaeth â goleuni i dywyllwch bywydau pobl oedd Elizabeth Fry. Symudodd i Lundain yn 1770 yn ferch ugain oed. Roedd hi'n addoli gyda'r Crynwyr, pobl oedd yn addoli'n syml iawn ac yn credu'n gryf bod pob unigolyn yn bwysig ger bron Duw.

Cafodd ganiatâd i ymweld â charchar Newgate a chafodd ei synnu gan yr amgylchiadau yno:

- gwragedd mewn dillad carpiog yn gorfod cysgu ar lawr
- merched yn ymladd â'i gilydd er mwyn gallu gweld golau dydd
- drewdod ofnadwy yn y carchar.

Penderfynodd Elizabeth Fry brynu dillad glân cynnes i'r carcharorion a chychwyn ysgol i blant y gwragedd oedd yn y carchar. Mynnodd fod digon o ddŵr glân ar gael yn y carchar a digon o wellt i roi ar y lloriau. Mynnodd hefyd newid yr amgylchiadau truenus mewn carchardai ar draws y wlad.

Iddi hi mae'r diolch bod carchardai wedi gwella ac agwedd pobl wedi newid a'u bod bellach yn barod i helpu'r rhai sy mewn carchar. Daeth Elizabeth Fry â goleuni i'r carchardai.

O Ddydd i Ddydd (Mwy o Glap a Chân Rhif 71)

Ein Tad, diolchwn i Ti am y dynion a'r gwragedd hynny a dreuliodd eu bywydau yn dod â goleuni i fywydau pobl. Diolch am eu dewrder, eu hamynedd a'u dyfalbarhad yn ymladd er mwyn dod â chysur i'r truenus yn ein cymdeithas.

Helpa ni fod yn ganhwyllau bach dros Iesu Grist, canhwyllau fydd yn dod â golau i fywydau y rhai o'n cwmpas. Yn enw iesu, Amen.

Gwaith Trawsgwricwlaidd
- Chwiliwch am fwy o wybodaeth am Sant Bernard o Clairvaux ac Elizabeth Fry.
- Ydyn ni'n trin carcharorion yn rhy garedig erbyn heddiw? Trafodwch.
- Ydy hi'n deg bod pobl sy'n gofyn am loches yn cael eu cadw mewn carchar?
- Sut mae gwneud cannwyll? Ewch ati i wneud canhwyllau gyda help eich teulu neu eich athrawon.

THEMA - DONIAU

Mae gan bob un ddawn a gallu mewn rhyw faes neu gilydd. Yr hyn y dylen ni ei wneud yw datblygu'r ddawn honno. Yn rhy aml ry'n ni'n dweud 'Fe wnaiff y tro,' er ein bod ni'n gwybod y gallwn wneud yn llawer gwell.

CODI TŶ (MWY O GLAP A CHÂN RHIF 91)

GENESIS 30 : 40 – 43

HANES YR ARBENIGWR

Roedd rhyw dri deg o ddynion yn gweithio mewn ffatri gwneud ffenestri, pob un â'i waith arbennig ei hun. Roedd yno hefyd ddynion cynnal a chadw yn y ffatri a'u gwaith nhw oedd gofalu bod yr offer a'r peiriannau i gyd yn gweithio'n iawn. Pe bai nam ar unrhyw beiriant neu offer, byddai llai o ffenestri yn cael eu cynhyrchu gan y ffatri.

Un diwrnod fe stopiodd y peiriant a oedd yn creu pŵer i'r ffatri. Cafodd y tîm cynnal a chadw eu galw a buon nhw wrthi'n ddyfal drwy'r dydd yn tynnu'r peiriant yn ddarnau. Aethon nhw ati i astudio a glanhau pob darn gan obeithio medru dod o hyd i beth oedd yn achosi'r drafferth. Wedi bod wrthi'n ddyfal, gwrthododd y peiriant ag ail ddechrau. Doedd dim amdani, meddai'r rheolwr, ond galw am beiriannydd o'r cwmni oedd wedi gwneud y peiriant.

Felly y bu. Fe ddaeth y peiriannydd i'r ffatri y bore wedyn. Buodd yn edrych yn fanwl ar y peiriant ac ymhen hir a hwyr, tynnodd ei forthwyl o'i focs a rhoi un trawiad i beipen ar ochr y peiriant. Gyda hynny dyma'r peiriant yn cychwyn ac ymhen dim roedd pŵer ar gael ac roedd yn bosibl cynhyrch ffenestri unwaith eto.

"Dyna ni," meddai'r peiriannydd, "fe fydd pob dim yn iawn nawr. Chewch chi ddim rhagor o drafferth gyda'r peiriant yma, rwy'n siŵr o hynny."

Diolchon nhw iddo fe ac aeth y gweithwyr ymlaen â'u gwaith.

Ymhen tridiau daeth y bil am waith y peiriannydd. Tri chant o bunnoedd!! Y cyfan wnaeth y peirannydd oedd taro rhyw beipen gyda'i forthwyl! Fe allai'r rheolwr fod wedi gwneud hynny ei hunan heb unrhyw gost o gwbl. Yn wir roedd yn credu bod y peth yn gwbl afresymol. Aeth y rheolwr ati'n syth i ysgrifennu llythyr go gas at y peiriannydd gan gwyno am y bil.

Ymhen rhai dyddiau cafodd y rheolwr ateb i'w llythyr. Dwy frawddeg yn unig oedd ynddo.

| Am daro'r beipen gyda morthwyl | £5 |
| Am wybod ble i daro | £295 |

Fuodd dim sôn am y bil ar ôl hynny.

RHYWUN SY'N FWY (MWY O GLAP A CHÂN RHIF 76)

Ein Tad, helpa ni ddeall mai deuparth ffordd yw ei gwybod. Os ydyn ni'n gwybod y ffordd gallwn ei defnyddio. Ond rhaid i ni yn gynta nabod ein hunan. Yna, rhaid penderfynu dilyn y ffordd a'i cherdded hi'n gyson. Helpa ni, o Dduw i wneud hyn yn y byd yma.

Helpa ni hefyd i ddeall mai Ti, Iesu ywr ffordd, y goleuni a'r bywyd ac nid dim ond yn y byd hwn. Mae dy Fab yn ein harwain i'r byd nesaf. Rhown ein llaw yn llaw Iesu ac yna rydyn ni'n gwybod ein bod yn saff. Bydd gyda ni, O Dduw mawr, wrth i ni bendefynu dy ddilyn di ym mhob peth a wnawn. Amen.

GWAITH TRAWSGWRICWLAIDD

- Beth hoffech chi wneud wedi gadael yr ysgol? Wrth i chi sôn am hyn, dywedwch pwy neu beth helpodd chi ddod i'r penderfyniad hwn.
- Dywedwch wrth weddill y dosbarth beth yw eich diddordeb neu hobi. Yna siaradwch amdano.
- Pa ddawn y byddech yn dymuno ei chael?
- 'Ymdrech a lwydda', medd y ddihareb. Ysgrifennwch stori yn darlunio hyn.

113

THEMA

Caiff dydd Gŵyl Sain Ffolant ei ddathlu ar Chwefror 14eg. Mae llawer o storiau ar gael am yr hyn a wnaeth Sain Ffolant, dyma un o'r storiau hynny.

 GYDA IESU GRIST (CLAP A CHÂN RHIF 66)

 MARC 10 : 46 – 52

DATHLU GŴYL SAIN FFOLANT

Does dim sicrwydd pryd y dechreuodd pobol ddathlu Gŵyl Sain Ffolant. Mae rhai'n dweud i'r arferiad ddechrau tua'r flwyddyn 270 pan gafodd Sain Ffolant ei ddedfrydu i farwolaeth gan yr Ymerawdwr Clawdiws am wrthod troi ei gefn ar Gristnogaeth a hefyd am briodi parau ifanc. Rhoddodd Clawdiws orchymyn yn gwahardd bechgyn a merched rhag priodi gan ei fod am ddenu cymaint o fechgyn ifanc ag y gallai i'w fyddin. Felly byddai Sain Ffolant yn eu priodi nhw'n dawel iawn. Ond cafodd ei ddal.

Cafodd Asternis alwad un diwrnod i fynd i weld Clawdiws yr ymerawdwr. Barnwr oedd Asteris ac felly yn ddyn pwysig yn y ddinas. Roedd e a'i deulu yn byw mewn tŷ crand ar gyrion y ddinas. Roedd ganddo un ferch fach oedd yn hollol ddall ers ei geni.

Yr unig beth roedd hi'n wneud bob dydd oedd eistedd yn yr haul wrth y pileri marmor tu allan i ddrws y tŷ. Gallai glywed sŵn traed y bobl yn mynd heibio a byddai'n gwrando am sŵn traed ei thad yn dod adre o'r llys bob dydd.

"Asternis," meddai Clawdiws, "Dw i am i ti fynd â'r carcharor yma i'th dŷ a'i gloi yno. Mae e'n Gristion ac yn mynnu siarad am Iesu Grist. Yn waeth na hynny, mae e wedi bod yn priodi rhai o'r bechgyn ifanc ac yntau'n gwybod mod i wedi deddfu yn erbyn hyn." Ymgrymodd Asternis o flaen yr ymerawdwr a gadawodd gyda'r carcharor. Sain Ffolant oedd hwnnw.

Fel arfer roedd y ferch fach yn disgwyl am sŵn traed ei thad. Clywodd hi nhw, ond yn syth bron sylweddolodd fod sŵn traed rhywun arall gydag e. Daethon nhw at y drws a chyn iddyn nhw fynd i mewn meddai Sant Ffolant,

"Bendithia bawb yn y tŷ hwn a helpa nhw i adnabod Iesu Grist. Fe yw goleuni'r holl fyd." Doedd y ferch fach erioed wedi clywed am Iesu a doedd hi ddim yn deall pwy oedd yr Iesu Grist ma. Yna clywodd ei thad yn gofyn,

"Pam wyt ti'n dweud bod Iesu Grist yn oleuni'r byd?"

"Am mai Iesu Grist sy'n dod â goleuni a hapusrwydd i bawb," atebodd Sant Ffolant. "Os yw hyn yn wir," meddai Asternis, "mi rodda i brawf i ti. Os galli di adfer golwg fy merch fach i, mi greda i mai Iesu Grist yw goleuni'r byd ac fe ddilyna i e weddill fy mywyd." Galwodd Asternis ar y ferch fach. Daeth hithau ymlaen yn araf a gofalus at ei thad. Yna clywodd hi lais y dieithryn yn dweud,

"Arglwydd Iesu Grist, goleuni mawr y byd, rho oleuni i'th blentyn yma nawr."

Gyda hynny agorodd y ferch ei llygaid ac am y tro cynta gwelodd belydrau llachar yr haul. Gwelodd ei chartre a'i theulu a Sant Ffolant. Fe ddaeth y ddau yn ffrindiau mawr a buodd yn gwrando ar Sant Ffolant yn adrodd hanes yr Iesu bob dydd. Daeth Asternis a'i deulu yn Gristnogion a buon nhw'n lledaenu'r neges i'w holl ffrindiau.

Mae stori hefyd i Sain Ffolant adael nodyn yn y carchar i'r ferch cyn iddo gael ei ladd yn dweud, 'Cariad mawr, oddi wrth dy Ffolant'. A dyna o bosib sut daeth Ffolant yn Sant y Cariadon. Ar Chwefror 14eg, 270, cafodd ei ladd yn greulon, trwy gael ei guro gan bastwn. Yna torrwyd ei ben i ffwrdd.

Pwy sy'n Caru (Mwy o Glap a Chân Rhif 85)

Diolchwn i Ti, ein Tad, am y gallu i weld yr holl brydferthwch o'n cwmpas. Helpa ni werthfawrogi'r harddwch ac i fwynhau cerdded a chwarae a dod i wybod mwy am dy fyd rhyfeddol di.

Wrth greu'r byd, fe ddywedaist Ti, 'Bydded goleuni. A bu goleuni.' Mae ein llygaid yn gweld y goleuni ac yn y goleuni, popeth a greaist ti. Gwna ni'n ddiolchgar bod gynnon ni lygaid i weld. Bydd gyda'r deillion. Rho olau o'u mewn sy'n goleuo eu tywyllwch ac sy'n gysur iddyn nhw. Yn enw Iesu Grist a roddodd eu golwg i gymaint, Amen.

Gwaith Trawsgwricwlaidd

- Tynnwch lun unrhyw olygfa yn y stori.
- Gwnewch garden Sain Ffolant.
- Dderbynioch chi garden Santes Dwynwen? Chwiliwch am ei hanes hi a pham mai hi yw Santes Cariadon Cymru.
- Mae hen goel gwlad yn honni bod yr adar yn dechrau paru ar y dyddiad yma. Fedrwch chi ddod o hyd i ragor o goelion gwlad?

THEMA

Mae maddau i rywun sydd wedi gwneud drwg i ni yn anodd iawn. Ond mae Iesu yn ein dygsu bod yn rhaid maddau a chymodi.

 GWRANDEWCH AR IESU (CLAP A CHÂN RHIF 70)

 LUC 6 : 27 – 30

IFAN DE BERG

Plentyndod diflas iawn gafodd Ifan de Berg. Collodd ei rieni pan oedd yn saith oed. Ei chwaer fawr edrychodd ar ei ôl ond roedd ganddi hi ei theulu ei hunan. Roedd yn dlawd ac roedd bwyd bob amser yn brin yn ei chartre.

Un gaea, heb fwyd yn y tŷ a'r plant yn crio trwy'r amser am nad oedd bwyd iddyn nhw, dwgodd Ifan de Berg dorth o fara. Yn anffodus iddo cafodd ei ddal. Yr adeg honno doedd ond un ddedfryd, sef carchar. Cafodd ei drin yn greulon iawn yn y carchar a cheisiodd ddianc oddi yno droeon. Ond cafodd ei ddal bob tro, ac fel cosb fe fydden nhw'n ychwanegu at ei amser yn y carchar. Yn y diwedd, fe dreuliodd Ifan de Berg bron i ugain mlynedd yn y carchar am ddwyn un dorth i deulu oedd mewn angen.

O'r diwedd daeth allan o'r carchar, ond doedd ganddo ddim cartre a doedd ganddo neb y gallai droi ato. Doedd dim croeso iddo mewn tafarn na gwesty gan fod pawb yn gwybod, o edrych arno, mai carcharor wedi ei ryddhau oedd Ifan. Roedd pob drws yn cael ei gau yn ei wyneb. Fe gerddodd am oriau, heb wybod i ble. O'r diwedd daeth i dre ac aeth i chwilio am yr eglwys. Sylwodd fod tŷ mawr wrth ochr yr eglwys a meddyliodd y byddai offeiriad yn siŵr o gynnig llety iddo. Esgob caredig oedd yn byw yn y tŷ. Curodd Ifan wrth y drws a'r Esgob a atebodd. Esboniodd Ifan pwy oedd e ac o ble roedd wedi dod. Esboniodd hefyd ei fod wedi chwilio ymhob man am lety ond bod pawb wedi cau'r drws arno. Gwahoddodd yr Esgob e i mewn i'r tŷ ac eisteddodd o flaen tanllwyth o dân braf. Doedd e erioed wedi bod mor gynnes. Cafodd fwyd blasus gan yr Esgob a buodd y ddau'n sgwrsio am oriau. Dangosodd yr Esgob ystafell wely i Ifan a dweud bod croeso iddo aros tan iddo gael amser i chwilio am le addas.

Aeth Ifan de Berg i'r gwely, y tro cynta iddo gysgu mewn gwely ers dros ugain mlynedd. Allai e ddim cysgu. Roedd ei feddyliau yn dal i fynd nôl at y ffordd fileinig y cafodd ei drin dros yr ugain mlynedd diwetha. Roedd e'n ddig ac yn berwi tu mewn iddo. Roedd am dalu'r pwyth yn ôl i rywun. Cododd o'r gwely'n dawel. Casglodd y tlysau arian oedd o gwmpas y tŷ a'u rhoi mewn basged. Aeth allan ar draws yr ardd i'r tywyllwch.

Rai oriau'n ddiweddarach daeth tri phlismon ag Ifan de Berg yn ôl i dŷ'r Esgob.

"O, rwyt yn ôl eto!" meddai'r Esgob wrth Ifan. "Rwy'n falch dy weld di achos fe anghofiaist ti fynd â'r ddwy ganhwyllbren arian. Dyma ti. Cer â nhw nawr!"

"Chi roddodd y tlysau arian yma iddo fe?" holodd un o'r plismyn. "A ninnau'n meddwl ei fod wedi dwyn y cyfan."

"Gadewch iddo fynd," meddai'r Esgob. "Mae'r arian yn rhodd oddi wrtho i." Sibrydodd Ifan wrtho, "ydy hyn yn wir, fy mod i'n rhydd i fynd?"

"Ydy" meddai'r Esgob, "ond trwy ddrws y ffrynt y tro hwn. Mae hwnnw ar agor ddydd a nos. A chofia dy fod ti wedi addo defnyddio'r arian a bod yn ddyn gonest."

Doedd Ifan ddim yn cofio addo'r fath beth.

"Cofia," meddai'r Esgob wrtho, "dwyt ti ddim yn perthyn i ddrygioni bellach ond i ddaioni. Rydw i wedi prynu dy enaid di a'i roi i Dduw."

O'r diwrnod hwnnw fe gofiodd Ifan de Berg am faddeuant yr Esgob a daeth yn ddyn gwahanol. Cadwodd y canhwyllau arian hyd ddiwedd ei oes.

TYRD IESU GRIST (MWY O GLAP A CHÂN RHIF 69)

Ein Tad, maddau i ni. Rydyn ni'n rhy aml yn gwneud pethau rydyn ni'n difaru i ni eu gwneud. Dweud pethau na ddylen ni ddweud. A meddwl meddyliau na ddylen ni.

Helpa ni garu daioni bob amser a chasáu drygioni. Hefyd, helpa ni fel nad ydyn ni'n dod â gofid i'n teulu a'r rhai sy'n ein caru. Helpa ni i faddau, nid yn unig i'n ffrindiau ond hefyd i'r rhai sydd ddim yn garedig i ni. Er mwyn Iesu Grist oedd hyd yn oed yn barod i faddau i'w elynion. Amen

GWAITH TRAWSGWRICWLAIDD
- Beth yw eich barn chi am Ifan de Berg?
- Tynnwch lun unrhyw sefyllfa yn y stori ?
- Allech chi wneud fel y gwnaeth yr Esgob?
- Ysgrifennwch stori eich hunan sy'n dangos maddeuant.

THEMA

Dydd cynta'r Garawys yw dydd Mercher Lludw. Mae hwn yn gyfnod pwysig yng nghalendr yr eglwys. Dyma'r cyfnod sy'n arwain at y Pasg. Ddydd Mawrth cyn cychwyn y Garawys yw dydd Mawrth Ynyd, diwrnod o wledda a hwyl fel y cawn weld.

 MOLI BRENIN NEF (MWY O GLAP A CHÂN RHIF 72)

 DIARHEBION 17 : 1

DYDD MAWRTH YNYD

Mae dydd Mawrth Ynyd yn baratoad ar gyfer y dydd Mercher Lludw sy'n dilyn, sef diwrnod cynta'r Garawys. Mae'n hen draddodiad fod y dydd yma yn ddydd gwneud crempog neu gwneud pancws. Yn Saesneg dyma Shrove Tuesday. Yr arfer ar y diwrnod hwn, ganrifoedd yn ôl, oedd mynd i'r eglwys i gyffesu pechodau. Wedi cyffesu, byddai'n rhaid derbyn cosb. Ond trodd y gosb dros y blynyddoedd yn gyfle i gael llawer o hwyl a bwyta.

Yr arferiad yma yng Nghymru oedd defnyddio'r wyau, y braster, ffrwythau sych ac unrhyw beth melys arall oedd ar gael a chymysgu'r cwbwl i wneud crempog. Byddai pawb yn bwyta cymaint ag y gallen nhw er mwyn cael gwared ar y bwydydd moethus yn y pantri.

Mewn rhai ardaloedd byddai rasys crempog, a rhai yn dyddio'n ôl mor bell â 1445. Mae'n debyg i'r traddodiad o gynnal rasys gychwyn un dydd Mawrth Ynyd pan oedd rhyw wraig wrthi'n gwneud crempog. Clywodd hi gloch yr eglwys yn galw pawb i wneud eu cyffes a heb feddwl ac yn dal yn gwisgo ei ffedog, cydiodd yn y badell ffrio, a'r grempog ynddi, a rhedodd i'r eglwys. Felly yn ddiarwybod iddi, dechreuodd ar draddodiad sydd yn sicr dros bum can mlwydd oed.

Mae rheolau pendant i'r ras. Dim ond gwragedd sy'n gwisgo ffrog a ffedog, het neu sgarff sy'n cael cystadlu. Rhaid bod crempog boeth yn coginio yn y badell ffrio. Yn ystod y ras 375 metr, rhaid taflu'r grempog i'r awyr deirgwaith a'i dal yn y badell yn ystod y ras. Y wraig gynta i gwblhau'r cwrs, gweini'r crempog, canu cloch yr eglwys a chael cusan gan y clochydd yw'r enillydd. Ei gwobr yw Llyfr Gweddi gan ficer y plwyf.

Mae traddodiad diddorol hefyd ar ddydd Mawrth Ynyd yn Ysgol Westminster. Bydd ceidwad yr abaty yn arwain y bechgyn allan i fuarth yr ysgol. Bydd cogyddes yr ysgol, (rhaid ei bod yn athletwraig bur dda), yn coginio anferth o grempog a bydd yn ei thaflu o'r badell dros drawst bum metr o uchder ac wrth i'r grempog ddisgyn bydd y bechgyn i gyd yn ymladd i gael darnau ohoni. Bydd y bachgen sy'n llwyddo i gael y darn mwya yn cael gwobr gan Ddeon yr abaty.

Mae ambell goel gwlad hefyd. Os gallwch ddal darn o arian yn eich llaw chwith a thaflu crempog a'i dal, fe ddewch yn gyfoethog. Daw anlwc wrth adael i grempog gwympo i'r llawr. Dywed chwedl i Napoleon, oedd yn hoffi gwneud crempog gyda Josephine, adael i grempog gwympo i'r llawr ac o ganlyniad fe gollodd y rhyfel yn erbyn Rwsia.

DIGON I BAWB (MWY O GLAP A CHÂN RHIF 5)

> Diolch i Ti am ein bwyd bob dydd. Diolch am roi i ni ddigon o fwyd maethlon. Wrth i ni fwynhau crempog ar ddydd Mawrth Ynyd, helpa ni gofio bod miloedd yn marw yn ystod yr amser mae'n ei chymryd i goginio un grempog. Helpa ni i rannu'n decach fel bod newyn yn diflannu o'n byd. Er mwyn Iesu Grist, Amen.

GWAITH TRAWSGWRICWLAIDD

- Ewch ati i wneud crempog.
- Beth am drefnu ras grempogau yn yr ysgol?
- Holwch hen bobl yr ardal am eu harferion ar ddydd Mawrth Ynyd.
- Ysgrifennwch rysáit gwneud crempog.

THEMA

Dydd Mercher Lludw yw dydd cynta cyfnod y Garawys, sef deugain niwrnod cyn dydd Gwener y Groglith.

DEWCH I FOLI DUW (MWY O GLAP A CHÂN RHIF 78)

MATHEW 4 : 1 – 11

DYDD MERCHER LLUDW

Erbyn dechrau'r ddegfed ganrif, roedd mwyafrif pobl Ewrop yn Gristnogion a dydd Mercher Lludw, diwrnod cynta'r Garawys, yn ddiwrnod pwysig. Byddai'r offeiriad yn defnyddio lludw i roi arwydd y groes ar dalcen pob Cristion, yn arwydd bod Cristion yn barod i gyd ddioddef gyda'r Iesu.

Bydd eglwyswyr pybyr heddiw'n cadw'r Garawys ac yn ymprydio. Mae hyn yn golygu rhoi heibio bwyd moethus a myfyrio. Dyna oedd Iesu'n ei wneud, ymprydio a gweddïo yn yr anialwch. Mae'r Garawys yn gyfnod lle byddwn ni'n meddwl o ddifri am yr hyn a ddigwyddodd i'r Iesu.

IOAN FEDYDDIWR, CEFNDER YR IESU

Roedd gan Iesu gefnder o'r enw Ioan oedd ychydig yn hŷn nag e. Roedd yn bregethwr grymus. Aeth Ioan i fyw yn yr anialwch i fyfyrio a gweddïo. Yno roedd bywyd yn syml. Locustiaid a mêl gwyllt oedd ei fwyd ac roedd yn gwisgo dillad o flew camel â belt ledr am ei ganol. Byddai pobl Jerwsalem a gwlad Jwdea yn mynd allan i'r anialwch i wrando arno'n pregethu ac Ioan wedyn yn eu bedyddio yn afon yr Iorddonen ar ôl iddyn nhw gyffesu eu pechodau. Golchi a derbyn bedydd yw'r symbol bod person yn dymuno dechrau â llechen lân – er mwyn paratoi ar gyfer teyrnas nefoedd.

Wrth bregethu byddai'n dweud wrth y tyrfaoedd am Iesu. "Mae un cryfach na fi'n dod ar f'ôl i. Dw i ddim yn deilwng i ddatod carrai ei sandalau. Dw i wedi eich bedyddio â dŵr ond â'r Ysbryd Glân y bydd e'n eich bedyddio."

Un dydd, wrth afon yr Iorddonen, gwelodd Ioan ei gefnder, Iesu ac fe waeddodd, "Edrychwch, dacw Oen Duw!" Fe gerddodd Iesu i mewn i ddŵr yr afon, ond i ddechrau gwrthododd Ioan ei fedyddio gan nad oedd e'n teimlo'n deilwng. Yna dywedodd Iesu wrtho mai dyna oedd ewyllys Duw. Felly, bedyddiodd Ioan yr Iesu. Y funud honno, daeth llais o'r nef yn dweud, "Hwn yw fy Mab, yr Anwylyd. Rwy'n gwbl fodlon ynddo fe."

Yna, aeth Iesu i'r anialwch am ddeugain niwrnod a deugain nos i baratoi ei hun ar gyfer gwaith Duw ei Dad. Yno, cafodd ei demtio deirgwaith gan Satan. Yn nhymor y Garawys rydyn ni'n cofio am yr amser treuliodd Iesu yn yr anialwch. Hefyd, yn ystod cyfnod y Garawys bydd pobl yn myfyrio dros beth ddigwyddodd i'r Iesu yn ystod y Pasg.

DWY FIL O FLYNYDDOEDD
(MWY O GLAP A CHÂN RHIF 75)

Ein Tad, helpa ni fyfyrio, i feddwl amdanat Ti. Mae bywyd Iesu mor bwysig a rhaid i ni wybod a deall pam mynnodd gael ei fedyddio gan Ioan, pam aeth wedyn i'r anialwch. Yna yn sicr, rhaid i ni feddwl am Iesu yn cael swper gyda'i ddisgyblion a rhannu'r bara a'r gwin. Ac wedi i'r dorf ei groesawu yn Jerwsalem, mynd ar y groes droston ni.

Bydd gyda ni wrth i ni feddwl. Siarada â ni, bendithia bob un ohonon ni a dangos dy wyneb i ni. Amen.

GWAITH TRAWSGWRICWLAIDD
- Darllenwch am Iesu yn cael ei demtio yn yr anialwch yn Luc 4.
- Gofynnwch i ficer y plwy ddod i siarad am ddydd Mercher Lludw.
- Ysgrifennwch weddi fach yn gofyn am help Duw.
- Petaech chi'n penderfynu ymprydio, beth fyddech chi'n fodlon byw hebddo yn ystod y Garawys?

THEMA

Buodd Joseph Parry, y cerddor enwog, farw ar Chwefror 17eg, 1903.

 MOLI BRENIN NEF (MWY O GLAP A CHÂN RHIF 72)

 SALM 150

HANES BYWYD JOSPEH PARRY

Cafodd Joseph Parry ei eni yn 4, Chapel Road, Merthyr ym 1841. Byddai'n cyfeirio ato'i hunan fel "Bachgen bach o Ferthyr." Roedd yn un o wyth o blant, er buodd tri ohonyn nhw farw pan oedden nhw'n ifanc iawn. Yn naw oed dechreuodd weithio ym mhwll glo Robblin cyn gweithio gyda'i dad yng ngwaith haearn enwog Cyfarthfa.

Pan oedd Joseph Parry'n 13 oed symudodd y teulu i Danville, Pennsylvania. Gweithiodd mewn gwaith haearn yno hefyd ac yno dechreuodd astudio cerddoriaeth a chyfansoddi. Gwnaeth enw iddo'i hun wrth ennill gwobrau am gyfansoddi mewn Eisteddfodau. Yn 1862 priododd â Chymraes a oedd yn byw yn Danville a chael pump o blant. Yn 1865 enillodd am waith cyfansoddi cerddoriaeth yn Eisteddfod Merthyr ac o ganlyniad, cafodd ei wneud yn aelod o'r Orsedd. Roedd pobl Pensylvania mor falch ohono fel y casglon nhw ddigon o arian iddo allu mynd i Lundain i astudio yn yr Academi Frenhinol, rhwng 1868 a 1871. Wedyn, dychwelodd i Danville a sefydlu ysgol gerdd yno.

Yna, yn 1874 symudodd i Brifysgol Aberystwyth ac fe oedd Athro Cerdd cynta'r coleg. Neuadd Joseph Parry yw enw'r adeilad lle'r oedd yr adran gerdd. Digon stormus fu ei berthynas ag awdurdodau'r coleg ac yn 1880 ymddiswyddodd am iddo fynnu cynnwys merched yng nghôr y coleg. Symudodd i fyw i Abertawe a thrwy haelioni cyfraniadau cymdeithasau Cymry America, symudodd wedyn i fyw i Benarth ac yno y buodd tan ei farw yn 1903.

Yn ystod ei oes cyfansoddodd Joseph Parry operâu, oratorios, darnau piano, anthemau ac emynau. Ei waith enwoca, ar gyfer côr meibion, yw 'Myfanwy' sef Myfanwy Llywelyn, ei gariad cynta. Daeth Myfanwy Llywelyn yn gantores opera enwog yn yr Unol Daleithiau dan yr enw Lena van Allen. Pan gwrddon nhw ar ôl bron i 30 mlynedd roedd Myfanwy Llywelyn yn wael ei hiechyd a chymerodd hi ddim sylw o Joseph Parry. Dyma efallai wnaeth iddo ysgrifennu'r gân 'Myfanwy'.

Ei opera enwoca yw 'Blodwen' sydd wedi cael ei pherfformio dros 500 o weithiau mewn neuaddau ar hyd a lled Cymru. Mae ei emyn dôn 'Aberystwyth', a ysgrifennodd pan oedd yn byw yno, yn glasur ac yn boblogaidd iawn gan gorau. Heb os felly, Joseph Parry yw cyfansoddwr enwoca Cymru.

IESU RHOWN GLOD I TI
(MWY O GLAP A CHÂN RHIF 87)

Ein Tad, diolchwn i Ti am fywyd a gwaith Joseph Parry. Roedd Cymry wrth eu bodd yn gwrando ar ei operâu, ei anthemau ac yn sicr wrth eu bodd yn canu ei emyn donau. Diolch am y cyfoeth o gerddoriaeth mae wedi ei adael i ni.

Helpa ni fwynhau popeth Cymraeg a Chymreig. Ti sydd wedi rhoi i ni ein doniau a'n talentau fel unigolion ac fel cenedl. Rwyt Ti'n falch ohonon ni. Bendithia ni a gwna ni'n bobl sy'n falch o fod yn Gymry ac yn falch o dalentau ein cenedl. Dyma ei braint ni fel plant i Ti. Gofynnwn hyn yn enw Iesu Grist, Amen.

GWAITH TRAWSGWRICWLAIDD

- Chwiliwch am esiamplau o waith Joseph Parry.
- Gwrandewch ar dâp o'r gân 'Myfanwy'.
- Gwnewch restr o gerddorion eraill o Gymru sy'n enwog.
- Ymfudodd llawer iawn o Gymru i Unol Daleithiau America ddiwedd y 19eg ganrif. Ewch ati i chwilio am eu hanes.

Mis Chwefror – Rhif 9
Y Ffrancod yn Abergwaun –
Jemima Nicholas

Thema – Dewrder yn Wynebu'r Annisgwyl

Wyddech chi bod Ffrancod wedi glanio ger Abergwaun yn ystod Rhyfel Napoleon. Bod cytundeb heddwch wedi ei arwyddo yn Abergwaun yn 1797! Bod gwraig o'r enw Jemima Nicholas wedi dychryn y Ffrancwyr pan lanion nhw yno ar Chwefror 22ain, 1797.

Dewch, Ymunwn (Mwy o Glap a Chân Rhif 2)

Ecclesiasticus 33 : 19, 20, 22, 23.

Hanes y Ffrancod yn Glanio

Crwydro bryniau'r Garn Fawr roedd Thomas Williams pan welodd dair llong ryfel yn hwylio tuag at harbwr Carreg Wastad ger Pencaer.

Roedd baneri'r Union Jack ar y tair ond wrth iddyn nhw nesáu cafodd y baneri eu newid am rai Ffrainc. Doedd ond ychydig o filwyr Cawdor yn Abergwaun gan fod gweddill y gatrawd yn ymarfer yng ngwaelod Sir Benfro. Wedi clywed am y llongau fe ddychwelon nhw adre ar frys.

Wedi iddi nosi daeth y Ffrancwyr i'r lan. Cyn hir roedd y Ffrancwyr fel morgrug o gwmpas Abergwaun yn lladd, dwyn, bwyta ac yfed. Fel roedd hi'n digwydd, roedd casgenni diri o bort wedi eu golchi i'r lan wythnosau cynt mewn llongddrylliad, ac roedd y milwyr wrth eu bodd yn ei yfed. Wedi ymosod ar fferm Trehywel, gwnaeth y Ffrancwyr eu pencadlys yno.

Mae llawer o straeon am y Ffrancwyr. Ar fferm Brestgarn saethodd un o'r milwyr ergyd i mewn i'r hen gloc tad-cu, gan feddwl bod rhywun yn cuddio ynddo. Mae ôl y fwled ynddo hyd heddiw. Yn ôl y sôn hefyd fe ddefnyddion nhw'r plwm oddi ar do Eglwys Gadeiriol Tyddewi i wneud bwledi.

Doedd ofn neb ar Jemima Nicholas, menyw anferth, oedd yn gweithio fel crydd. Gyda'i phicwarch, carlamodd i mewn i gae ar y Garn Fawr lle roedd tri Ffrancwr. Fe ddychrynodd y rheini gymaint nes ildio'n syth. Llwyddodd i ddal deuddeg o Ffrancwyr a'u harwain i garchar Abergwaun. Cofiwch, roedden nhw i gyd wedi bod yn yfed port yn drwm! Yna casglodd wragedd yr ardal at ei gilydd, pawb yn gwisgo eu hetiau tal du a chlogynnau coch.

Aeth y gwragedd mewn rhengoedd o gwmpas pen y bryn uwchlaw yr Wdig, lle'r oedd milwyr Cawdor wedi dechrau ymosod ar y Ffrancwyr. Gwelodd y Ffrancwyr, res ar ôl rhes ohonyn nhw a chael eu twyllo mai milwyr oedden nhw. Fe ildiodd y Ffracwyr ac fe gafodd cytundeb heddwch ei arwyddo yn nhafarn y Royal Oak, ar sgŵar Abergwaun.

Mae cofeb i Jemima Nicholas ar wal yr eglwys yn Abergwaun yn ein hatgoffa o'i dewrder. Bu hi'n byw yno am 35 mlynedd wedi'r glaniad.

MAE CYMRU YN EI LAW (CLAP A CHÂN RHIF 74)

Ein Tad, helpa ni wynebu anawsterau. Helpa ni i fod yn gall, yn ddewr ac yn barod i rannu ein gofidiau. Dysga ni bod wynebu a dweud y gwir yn cael gwared ar ein hofnau a'n hanhawsterau.

Does dim byd yn rhy anodd i'w wynebu pan wyt Ti gyda ni. Diolch am y Salm, 'Yr Arglwydd yw fy mugail.' Ti'r bugail da sy'n gofalu amdanon ni. 'Dy wialen a'th ffon a'm cysurant.' Rho i ni'r nerth i gredu hyn ac i gredu yn Iesu Grist, Amen.

GWAITH TRAWSGWRICWLAIDD

- Tynnwch lun unrhyw ddigwyddiad yn y stori.
- Actiwch hanes Jemima Nicholas. Cofiwch am y gwisgoedd!
- Chwiliwch am ragor o hanes Glaniad y Ffrancod.

THEMA – DEWRDER YN WYNEBU'R ANNISGWYL

Cafodd Georg Frideric Handel ei eni yn 1685. Dyma un o gerddorion mawr y byd. Caiff ei gofio'n bennaf am ysgrifennu'r Meseia.

BETH AM RODDI CÂN (CLAP A CHÂN RHIF 73)

MATHEW 25 : 14 – 30

STORI

Mab i feddyg parchus o Hallé yn yr Almaen oedd Georg Frideric Handel yn byw mewn tŷ crand, pedwar llawr. Roedd Anna, chwaer ei fam, yn byw gyda nhw. Bwriad ei dad oedd i'w fab fod yn gyfreithiwr neu'n feddyg. Ond roedd gan y bachgen bach syniadau eraill.

Yn ifanc iawn dangosodd ddiddordeb mawr mewn cerddoriaeth, ond doedd bod yn gerddor ddim yn swydd barchus yng ngolwg ei dad. Er gwaetha hyn, prynodd ei fodryb Anna sbinet, math o biano bach, iddo a'i guddio ar lawr ucha'r tŷ. Daeth ei dad gartre yn hwyr o'r gwaith ryw noson a dod o hyd i Handel wedi ymgolli'n llwyr wrthi'n chwarae'r sbinet. Roedd ei dad yn gynddeiriog a rhoddodd orchym iddo gael gwared ar y sbinet.

Pan oedd Georg Frideric tuag wyth oed aeth ei rieni i lys Dug Saxe Weissenfels. Roedd Georg yn gwybod bod gan y Dug gôr arbennig ond gwrthododd Dr Handel fynd â'i fab gydag e. Wrth i'w rieni adael, fe guddiodd George tu ôl i'r goets a'u dilyn. Cafodd Dr Handel dipyn o sioc wrth ddarganfod y mab ond roedd yn rhy hwyr i fynd ag e adre ac felly cafodd fynd gyda'i rieni. Cyn diwedd y noson, perswadiodd Georg yr organydd i adael iddo gael tro ar yr organ. Cafodd pawb eu syfrdanu gan ddawn anhygoel y crwt. Mynnodd y Dug fod ei dad yn rhoi gwersi cerddoriaeth iddo. Bodlonodd y tad. Dyna ddechrau ar gyfnod o astudio a symud rhwng Hamburg, yr Eidal a Llundain.

Erbyn haf 1741, roedd Handel yn gyfansoddwr byd enwog, ond mewn dyled ofnadwy. Eto, cafodd ei ysbrydoli i gyfansoddi ei oratorio fwya gan hanes Iesu Grist, ei eni, ei fywyd, ei groeshoeliad a'i atgyfodiad. Bu'n cyfansoddi ddydd a nos gan anghofio pob dim am ei drafferthion. Wedi gorffen Cytgan yr Haleliwia, dywedodd Handel wrth ei was, "Dw i weld gweld y Nefoedd yn agor o flaen fy llygaid a'r Duw mawr ei hun yn y canol, yn ei holl ogoniant." Ac roedd dagrau'n llifo lawr ei fochau.

Cafodd oratorio Y Meseia ei pherfformio am y tro cynta yn Nulyn ac roedd pawb wedi eu gwefreiddio gan y gerddoriaeth. Yna fe gafodd ei pherfformio o flaen Brenin Sior II. Dan effaith Cytgan yr Haleliwia, cododd y Brenin ar ei draed a gwnaeth y gynulleidfa'r un peth. Byth ers hynny pan gaiff y gytgan ei pherfformio bydd y gynulleidfa'n codi.

Buodd Handel farw ar ddydd Gwener y Groglith, 1759. Ef oedd meistr yr oratorio ac, yn ôl Beethoven, y mwyaf ohonyn nhw i gyd.

Molwch, Molwch (Clap a Chân Rhif 64)

Diolchwn i Ti, O Dad, am ddawn a thalent Handel. Agor ein clustiau i glywed mawredd a gogoniant y gweithiau hyn. Diolch bod Handel wedi cyfansoddi er clod a mawl i Ti a bod hanes dy bobl di yn ysbrydoliaeth iddo.

Helpa ni hefyd i weld y Nefoedd yn agor a gweld dy wyneb. Mae munud yn dy gwmni yn newid gwerth y byd.'Tyrd i lawr Arglwydd mawr, rho dy fendith yma, nawr.' Yn enw Iesu y gofynnwn hyn, Amen.

Gwaith Trawsgwricwlaidd

- Chwiliwch am fwy o hanesion diddorol am fywyd Handel.
- Gwrandewch ar ddarnau o'r Meseia. Tynnwch lun un o'r storiau amdano.
- Cafodd Johann Sebastian Bach ei eni yn yr un flwyddyn ac yn yr un wlad â Handel. Eto, wnaeth y ddau ddim cyfarfod â'i gilydd erioed. Chwiliwch am hanes Johann Sebastian Bach.

MIS MAWRTH – RHIF 1
GŴYL DEWI – DEWI SANT

THEMA – GWNEUD Y PETHAU BYCHAIN

Un o'r diwrnodau pwysica i ni fel Cymry yw dydd ein Nawdd Sant, Dewi. Bydd Cymry dros y byd i gyd yn dathlu Dydd Gŵyl Dewi ar Fawrth y cynta.

DIOLCH AM EIN GWLAD FACH NI
(MWY O GLAP A CHÂN RHIF 92)

ECCLESIASTICUS 44 : 1 – 4, 8, 11 – 15

HANES BYWYD DEWI SANT

Cafodd Dewi Sant ei eni ar ddechrau'r chweched ganrif. Roedd milwyr Rhufain wedi dod â Christnogaeth i Gymru. Paganiaid oedd y Cymry'r adeg honno, y dderwen yn sanctaidd iddyn nhw a'u hoffeiriaid oedd y Derwyddon. Eto, cafodd neges Crist dderbyniad ymysg y Cymry ac roedd Dewi yn un oedd ar dân eisiau mynd â'r neges hon i bob cornel. Dyma oes y Seintiau, oes aur ein gwlad pan ffurfiodd yr iaith Gymraeg a phryd y sefydlwyd y llannau Cristnogol ledled Cymru. Dydyn ni ddim yn siŵr ble cafodd Dewi ei addysg ond enw un o'i athrawon oedd Paulinus, neu yn Gymraeg, Peulin. Yn Hen Fynwy roedd ysgol Peulin ger Aberaeron.

Sefydlodd Dewi gymdeithas o bobl weithgar dros Grist yng Nglyn Rhosyn. Dyma'r lle mae Eglwys Gadeiriol Tyddewi heddiw. Nid lle i ddianc iddo oedd Tyddewi ond canolfan genhadol, y gwaith yn galed, a'r bywyd yn syml. Doedd Dewi ddim yn credu mewn yfed dim ond dŵr a dyna pam y caiff ei alw'n Dewi Ddyfrwr. Fyddai e na'i ddilynwyr ddim yn bwyta cig chwaith a doedd dim eiddo personol ganddyn nhw. Roedd pobl o bob gradd yn ceisio ymuno â Thyddewi. I gael eu derbyn roedd rhaid cael profion a dangos eu bod yn fodlon diodde ac nad oedden nhw'n falch nac yn styfnig.

Ceisiodd pennaeth bro Tyddewi, dyn o'r enw Boia, anfon Dewi i ffwrdd. Pagan oedd e a'i wraig Sapatra. Ond llwyddodd Dewi ei droi'n Gristion. Teithiodd Dewi ar hyd a lled Cymru yn pregethu. Buodd hefyd ar bererindod i Jerwsalem gyda'i ddau gyfaill Padarn a Teilo. Aeth i Lydaw, Iwerddon a Chernyw i bregethu neges Crist.

Mae hanes am Dewi Sant yn cyflawni gwyrthiau a lle bynnag y byddai'n gwneud gwyrth byddai ffynnon yn tarddu yn y fan a'r lle. Hyn sy'n esbonio pam bod cymaint o ffynhonnau Dewi ar hyd a lled gorllewin Cymru. Mae sôn amdano'n bwyta bwyd gwenwynig heb gael niwed. Ar y ffordd i Landdewibrefi, cyflawnodd wyrth drwy atgyfodi bachgen o farw'n fyw.

Yn Llanddewibrefi roedd cyfarfod arbennig a daeth tua phum mil o bobl yno i glywed Dewi'n annerch. Dyna ddangos pa mor boblogaidd oedd e. Pan ddechreuodd siarad doedd neb yn gallu ei weld. Felly gosododd hances wen ar y llawr ac fe safodd arni. Cododd y tir o dan ei draed fel y gallai pawb ei weld a'i glywed.

Buodd Dewi Sant farw ar ddydd Mawrth, y dydd cynta o fis Mawrth yn y flwyddyn 588. Mae ei eiriau olaf wedi aros hyd heddiw. Dywedodd Dewi,

"Byddwch lawen a chadwch y ffydd a'ch cred,
a gwnewch y pethau bychain a welsoch ac a glywsoch gennyf i."

Mae neges Dewi yn berthnasol i ni heddiw. Cofiwn wneud 'y pethau bychain' fel gweddïo ar Dduw, darllen ein Beibl a charu ein gilydd a'n gwlad fel y gwnaeth Dewi.

GWYBODAETH YCHWANEGOL

Roedd Dewi yn perthyn i deulu tywysogion Ceredigion, ei dad Sandde neu Sant yn fab i Ceredig, tywysog Ceredigion. Ei fam oedd Non ac mae nifer o eglwysi wedi eu henwi ar ei hôl hi. Mae hanes Dewi Sant i'w gael yn Buchedd Dewi, sef gwaith Rhigyfarch yn Llanbadarn Fawr o'r unfed ganrif ar ddeg ac yng ngwaith Gerallt Gymro a deithiodd drwy Gymru yn y ddeuddegfed ganrif.

MOLWN EF AM GYMRU (MWY O GLAP A CHÂN RHIF 90)

Ar ddydd ein Nawddsant Dewi, gofynnwn i Ti, O Dduw, fendithio Cymru a bendithio pobl Cymru. Diolch i Ti am yr iaith Gymraeg, am ddiwylliant a thraddodiadau cyfoethog Cymru. Helpa ni ofalu am ein hiaith drwy ei siarad hi.

Diolch am yr esiampl a roddodd Dewi Sant i ni. Helpa ni wneud 'y pethau bychain' fydd yn dod â ni'n agos, agos at Iesu. Bydd y cyfan yn creu cenedl gref, cenedl y byddi di o Dduw yn falch ohoni. Yn enw Iesu Grist, Amen.

GWAITH TRAWSGWRICWLAIDD

- Mae llawer o hanesion eraill am Dewi Sant. Ysgrifennwch am rai ohonyn nhw.
- Chwiliwch am hanes Padarn, Teilo, ac Illtud neu sant yn eich ardal chi.
- Edrychwch ar fap Cymru a rhestrwch y llannau.
- Ydy neges Dewi yn berthnasol i ni heddiw? Trafodwch.

THEMA – CYNORTHWYO ERAILL

Rydyn ni i gyd wedi clywed am ddewrder dynion y bad achub sy'n mentro allan i'r môr ymhob math o dywydd i achub llongau mewn trafferthion. Sefydliad Brenhinol y Badau Achub sy'n trefnu'r gwaith er Mawrth 4ydd, 1824.

TYRD IESU GRIST (MWY O GLAP A CHÂN RHIF 69)

MARC 4 : 35 – 41

HANES SEFYDLU CYMDEITHAS Y BADAU ACHUB – WILLIAM HILLARY

Y funud y byddai bad achub Douglas yn cael galwad i fynd allan i'r môr mawr, byddai William Hillary yno. Roedd llong mewn trafferth! Allan â'r bad achub ac i mewn i'r tonnau mawr a'r gwynt nerthol. Un tro torrodd William chwe asen wrth gael ei daflu allan o'r bad achub. Ond daliodd ati i helpu achub bywydau'r rhai oedd mewn perygl.

Llongwyr lleol fel William Hillary oedd yn gofalu am fad achub Douglas. Dyna oedd yr arfer ledled yr ynys. Pan fyddai llong mewn trafferth, byddai bad achub yn cychwyn o'r porthladd agosa. Roedd William Hillary yn teimlo bod angen sefydliad swyddogol i ofalu bod badau achub ar gael drwy wledydd Prydain.

Yn 1823, cyflwynodd ei syniadau. Cafodd gefnogaeth rhai aelodau seneddol ac o ganlyniad, ar Fawrth 4ydd, 1824 yn Llundain, cafodd Sefydliad Cenedlaethol dros achub bywydau mewn llong ddrylliad ei greu. Yn ddiweddarach cafodd yr enw ei newid i Sefydliad Brenhinol y Badau Achub.

Pobl fel chi a fi sy'n cynnal y badau achub. Dyw'r Llywodraeth ddim yn rhoi unrhyw gyfraniad at y gwaith. Bydd dydd baneri a raffl a boreau coffi i godi arian ac mae dynion y bad achub yn gweithio am ddim. Dros y blynyddoedd cafodd miloedd o bobl eu hachub ganddyn nhw a lle i fod yn ddiolchgar am eu gwaith gwirfoddol.

HANES BAD ACHUB MOELFRE

O gwmpas arfordir Cymru, rydyn ni'n gweld ein badau achub ni. O bosib yr enwoca ohonyn nhw yw bad achub y Moelfre, Ynys Môn. Enillodd Richard Evans, y cocswain, fedal aur yr RNLI ddwywaith yn ystod ei oes am ddangos dewrder anghyffredin. Roedd ei dad o'i flaen yn Gapten ar y môr ac yn aelod o fad achub Moelfre.

Enillodd Richard Evans y fedal aur gynta pan lywiodd y bad achub mewn gwyntoedd o 104 milltir yr awr a thonnau dros 48 troedfedd o uchder i achub criw'r

Hidlea. Cafodd ei ail fedal aur pan oedd yn 62 oed wedi i long o wlad Groeg y Nafsiporos golli ei holl bŵer mewn gwyntoedd stormus ac roedd yn agosáu at y creigiau ger Caergybi. Llwyddodd Richard Evans i lywio'r bad achub yn ddigon agos at y llong i achub y criw er i'r bad achub ddiodde tipyn o niwed.

Ers sefydlu bad achub yn 1830, mae aelodau o griw cwch achub Moelfre wedi derbyn 37 o fedalau am eu dewrder. Mae'n debyg mai achub y Royal Charter yn 1859 yw'r achos enwoca. Roedd llawer o deithwyr y llong ar eu ffordd adre o Awstralia yn cario ffortiwn mewn aur. Collodd dros 400 eu bywydau yn y llongddryrlliad, llawer, mae'n debyg am fod pwysau'r aur roedden nhw'n ei gario yn eu tynnu o dan y dŵr.

Mae dynion dewr bad achub Moelfre yn dal i achub bywydau pobl mewn trafferthion ar y môr bob blwyddyn, a hynny'n ddi-dâl.

CYMER MY MYWYD I (MWY O GLAP A CHÂN RHIF 59)

Mewn cymaint o fannau ledled y byd, mae dynion a merched mewn perygl. Diolch i ti, o Dduw, bod pobl yn barod i helpu pan mae angen; doctoriaid, nyrsys, athrawon, pobl sy'n pasio heibio ac yn stopio pan maen nhw'n gweld angen.

Diolch i Ti heddiw am y llongwyr sy'n barod i fynd allan i'r môr ar dywydd ofnadwy i achub eraill. Roedd Iesu'n gwybod beth oedd tywydd ofnadwy. Roedd e'n cysgu pan gododd storm fawr. Pan sylweddolodd yr ofn a'r braw fe ddywedodd wrth y môr, "Bydd ddistaw!"

Helpa ni sylweddoli, o Dduw, fod Iesu gyda ni bob amser dim ond i ni alw arno. Yn enw Iesu Grist, gallwn wynebu popeth. Amen.

GWAITH TRAWSGWRICWLAIDD

- Darllenwch a chofnodwch ragor o hanes yr RNLI.
- Chwiliwch am hanes bad achub yn eich ardal chi.
- Tynnwch lun o fad achub allan ar y môr.
- Darllenwch nofel T Llew Jones, *Ofnadwy Nos* sy'n adrodd hanes llongddrylliad y Royal Charter, yna ysgrifennwch stori am longddrylliad.

THEMA – CARIAD TAD AT EI FAB

Sut gallwch chi fesur cariad? Oes gyda ni ddigon o gariad? Roedd Franz Pilik yn barod i farw dros aelod o'i deulu. Dyma'r hanes ymddangosodd yn y papurau Sul yn 1983.

IESU SY'N RHOI EI GARIAD I MI
(MWY O GLAP A CHÂN RHIF 74)

MATHEW 7 : 9 – 11 A LUC 11 : 9 – 13
RHUFEINIAID 8 : 38 – 39

STORI WIR

Gweithio mewn swyddfa yn Vienna roedd Franz Pilik ac roedd e hefyd yn hoff iawn o ddringo. Byddai'n mynd â'i fab Roland un ar ddeg oed gydag e i'r mynyddoedd. Roedd Roland yn gwybod bod ei dad yn ddringwr arbennig iawn ac y byddai yn gofalu amdano.

Un diwrnod sych ac oer, tywydd delfrydol i ddringo, aeth Franz allan gyda'i fab. Roedd Roland wrth ei fodd yn mynd gyda'i dad i ddringo mynyddoedd yr Hohen Wand yng ngogledd orllewin Awstria.

Roedd y ddau ar y mynydd, ryw dri deg troedfedd o ben y clogwyn, Franz uwch ben ei fab a Roland rhyw ugain troedfedd islaw. Wrth gwrs roedd rhaff yn clymu'r ddau wrth ei gilydd. Wrth i Franz daro piton newydd i mewn i'r graig, meddyliodd, "Dyna ddigon am heddiw. Digon i Roland am y tro. Down ni nôl rywbryd eto a dringo'n uwch."

Cymerodd Franz gipolwg i wneud yn siŵr bod ei fab yn iawn. Roedd yn barod i roi'r rhaff yn ddiogel trwy'r piton newydd yn y graig pan lithrodd ei droed dde. Sylweddolodd bod y graig roedd e arni wedi chwalu'n yfflon. Collodd ei gydbwysedd a methodd â chydio yn y rhaff. Pe bai wedi gallu gwneud hynny, byddai wedi bod yn ddiogel. Gafaelodd Franz yn yr unig beth oedd yn agos sef coeden fechan mewn hollt yn y graig. Daliodd yn dynn ynddi er mwyn cael eiliad i feddwl beth gallai ei wneud nesa. Ond ar unwaith, dechreuodd gwreiddiau'r goeden lacio. Doedd hi ddim yn gallu dal pwysau Franz. Roedd e nawr yn rhy bell o wyneb y graig i gael gafael mewn dim gyda'i law arall. Mewn chwinciad byddai'n syrthio. Byddai'r rhaff a oedd yn ei gysylltu e â Roland yn tynhau a byddai Roland yn cael ei dynnu oddi ar wyneb y graig a'r ddau'n plymio ryw bum can troedfedd i'r gwaelod. Mwy na thebyg byddai'r ddau yn marw.

Dim ond un peth oedd yn bwysig i'r tad. Bod Roland yn saff. Heb betruso, ac er mawr ddychryn a syndod i'w fab, gadawodd Franz i'r goeden fynd. Tynnodd allan ei gyllell a thorri'r rhaff oedd amdano a rholiodd i lawr dros wyneb y graig. Wedi ei barlysu gan ofn edrychodd Roland ar ei dad yn plymio i'r gwaelod ac yn gorwedd yn gwbl lonydd.

Yn rhyfeddol chafodd Franz mo'i ladd. Roedd dringwyr eraill yn yr ardal wedi ei weld yn syrthio. Galwon nhw am hofrennydd i achub Roland ac i hedfan Franz ar frys i'r ysbyty. Buodd Franz mewn uned gofal dwys am wythnosau. Roedd wedi torri ei ddwy goes, un fraich, nifer o asennau a chafodd lawer o glwyfau mewnol. Yn wyrthiol fe wellodd Franz Pilik, ond roedd y meddygon yn sicr na fyddai bachgen ifanc fel Roland wedi byw petai wedi syrthio fel ei dad.

GYDA IESU GRIST (CLAP A CHÂN RHIF 66)

> Mae Iesu'n dweud wrthon ni sut mae tad yn caru ei blentyn. Pan fydd plentyn yn gofyn am bysgodyn, dyw'r tad ddim yn rhoi sarff iddo. Dydy e ddim yn rhoi carreg iddo pan fydd yn gofyn am fara. Mae tad yn gwybod bod bara a chig yn holl bwysig i blentyn sy'n tyfu. Rydyn ni'n gwybod bod Duw yn ein caru ni. Mae'n rhoi ac yn rhoi bob dydd. Fe anfonodd ei fab i'r byd fel prawf o'r cariad hwn.
>
> Allwn ni garu ein gilydd gymaint â hynny? Helpa ni i garu ein ffrindiau a'n teulu. Helpa ni hefyd i ddangos consyrn am bawb dros y byd i gyd. Yn enw Iesu y gofynnwn am yr help hwn. Amen.

GWAITH TRAWSGWRICWLAIDD
- Ysgrifennwch adroddiad papur newydd sy'n dangos cariad at gyd-ddyn.
- Ysgrifennwch lythyr at benaethiaid y gwledydd cyfoethog yn dadlau pam y dylid dileu dyled y trydydd byd.
- Rydyn ni'n byw mewn oes hunanol ac yn meddwl am neb ond amdanon ni ein hunan. Trafodwch.
- Darllenwch am hanes rhai o ddringwyr enwog y byd.

THEMA – MAE HEN DDYWEDIAD AR LAFAR GWLAD

Mawrth oerllyd a gwyntog ac Ebrill cawodog,
Ill Dau a wnânt rhyngddynt Fai teg a godidog.

Yn aml iawn fe gawn wyntoedd cryf ym mis Mawrth. Dyma stori am y gwynt ar haul.

I'N BWYDO NI (MWY O GLAP A CHÂN RHIF 21)

ACTAU 27 : 23 – 20 AC YMLAEN – STORM AR Y MÔR

STORI

Flynyddoedd yn ôl roedd y Gwynt a'r Haul wedi cweryla. Yn anffodus roedden nhw byth a hefyd yn dadlau a ffraeo gyda'i gilydd oherwydd bod y Gwynt yn eiddigeddus iawn o'r Haul.

Roedd yr Haul i'w weld yn glir ac yna byddai pawb yn gwenu. Ond pan fyddai'r Gwynt yn rhuo, doedd neb yn gallu ei weld. Dim ond gweld pethau eraill yn symud byddai pawb. Yn waeth na hynny fyddai neb yn gwenu tra byddai'r Gwynt yn chwythu.

Ar ben bryn un bore, daeth y Gwynt a'r Haul wyneb yn wyneb. Dechreuodd y naill a'r llall ganmol eu hunain.

"Yn yr haf, fi sy'n aeddfedu'r ŷd a'r ffrwythau. Fi sy'n llanw'r caeau â blodau hardd." Dyna sut roedd yr Haul yn ymffrostio.

"Dydy hynna'n ddim! Fe alla i dynnu'r goeden fwya i'r llawr. Fi sy'n dod â'r gaeaf, yn symud y moroedd ac yn creu llifogydd difrifol," atebodd y Gwynt gan frolio'i hun. Aeth y ddau i ddadlau. Ond doedd dim un o'r ddau'n barod ildio dim.

"Y fi yw'r cryfa o bell ffordd!" meddai'r Gwynt wrth yr Haul.

"Fe gawn weld am hynny nawr," meddai'r Haul wrth y Gwynt.

Ar y llwybr islaw'r bryn roedd dyn yn cerdded â chot fawr gynnes amdano. Dyma'r ddau yn gweld eu cyfle.

"Nawr te," meddai'r Gwynt, "fe gawn gystadleuaeth i weld p'run yw'r cryfa. Mi dynna i'r got oddi ar y dyn yn gynt na thi," meddai'r Gwynt.

"Iawn," meddai'r Haul, "cer di gynta," ac aeth i guddio tu ôl i gwmwl. Dechreuodd y Gwynt chwythu a chwythu. Gyda'i holl nerth fe chwythodd ac fe ruodd. Y cyfan wnaeth y dyn oedd tynnu ei got yn dynnach amdano a chau pob botwm hyd ei wddf. Daliodd y Gwynt i ruo. Plygodd y coed a sgarthu'r dail i bobman ond lwyddodd e ddim i dynnu cot y dyn oddi amdano.

"Nawr te, fy nhro i," meddai'r Haul. Ymddangosodd yr Haul. Gwenodd i lawr ar y dyn. Gan ei fod yn teimlo ychydig yn gynhesach, datododd fotymau ei got fawr. Gwenodd yr Haul yn gryfach gan anfon mwy o belydrau poeth i'w gyfeiriad. Teimlodd y dyn ei fod yn gynnes iawn ac agorodd ei got yn llydan wrth ddringo'r llwybr. Erbyn hyn roedd yr Haul yn ei anterth a'r dyn nawr yn chwysu. Yna fe dynnodd ei got ac fe gerddodd at goeden gerllaw ac eistedd yno yn y cysgod.

"Wel, pwy yw'r cryfa Mistar Gwynt?" holodd yr Haul. Ond erbyn hynny roedd y gwynt wedi tawelu. Roedd nawr yn awel dyner ac ar ei ffordd i bellterau'r de.

DUW SY'N RHOI (CLAP A CHÂN RHIF 5)

Am harddwch byd Natur,
Am ryfeddod y tymhorau,
Am yr haul a'r gwynt a'r glaw,
Rhoddwn ddiolch i Ti o Dduw.

Agor ein llygaid, o Dduw, fel ein bod yn gweld y byd o'n cwmpas. Agor ein meddwl i ddeall dy fod di wedi ein rhoi yn y byd i ofalu amdano a'i barchu. Ein braint ni, os gofalwn am dy fyd di, yw ei drosglwyddo i'n plant ac i blant ein plant iddyn nhw gael mwynhau dy Gread Di. Yn enw Iesu Grist, Amen.

GWAITH TRAWSGWRICWLAIDD

- Mae haul, gwynt a glaw yn cael effaith mawr ar ein byd. Chwiliwch am wybodaeth ynglŷn â'r gwahanol elfennau.
- Yn eich dyddiadur, cofnodwch effaith y tywydd yn eich ardal a'i effaith mewn rhannau eraill o'r byd dros wythnos neu fis.
- Mae'r haul yn ymddangos ar faneri rhai gwledydd. Nodwch y gwledydd a thynnwch lun y baneri.
- Mae llawer o ddywediadau am y tywydd ar lafar gwlad. Holwch bobl a gwnewch gasgliad ohonyn nhw.
- Mae'r haul yn gallu bod yn llesol. Trafodwch ydy'r haul yn gallu difa?

THEMA

Nawdd Sant Iwerddon yw Sant Padrig. Yn union fel rydyn ni'n dathlu Dydd Gŵyl Dewi ar ddiwrnod marw Dewi ar Fawrth 1af, mae Gwyddelod ledled y byd yn dathlu dydd Sant Padrig ar y diwrnod y bu e farw, sef Mawrth 17eg. Mae llawer iawn o storïau am Sant Padrig. Dyma un o'r storïau hynny.

DANGOS CARIAD DUW (MWY O GLAP A CHÂN RHIF 62)

1 THESALONIAID 5 : 5 – 11

HANES BYWYD SANT PADRIG

Yn yr Alban tua'r flwyddyn 387 y cafodd Sant Padrig ei eni. Pan oedd yn fachgen un ar bymtheg oed cafodd ei gipio gan ladron o Iwerddon. Yno, cafodd ei werthu ac am chwe blynedd, gweithiodd fel bugail i feistr creulon iawn ger tre Ballymena yn Iwerddon.

Yn ystod y cyfnod hwnnw, byddai Padrig yn gweddïo'n gyson. Roedd yn gofyn i Dduw, yn ei gariad, ei ryddhau er mwyn bod yn was iddo a gallu gweithio drosto yn Iwerddon.

Fe ddaeth yr ateb. Helpodd angel e i ddianc o afael y meistr creulon. Ar long, daeth yn ôl i Gymru a chafodd addysg Gristnogol ond anghofiodd e mo Iwerddon. Roedd ar dân eisiau mynd yn ôl yno. Y derwyddon paganaidd oedd yn rheoli'r ynys ac roedd Padrig yn benderfynol o blannu cariad Crist yng nghalonnau'r bobl.

Aeth yn ôl i Iwerddon tua'r flwyddyn 433. Yn gynta, roedd Padrig am fynd at ei feistr cas a'i fendithio yn enw Iesu Grist. Roedd hefyd yn barod i dalu iddo am ei ryddid. Ar ei ffordd at ei feistr, arhosodd ar un o ynysoedd y Skerries. Enw'r ynys hyd heddiw yw Inis Patrick. Maen nhw'n dweud bod ôl troed Sant Padrig yn y graig wrth fynedfa harbwr y Skerries.

Yno, daeth Dichu, arweinydd paganaidd y derwyddon, o hyd i Padrig. Tynnodd ei gleddyf ac ymosod arno. Fe gafodd Dichu ei droi'n ddelw yn y fan a'r lle. Ond nid dymuno cosbi oedd Padrig a phan addawodd Dichu ddod yn un o'i ddilynwyr, cafodd ei ryddhau. Yna bedyddiodd Padrig e'n Gristion a rhoddodd Dichu sgubor fawr i Padrig. Dyma fynachdy cynta Iwerddon.

Aeth Padrig ymlaen ar ei daith. Cyrhaeddodd Ballymena lle bu'n gweithio fel caethwas. O bell, gwelodd fod y llys yn wenfflam. Roedd ei hen feistr wedi casglu ei holl drysorau ac wedi gosod y llys, ac ef ei hun, ar dân. Pam? Roedd wedi clywed am Padrig a'r pethau rhyfeddol roedd e'n eu gwneud. Doedd y dyn balch hwn ddim am blygu glin o flaen ei hen was.

Roedd dylanwad y Derwyddon yn dal yn gryf dros y wlad. Adeg y Pasg byddai'r holl dderwyddon yn dod at ei gilydd i ddathlu dyfodiad y gwanwyn. Bydden nhw'n cynnau coelcerth anferth ar fryn i yrru duwiau'r gaea i ffwrdd. Roedd Padrig am ddangos iddyn nhw y dylen nhw addoli Duw ac ef yn unig. Fe aeth ati i gynnau coelcerth anferth ar fryn ddeng milltir i ffwrdd. Dyma'r Fflam Sanctaidd. Golau ynghanol tywyllwch. Cafodd Pennaeth y Derwyddon sioc o weld y fflamau. Fe ddylai pobman fod yn dywyll. Brysion nhw at y tân a bydden nhw wedi lladd Padrig pe na bai wedi sefyll ac wynebu'r holl dderwyddon yn ddewr.

"Pwy wyt ti a beth yw dy neges?" gofynnodd y Pennaeth iddo.

"Rydw i'n dod â'r gwir oleuni i oleuo'r wlad dywyll hon ac i ledaenu heddwch a chariad," atebodd Padrig.

Oherwydd ei ddewrder, gwrandawodd y Derwyddon yn astud ar ei neges. Rhoddwyd caniatâd i Padrig a'i ddilynwyr ledaenu'r neges a daeth llaweroedd yn Gristnogion. Roedd fflam coelcerth Padrig wedi llwyddo i ddiffodd tân y Derwyddon paganaidd am byth.

 O Ddydd i Ddydd (Mwy o Glap a Chân Rhif 71)

Dyma un o weddïau Sant Padrig.

Boed i bŵer Duw fy arwain. Boed i fawredd Duw fy nghynnal.
Boed i ddoethineb Duw fy nysgu. Boed i lygaid Duw fy ngwylio,
Boed i glust Duw fy nghlywed. Boed i air Duw fod yn iaith i mi,
Boed i law Duw fy arwain. Boed i ffordd Duw fod yn llwybr i mi. Amen.

Gwaith Trawsgwricwlaidd

- Chwiliwch am ragor o hanes Sant Padrig.
- Tynnwch lun unrhyw olygfa o'r hanes hwn am fywyd Padrig.
- Dowch o hyd i ynysoedd y Skerries ar fap yr Iwerddon.
- Oes seintiau eraill yn gysylltiedig â'r Iwerddon? Gwnewch restr ohonyn nhw.

MIS MAWRTH – RHIF 6
SUL Y MAMAU – TRADDODIAD SUL Y MAMAU

THEMA

Sul y Mamau yw'r pedwerydd Sul yng nghyfnod y Garawys. Ar y Sul hwn mae plant ac oedolion yn diolch i'w mam am ei gofal a'i charedigrwydd. Yn aml heddiw caiff hi garden ac anrheg. Ond mae hanes Sul y Mamau yn mynd yn ôl yn bellach na hyn.

RHOI DIOLCH WNAWN I TI (CLAP A CHÂN RHIF 7)

EXODUS 20 : 12 A HEFYD COLOSIAID 3 : 20 A 21

CEFNDIR SUL Y MAMAU

Heddiw all neb ohonon ni anghofio Sul y Mamau. Mae'r siopau yn sicr o'n hatgoffa ni. Allan â ni i brynu anrhegion a chardiau a hynny â chalon yn llawn cariad am ein bod eisiau diolch i Mam am bopeth mae hi'n ei wneud droson ni.

Ond, yn wreiddiol, roedd Sul y Mamau yn hollol wahanol. Y peth pwysig oedd cyrraedd gartre ar y Sul hwn. Mae'n bosibl mai dyma'r unig Sul y byddai morynion a gweision yn ei gael yn rhydd i fynd adre. Cofiwch byddai plant deg oed bryd hynny yn mynd i ffwrdd i weithio.

Ar eu ffordd adre, byddai llawer yn cerdded ar hyd y lonydd bach gwledig ac ar eu siwrnai bydden nhw'n casglu fioledau a briallu i'w rhoi yn anrhegion bach i'w mamau. A dyna mae'n siŵr sut y dechreuodd yr arferiad o roi anrhegion ar Sul y Mamau.

Oedd, roedd hi'n bwysig iawn dychwelyd unwaith y flwyddyn a mynd i'r eglwys neu'r capel lle cawson nhw eu magu. O'r arferiad hwn y daeth y term 'y fam eglwys'. Byddai dathlu mawr pan fyddai pawb gartref.

Enw arall ar Sul y Mamau oedd Sul yr Adfywiad. Roedd y Sul hwn yn cael ei ystyried yn gyfle i lacio tipyn ar gyfnod ympryd y Garawys. Roedd hi'n gyfle i fwynhau a bwyta ychydig o ddanteithion. Byddai hynny'n adfywio'r corff ac yn rhoi nerth newydd iddo. Wedyn gallech barhau i ymprydio hyd ddiwedd y Garawys. Byddech yn clywed darlleniadau yn ymwneud â bwyd ar Sul y Mamau. Hyd yn oed heddiw byddwch yn clywed hanes porthi'r pum mil ar y Sul hwn.

Caiff cacen Simnel ei chysylltu â Sul y Mamau. Teisen ffrwythau yw hon gyda dwy haen o bast almon, un haen yn y canol a'r llall ar ei phen. Caiff ei haddurno ag un ar ddeg o beli eisin marzipan sy'n cynrychioli'r disgyblion. Nid yw Jiwdas yn cael ei gynnwys. Daw'r enw Simnel o'r Lladin sy'n golygu blawd ysgafn.

Mae stori arall sy'n esbonio enw'r gacen, stori am Simon a'i wraig Nel. Roedd Nel wrthi'n gwneud cacen ffrwythau yn barod ar gyfer y plant oedd yn dychwelyd at

Sul y Mamau. Roedd Simon yn dadlau bod angen berwi'r gacen a Nel yn credu bod coginio'r gacen yn well. Methon nhw â chytuno ac felly fe ferwon nhw'r gacen a'i choginio. Dyma sut y cafodd ei henw! Sim a Nel felly Simnel.

Moli Brenin Nef (Mwy o Glap a Chân Rhif 72)

Ein Tad, rydyn ni'n diolch i Ti yn arbennig heddiw am ein mamau a'n tadau a phawb sydd yn ein caru. Diolch am y gofal a gawn ni. Mae'r bobl hyn yn meddwl amdanon ni, yn diodde ein hwyliau drwg ni, yn chwerthin gyda ni ac yn trefnu ar ein cyfer. Gofala amdanyn nhw, os gweli di'n dda.

Helpa ni fod yn fwy parod i'w helpu nhw, i ddeall eu problemau nhw ac i fod yn gwmni i'n gilydd. Wrth i ni garu'n gilydd, mae dy gariad di yn cael siawns i dyfu o'n mewn ni. Gofynnwn y cyfan yn enw Iesu Grist, Amen.

Gwaith Trawsgwricwlaidd

- Chwiliwch am risait cacen Simnel a ffwrdd â chi i'r gegin i wneud un.
- Lluniwch garden addas ar gyfer Sul y Mamau.
- Ysgrifennwch bennill i'w roi ar garden Sul y Mamau.
- Trafodwch ydy Sul y Mamau'n fwy pwysig nag unrhyw Sul arall.

THEMA

Ym mis Mawrth 1930 cafodd y nawfed planed newydd ei ddarganfod, sef Pluto.

DEWCH RHOWCH GLAP (CLAP A CHÂN RHIF 1)

SALM 8 : 3 – 9

DARGANFOD Y BLANED PLUTO

Ar ddechrau'r flwyddyn 1930, darganfyddodd Americanwr y blaned Pluto gyda'i lleuad Charon. Ond roedd hi'n fis Mawrth 1930 cyn i'r byd wybod am Pluto, y blaned newydd. Hyd yn oed heddiw, dyma'r unig blaned nad oes llong ofod wedi glanio arni. Felly prin iawn hyd yma yw ein gwybodaeth amdani.

Rydyn ni'n gwybod ei bod hi'n cymryd 6,387 diwrnod i Pluto fynd o gwmpas yr haul. Y telesgop Hubble sydd wedi rhoi'r wybodaeth i ni. Mae llawer iawn o'r sêr yn llawer cryfach na'n haul ni ond maen nhw'n edrych mor fach am eu bod nhw mor bell oddi wrthon ni. Mae'n cymryd wyth munud i olau'r haul gyrraedd y ddaear am ei fod 93 miliwn o filltiroedd i ffwrdd. Mae hynny'n agos iawn o'i gymharu â'r seren agosa sydd nifer o flynyddoedd goleuni oddi wrthon ni. Cofiwch mewn blwyddyn, bydd golau yn teithio bron chwe miliwn, miliwn milltir ac mae'r seren agosa yn bedair blwyddyn a hanner goleuni i ffwrdd oddi wrthon ni.

Allwch chi gredu bod golau rhai o'r sêr rydyn ni'n eu gweld yn yr awyr, yn teithio aton ni ers cyn geni Iesu Grist? Fe ofynnodd y Salmydd wrth edrych ar y bydysawd; 'Beth yw dyn i ti ei gofio?' A doedd gan y Salmydd mo'r wybodaeth sydd gennyn ni am y bydysawd heddiw.

Roedd Nicholas Copernicus o wlad Pwyl yn byw yn niwedd y bymthegfed ganrif. Roedd yn feddyg ac yn fathemategydd ac yn seryddwr arbennig. Wrth astudio'r sêr, sylweddolodd Copernicus fod yr hen syniadau am y ddaear a'r planedau a'r haul yn hollol anghywir. Roedd e'n credu bod y ddaear yn troi ei hunan ac ar yr un pryd yn symud mewn cylch o gwmpas yr haul a bod y sêr yn bellach oddi wrthon ni nag roedd pobl y pryd hynny yn ei gredu.

Dywedodd arweinwyr crefyddol yr adeg honno fod ei syniadau'n hurt. Roedden nhw'n pregethu yn erbyn syniadau Copernicus ac yn gwahardd pobl rhag eu credu.

Yn yr un modd, ar ddechrau'r ail ganrif ar bymtheg, dywedodd Galileo yr un peth. Fe ddarganfyddodd fod y lleuad yn grwn a bod y lleuad yn mynd o gwmpas y ddaear. Unwaith eto roedd arweinwyr yr eglwys yn pregethu yn erbyn hyn. Doedd gan Galileo ddim hawl nac awdurdod i fynegi'r fath syniadau. I achub ei fywyd ei hun, buodd yn rhaid i Galileo ddweud mai celwyddau oedd ei ddarganfyddiadau.

Rydyn ni'n dal i ddysgu am Gread rhyfeddol Duw. Dydyn ni ddim yn gwybod popeth o bell ffordd! Yr hyn sy'n amlwg yw'r hyn ddywedodd y Salmydd: pa mor ddi-nod yw pobl ochr yn ochr â'r bydysawd mawr.

RWY'N CARU'R HAUL (MWY O GLAP A CHÂN RHIF 84)

O Dduw, crëwr popeth a welwn, a'r pethau hynny na allwn eu gweld, clodforwn di. Mae dy fyd di'n hollol ryfeddol! Mae'r amrywiaeth sydd yn y bydysawd y tu hwnt i'n dychymyg pitw ni. Diolch i Ti am yr haul. Hebddo, byddai bywyd ar y ddaear, fel rydyn ni'n ei nabod, yn peidio â bod. Diolch, o Dduw, am roi i ni'r ddawn a'r gallu i ddarganfod mwy am dy greadigaeth o ddydd i ddydd. Ond rhaid i ni gofio mai Ti biau'r clod. Nid ni. Yn enw dy fab Iesu y gofynnwn y cyfan. Amen.

GWAITH TRAWSGWRICWLAIDD

- Chwiliwch am wybodaeth am y planedau. Lluniwch lyfr lloffion sy'n darlunio ac yn cofnodi'r wybodaeth.
- Chwiliwch am ragor o ffeithiau am Galileo a Copernicus. Bydd hyn hefyd yn gallu mynd yn eich Llyfr Lloffion.
- Mae llongau gofod wedi dod â llawer o wybodaeth i ni am y planedau. Beth yw'r wybodaeth ddiweddara am y blaned Mawrth?
- Ddylen ni fod yn ceisio chwilio am fywyd ar y planedau eraill? Trafodwch.

THEMA

Rydyn ni'n darllen yn y Testament Newydd am yr Iesu, wedi diwrnod prysur, yn mynd i rywle tawel i fyfyrio. Mae'n braf weithiau anghofio am yr holl sŵn sydd o'n cwmpas trwy'r amser a chael mwynhau tawelwch. Beth am wrando ar y tawelwch am hanner munud? Pa sŵn sy i'w glywed

MAE'R IESU YN CARU (MWY O GLAP A CHÂN RHIF 4)

CANEUON FFYDD RHIF 600 – "DISTEWCH, CANS MAE NERTH YR ARGLWYDD IÔR YN SYMUD …"

MARC 1 : 32 – 37

HANES CYFANSODDI Y MOONLIGHT SONATA

Heddiw mae gwaith Ludwig van Beethoven yn cael ei berfformio'n amlach na gwaith yr un cerddor mawr arall yn y byd. Un o'i gyfansoddiadau mwyaf poblogaidd yw ei sonata ar gyfer y piano, y Moonlight Sonata

Un noson ddiflas roedd Beethoven a'i ffrind yn cerdded ar hyd un o strydoedd cefn Vienna. Wrth gerdded heibio tŷ bach di-nod mewn stryd gul, arhosodd Beethoven yn stond a gwrando'n astud. Roedd ei gyfaill yn methu â deall beth oedd yn bod arno.

"Gwranda," meddai Beethoven. Gallech glywed sŵn piano ac roedd Beethoven wedi nabod y darn.

Gyda hynny fe stopiodd y piano ac fe glywon nhw sŵn rhywun yn crio.

"Fedra'i ddim chwarae rhagor," meddai llais merch yn drist. Yna dywedodd, "O, mi hoffwn i glywed y gwaith yn cael ei berfformio mewn cyngerdd mewn neuadd fawr."

Er mawr syndod i'w gyfaill cnociodd Beethoven ar ddrws y tŷ a cherdded i mewn.

"Fe chwaraea i'r darn i ti," meddai Beethoven.

Roedd yr ystafell yn un dlawd a'r unig olau yn dod o un gannwyll fach. Mewn un gornel roedd crydd yn gwnïo esgidiau a merch ifanc wrth y piano.

Ymddiheurodd Beethoven am dorri ar eu traws, ac meddai wrth y ferch,

"Cerddor ydw i a fedrwn i ddim peidio clywed beth ddywedest ti. Ga i chware i ti?"

"Croeso," atebodd y crydd o'r gornel, "ond mae'r piano'n hen ac angen ei ddiwnio, a does dim copi i chi."

"Dim copi! Ond sut…" a chyda hynny sylweddolodd Beethoven fod y ferch ifanc yn ddall. Eisteddodd Beethoven a chwarae'r piano yn well nag a wnaeth erioed o'r blaen. Gwrandawai'r rhai yn yr ystafell ar y gerddoriaeth odidog yn llifo heb sylweddoli bod y gannwyll ar fin diffodd ac y byddai'r ystafell yn dywyll fel y fagddu cyn bo hir. Cododd Beethoven oddi wrth y piano ac agor y llenni gan adael golau'r lleuad i mewn i'r ystafell.

"Pwy wyt ti?" gofynnodd y crydd yn syn.

"Gwrandewch," meddai Beethoven gan fynd ati unwaith eto i chwarae'r rhan agoriadol roedd y ferch wedi bod yn ei chwarae.

"Beethoven wyt ti!" meddai'r crydd yn llawen.

Yna yng ngolau'r lleuad dechreuodd y cerddor chwarae darn newydd. Cychwynnodd yn araf a thawel ac yna cyflymu yn union fel petai rhywun yn dawnsio. Wedi iddo orffen addawodd ddod yn ôl i helpu'r ferch ddall a brysiodd adre er mwyn gwneud copi o'r gerddoriaeth roedd newydd ei chwarae yn nhŷ bach tlawd y crydd a'i ferch. Cofnododd Beethoven y cyfan cyn y wawr ac roedd wrth ei fodd.

A dyna ni! Wedi'i ysbrydoli gan ferch ifanc ddall, cyfansoddodd Beethoven y Moonlight Sonata sydd wedi rhoi cymaint o bleser i bawb. Rhyfedd o beth i Beethoven golli ei glyw cyn diwedd ei oes. Ond stori arall yw honno.

Yn Bonn yn 1770 cafodd Ludwig van Beethoven ei eni a buodd farw yn Vienna ar Fawrth 26ain, 1827.

Dewch, Ymunwn (Mwy o Glap a Chân Rhif 2)

Diolch i Ti, O Dad, am i ti roi i ni'r gallu i deimlo ac arogli. A hefyd y gallu i weld ac i glywed. Heddiw diolchwn i Ti am ein bod yn gallu clywed. Diolchwn yn arbennig am allu clywed yr holl gerddoriaeth sydd yn ein byd ni.

Diolch i Ti am bob talent ac am y pleser mae'r dalent 'ma yn ei roi. Diolch hefyd am gyfansoddwyr mawr y byd. Maen nhw wedi rhoi pleser i bobl dros y canrifoedd.

Helpa ni ddefnyddio pob talent rwyt ti wedi'i roi i ni. Er gogoniant i Ti, Amen.

Gwaith Trawsgwricwlaidd
- Mae llawer o hanesion am Beethoven. Chwiliwch am ragor ohonyn nhw.
- Trafodwch: Petai rhaid, pa un byddech chi'n barod i'w golli, eich golwg neu eich clyw?
- Ysgrifennodd Beethoven naw symffoni, rhai ohonyn nhw'n enwog iawn. Gwnewch restr ohonyn nhw.
- Pwy yw eich hoff gyfansoddwr chi? Ceisiwch esbonio pam.

THEMA

Mewn oes lle mae pawb yn tueddu meddwl amdanyn nhw eu hunain, dyna dda gweld a chlywed am bobl sy'n garedig wrth ei gilydd. Mae hyn yn digwydd yn aml ond yn anffodus dyw e ddim yn creu penawdau newyddion.

Gadewch i ni feddwl am eiriau Crist, 'Car dy gymydog fel ti dy hun.' Mae hyn yn golygu y dylen ni fod yn garedig wrth ein gilydd a hefyd yn barod i faddau i'n gelynion.

O DDYDD I DDYDD (MWY O GLAP A CHÂN RHIF 71)

LUC 6 : 35 – 38

STORI ANDRI

Roedd Andri yn byw ganrifoedd yn ôl yng Ngwlad yr Iâ. Dyn caredig oedd Andri, yn barod i helpu unrhyw un. Fyddai dim yn ormod o drafferth iddo ac roedd gan bawb air da i'w ddweud amdano. Un diwrnod yn ei gwch hir a'i hwyl sgwâr, aeth Andri ar draws y môr stormus i Norwy.

Clywodd Brenin Norwy ei fod wedi cyrraedd ac am garedigrwydd di-ben-draw. Felly penderfynodd roi prawf arno. Galwodd y Brenin un o ffrindiau Andri ato a'i holi. Oedd hi'n wir bod Andri'n barod i helpu unrhyw un? Unrhyw gardotyn? Neu ddyn cyfoethog oedd yn digwydd curo wrth ei ddrws?

"Oedd," meddai ffrind Andri yn hapus iawn. "Un fel yna yw Andri."

"Os felly," meddai'r Brenin, "cer ato a gofyn iddo am ei glogyn."

Roedd hi'n ganol gaea ac yn oer iawn a'r brenin yn gwybod y byddai'n anodd iawn i Andri roi ei glogyn cynnes i unrhyw un. Pan ddaeth ei ffrind ato roedd Andri yn gwisgo siaced sgarlad a throsti roedd clogyn o'r un lliw ag ymyl aur iddi. Fel y Llychlynnwr, roedd ganddo yntau fwyell yn hongian wrth ei ochr ac iddi goes aur. Aeth ei ffrind ato a dweud, "Mae'r Brenin yn dymuno cael dy glogyn di."

Heb holi dim na chwyno, tynnodd Andri ei glogyn a'i osod dros fraich ei gyfaill. Aeth hwnnw â'r clogyn at y Brenin.

Cafodd y Brenin syndod o weld cyfaill Andri yn dod â'r clogyn i mewn i'r llys. Rhoddodd y Brenin brawf pellach ar Andri drwy orchymyn i'w ffrind ofyn iddo am ei fwyell. Roedd y Brenin yn gwybod pa mor werthfawr oedd y fwyell i bob heliwr. Aeth y cyfaill at Andri a dweud, "Mae'r Brenin yn dymuno cael dy fwyell."

Unwaith eto heb gwyno na holi dim, tynnodd Andri y fwyell â'r goes aur a'i gosod yn nwylo ei ffrind. Aeth yntau â'r fwyell yn ôl at y brenin. Cafodd y brenin ei blesio'n fawr ond allai e ddim deall Andri. Gosododd brawf arall arno. Y tro hwn, anfonodd y brenin gyfaill Andri yn ôl a gofyn am ei siaced. Erbyn hyn, roedd y ffrind yn anfodlon iawn. Ond allai e ddim gwrthod gwrando ar y Brenin. Fel cynt, dywedodd wrth Andri, "Mae'n ddymuniad gan y Brenin gael dy siaced di."

Unwaith eto heb holi na dweud dim, tynnodd Andri ei siaced sgarlad. Ond cyn ei rhoi i'w ffrind, tynnodd ei gleddyf a thorri un fraich y siaced i ffwrdd. Aeth y cyfaill â hi yn ôl at y brenin. Cydiodd y brenin yn y siaced ac meddai,

"Nid yn unig mae Andri'n garedig ond hefyd mae'n ddoeth. Mae wedi torri un fraich y siaced i ffwrdd. Dyma ddangos i mi mai ond un llaw sydd gen i, llaw sydd bob amser yn barod i gymryd, ond byth yn barod i roi. Dewch ag Andri i'r llys. Fe ddangosa i fy llaw arall iddo ac fe gaiff yr anrhegion gwerthfawr yma nôl. Hefyd caiff ei anrhydeddu gan y deyrnas."

Daeth Andri i'r llys a chael ei anrhydeddu am ei garedigrwydd mawr.

PWY SY'N CARU (MWY O GLAP A CHÂN RHIF 85)

Helpa ni, o Dduw i fod yn garedig. Hyd yn oed pan mae'n anodd. Rydyn ni'n hapus iawn pan ydyn ni'n cael. Jac-be-ga i, ydyn ni bob un. Maddau i ni. Rhoi rwyt ti eisiau i ni wneud. Rhoi heb gyfrif y gost, rhoi heb feddwl cael rhywbeth yn ôl.

Allwn ni ddim cyfrif na deall gymaint rwyt ti'n ei roi. A ninnau eisiau mwy. Helpa ni fod yn hael. Yn barod i ystyried eraill, ffrindiau, teulu, pawb. Rho awydd ynon ni i gynnig help. Yn enw Iesu Grist ein Harglwydd. Amen.

GWAITH TRAWSGWRICWLAIDD

- Tynnwch lun unrhyw olygfa yn y stori.
- Ysgrifennwch stori sy'n darlunio ei bod hi'n talu bod yn garedig.
- Lluniwch gerdd ar y teitl 'Cymdogion'.
- Trafodwch – "Ai ceidwad fy mrawd ydwyf fi?"

THEMA

Roedd hi'n fore Sul, diwrnod ar ôl y Sabath Iddewig. Cychwynnodd yr Iesu ar ei ffordd i Jerwsalem. Roedd llawer o'i ddilynwyr yn ei ddisgwyl, felly fe gymerodd y brif ffordd i mewn i'r ddinas. Doedd neb yn gwybod beth fyddai'n digwydd yn ystod y dyddiau nesa, neb heblaw am yr Iesu ei hunan.

 YR ARGLWYDD YW FY MUGAIL (CLAP A CHÂN RHIF 59)

 MARC 11 : 1 -10

STORI O'R EIDAL

Mae hon yn hen stori sy'n cael ei hadrodd yn yr Eidal, ac yn ôl y stori roedd y byd yr adeg honno yn lle hapus iawn i fyw, neb yn cweryla na chwympo mas. Roedd Duw wedi creu gardd ac ynddi roedd popeth yn byw mewn heddwch gyda'i gilydd. Roedd y teigr a'r eliffant yn ffrindiau, y llew yn hapus i rannu ei fwyd gyda'r sebra a doedd y llew byth yn rhuo'n gas. Roedd hyd yn oed y camel yn edrych yn hapus a byddai'r asyn yn crwydro drwy'r ardd a'i nadu yn swnio fel cloch yn canu.

Yna fe greodd Duw ei greadigaeth fawr. Fe ddaeth dyn i'r ardd. Pan welodd yr anifeiliaid e am y tro cynta fe gawson nhw eu dychryn. Ond roedden nhw'n gwrtais tu hwnt iddo a ddywedodd run o'r anifeiliaid ddim byd cas wrth y dyn. Neb ond yr asyn. Pan welodd yr asyn y dyn yn cerdded ar ddwy goes a heb gynffon, taflodd ei ben yn ôl ac udo. Gwnaeth y sŵn mwya hyll posibl. Aeth yr ardd yn gwbl dawel.

Yn y tawelwch, daeth llais Duw. "Asyn! Byddi di'n gwneud y sŵn hyll yna hyd ddiwedd y byd. Ac fe fydd dyn bob amser yn dy ddefnyddio i gario llwythi." Ac felly mae hi wedi bod ers hynny.

Aeth cannoedd o flynyddoedd heibio a buodd yr asyn yn cario dyn a'i lwyth heb gwyno dim. Ond roedd sŵn y brefu hyll ac aflafar i'w glywed o bell. Ond roedd pawb yn gwybod mai dyma oedd cosb yr asyn am fod yn anghwrtais yn yr ardd, am chwerthin am ben gwaith Duw yn creu dyn. A nawr, am fod yr asyn wedi derbyn ei gosb heb gwyno dim, roedd Duw yn barod i faddau iddo. Dyma oedd ei wobr.

Un dydd, daeth dau ddyn i mewn i bentre bach yn agos i Jerwsalem. Yno roedd ebol asyn wedi ei glymu wrth ddrws yn un o strydoedd y pentre. Aethon nhw â'r asyn at ei meistr. Druan o'r asyn, roedd e wedi dychryn. Un ifanc oedd e a neb erioed wedi bod ar ei gefn e. Doedd e ddim yn siŵr a fyddai ei goesau yn ddigon cryf i ddal y pwysau. Yn sydyn, clywodd lais tyner a llaw addfwyn yn anwesu ei gefn a'i glustiau. Taflon nhw glogyn drosto ac eisteddodd y dyn yn ofalus ar ei gefn. A dyna fe ar ei ffordd i Jerwsalem.

Wrth ddod i mewn i'r ddinas clywodd yr asyn sŵn mawr a phawb yn llawen, yn gweiddi'n uchel, "Hosanna! Hosanna! I fab Dafydd." Taflon nhw frigau palmwydd dan ei draed, ond bellach doedd dim ofn arno. Roedd Iesu ar ei gefn.

Yna fel y daeth yr Iesu oddi ar ei gefn, daeth rhyw liw brown ar gefn yr asyn llwyd. Arwydd y groes oedd arno, ac mae'r arwydd yma ar gefn pob asyn hyd heddiw. Arwydd ydy e fod Duw wedi maddau i'r asyn. Am un awr odidog, yr asyn gafodd yr anrhydedd o gario Mab Duw i mewn i Jerwsalem a'r dorf wrth eu bodd yn gweiddi ac yn ei glodfori. Anghofith e byth mo hyn. Dyma ei eiriau:

> Fe gefais innau f'awr,
> Un awr felysa rioed;
> Roedd sŵn Hosanna yn fy nghlyw
> A phalmwydd dan fy nhraed.

G K Chesterton, cyf. W J Gruffydd

IESU RHOWN GLOD I TI (MWY O GLAP A CHÂN RHIF 87)

Cofiwn heddiw ein Tad am y dydd y daeth yr Iesu'n fuddugoliaethus i Jerwsalem. Roedd e hefyd yn wynebu peryglon mawr. Ac roedd e mor ddewr.

Helpa ni fod yn ddewr ac yn barod i wynebu trafferthion. Rho'r nerth i ni fynd ymlaen pan mae pethau'n galed. Fel y dawnsiodd a chanodd y plant yn Jerwsalem, rhoddwn ninnau ein mawl a'n diolch i Iesu. Amen.

GWAITH TRAWSGWRICWLAIDD

- Adroddwch yn eich geiriau eich hunan hanes yr Iesu yn marchogaeth i Jerwsalem.
- Beth mae'r Pasg yn ei olygu i chi heddiw? Trafodwch.
- Beth yw'r traddodiadau sy'n ynghlwm wrth Sul y Blodau?

THEMA

Nos Iau, ar ôl digwyddiadau mawr Sul y Blodau, roedd Iesu wedi trefnu bwyta swper y Pasg gyda'i ddisgyblion. Ond nid dyna'r unig beth ddigwyddodd y noson honno.

 DEWCH I FOLI (MWY O GLAP A CHÂN RHIF 78)

 MATHEW 26 : 20 – 25

GRYM GWEDDI

Wedi i'r Iesu a'i ddisgyblion fwyta swper y Pasg gyda'i gilydd, fe adawon nhw'r oruwch ystafell a dechrau cerdded at fynydd yr Olewydd. Roedd y disgyblion i gyd yno, pawb ond un. Roedd Jiwdas Iscariot wedi sleifio i ffwrdd, ychydig ddiwrnodau cyn i Iesu gael ei groeshoelio, er mwyn bradychu'r Iesu i'r gelyn.

Roedd hi'n hwyr pan gychwynnodd yr Iesu a'r disgyblion ar y daith ac roedd y strydoedd yn wag a thywyll. Roedden nhw'n meddwl nad oedd neb wedi eu gweld yn gadael y tŷ a mynd yn dawel tuag at fynydd yr Olewydd. Ond roedd rhywun yno. Roedd llanc ifanc yn eu dilyn ac roedd yn gwisgo cynfas gwyn ei wely. Mae'n rhaid ei fod wedi codi o'i wely ar frys a thaflu'r cynfas drosto, er mwyn cael dilyn a gweld ble roedden nhw'n mynd. Byddai'n hawdd colli'r grŵp yn y tywyllwch.

Rhaid bod y llanc yn byw yn y tŷ lle'r oedd yr Iesu wedi cynnal y swper olaf. Fe glywodd sŵn y traed yn dod i lawr y grisiau allanol ac yn naturiol, roedd bron â marw eisiau gwybod beth fyddai'n digwydd y noson honno. Dilynodd y llanc nhw. Roedd y tawelwch yn drwm ar hyd y strydoedd cul, tywyll. Cadwodd yn ddigon pell fel nad oedd perygl iddyn nhw ei weld. Roedd ei galon yn curo'n wyllt, ac roedd yn poeni y byddai pawb drwy Jeriwsalem yn gallu ei chlywed gan ei bod yn curo mor uchel. Roedd e'n gallu synhwyro bod rhywbeth difrifol ar fin digwydd y noson honno. Er ei fod yn crynu, dilynodd y llanc nhw trwy gatiau'r ddinas ac allan i'r bryniau.

Cyn hir daeth at geunant serth ac roedd yn rhaid iddo ddringo i lawr yr ochr llithrig. Croesodd waelod y cwm a dringo i fyny'r bryn yr ochr draw gan ofalu cadw'n ddigon pell fel na fyddai'r Iesu na'r disgyblion yn sylweddoli ei fod e'n eu dilyn. Fe ddaethon nhw i ardd Gethsemane. Gadawodd yr Iesu ei ddisgyblion ac aeth ar ei ben ei hunan i weddïo a disgwyliodd y disgyblion amdano ychydig bellter i ffwrdd. Cuddiodd y llanc yn dawel o dan y cynfas yn y cysgodion yn llawn cyffro gan geisio gweld trwy'r tywyllwch a gwrando'n astud er mwyn clywed geiriau'r disgyblion.

Yn sydyn, heb unrhyw rybudd, allan o'r tywyllwch ymddangosodd Jiwdas a chriw o filwyr garw yr olwg â'u cleddyfau'n barod. Sylweddolai'r llanc mai dod i nôl yr Iesu roedden nhw. Rhuthrodd y milwyr am yr Iesu a gafael ynddo. Yna clywodd y llanc sŵn traed yn rhedeg; y disgyblion yn dianc rhag y milwyr gan adael yr Iesu ar ei ben ei hun i wynebu'r perygl.

Ond, wnaeth y llanc ddim dianc. Penderfynodd na fyddai e byth yn troi ei gefn a gwadu'r Iesu. Cydiodd yn dynn yn ei gynfas a mentro'n nes. Gwelodd un o'r milwyr fflach o'r gynfas wen ac mewn chwinciad, roedd rhywun wedi gafael ynddo. Cafodd y bachgen ifanc fraw a chyda un plwc nerthol, llwyddodd i ryddhau ei hunan gan adael y gynfas wen yn llaw'r milwr.

Dim ond yn Efengyl Marc mae'r hanes am y llanc. Efallai mai Marc ei hun oedd y llanc. Flynyddoedd wedyn byddai pobl yn galw Marc yn 'stwmpyn bys'. Efallai iddo gael yr enw hwnnw oherwydd bod y milwr a ddaliodd e yn yr ardd wedi taro ergyd â'i gleddyf a thorri blaen bys y llanc o dan y cynfas. Does ryfedd i Marc ollwng y cynfas a rhedeg.

DWY FIL O FLYNYDDOEDD
(MWY O GLAP A CHÂN RHIF 75)

Ein Tad, helpa ni feddwl a myfyrio dros ddigwyddiadau'r Pasg. Mae'r hanes am y llanc yn rhoi syniad i ni beth ddigwyddodd cyn i Iesu gael ei ddal. Rydyn ni wedi clywed am y ffilm, 'The Passion of Christ' sy'n dangos fel y dioddefodd Iesu ar y ffordd i gael ei groeshoelio ac wrth hongian ar y groes.

Fel disgyblion Iesu ac fel Marc, rydyn ninnau hefyd yn gwadu'r Iesu. Gwna ni'n ddilynwyr ffyddlon i'r Iesu. Helpa ni ledaenu neges Iesu Grist yn ein bywyd bob dydd; neges cariad, heddwch a thangnefedd. Er gogoniant i'w Enw, Amen.

GWAITH TRAWSGWRICWLAIDD
- Lluniwch strip cartŵn o'r stori a glywsoch.
- Actiwch ran o'r stori. Bydd angen llawer o gymeriadau; Iesu, Jiwdas, milwyr cas a'r llanc.
- Darllenwch beth a ddigwyddodd i'r Iesu wedyn. Trowch at Efengyl Marc, Pennod 15 a 16.
- Beth yw traddodiad wyau Pasg?

MIS EBRILL – RHIF 2
JÔC DDA! – DIWRNOD FFŴL EBRILL

THEMA

Wrth i ni fwynhau jôc dda gyda'n ffrindiau, byddwn ni'n cael hwyl. Rydyn ni i gyd yn hoffi edrych ar y teledu ac mae comedi dda a llond bol o chwerthin yn plesio pawb. Mae rhai meddygon yn dweud bod chwerthin yn gwneud lles i'r corff. Yn sicr, dydy chwerthin ddim yn gwneud dim drwg. Mae chwerthin gyda rhywun yn iawn ond mae chwerthin am ben rhywun arall yn gallu bod yn greulon. Mae'r stori hon yn hollol wir ac fe gafodd pawb hwyl ar ddydd Ffŵl Ebrill.

OS WYT TI'N HAPUS (CLAP A CHÂN RHIF 58)

JOB 8 : 20 – 22

STORI WIR

Rai blynyddoedd yn ôl, penderfynodd cynhyrchwyr y rhaglen *Panorama* chwarae jôc ar y gwylwyr. Rhaglen i'w dangos ar Ebrill y cynta oedd hi ac roedd chwarae jôc ar raglen fel *Panorama* yn hynod o ddoniol. Y syniad oedd mynd allan am dridiau i ffilmio mewn pentre bach yn y Swistir yn agos i lyn Lugano. Roedden nhw'n mynd i ddefnyddio ugain tunnell o sbageti wedi ei goginio! Wedi dadbacio'r cyfan, fe garion nhw ysgolion at glwstwr o goed ar gyrion y pentre a hongian y sbageti oddi ar eu canghennau. Allech chi ddim gweld ambell i goeden oherwydd y sbageti.

Nawr roedden nhw'n barod am y cam nesa! Roedd rhaid cael pobl y pentre i'w helpu er mwyn sicrhau bod y jôc yn llwyddo. Fe wisgon nhw i gyd fel gweithwyr fferm. Nhw oedd yn casglu'r sbageti fel petai'r sbageti'n tyfu ar goed. Fe gawson nhw eu ffilmio o wahanol onglau yn dringo'r coed, yn casglu'r sbageti ac yna yn ei bacio mewn basgedi mawr. Cafodd y criw ffilmio a phobl y pentre hwyl arbennig wrth 'gynhaeafu sbageti.'

Rai wythnosau'n ddiweddarach ar Ebrill y cynta, roedd y rhaglen Panorama ar y teledu. Wrth i'r cyflwynydd ddymuno noswaith dda i'r gwylwyr, yn y cefndir, fe welon nhw olygfeydd o'r pentre yn Swistir yn fflachio heibio. Esboniodd y cyflwynydd fod y rhaglen yn ymweld â phentre yn y Swistir lle roedden nhw'n cynaeafu cnwd anghyffredin iawn ac fe ddangoson nhw'r ffilm.

Roedd y jôc yn llwyddiant ysgubol. Ffoniodd miloedd o wylwyr a dweud wrth y BBC gymaint o hwyl oedd gweld sbageti yn tyfu ar goed! Welodd pawb mo'r jôc. Ffoniodd nifer y BBC yn holi ble gallen nhw brynu coed sbageti!

Iesu sy'n rhoi ei Gariad
(Mwy o Glap a Chân Rhif 74)

Diolchwn i Ti am fod bywyd yn aml yn hwyl. Mae byw yn hwyl a diolch ein bod ni'n gallu chwerthin. Rydyn ni wrth ein bodd yn troi, edrych a gwenu pan glywn ni griw yn chwerthin. Rydyn ni eisiau gwybod beth sy'n digwydd ac ymuno yn yr hwyl.

A diolch i Ti, o Dduw bod hwyl yn rhan o fywyd. Ti sy'n creu'r pleser sy'n dod o chwerthin iach. Oddi wrthot Ti mae pob hapusrwydd yn dod ac rwyt ti'n gwybod bod chwerthin a hiwmor yn dod â phobl at ei gilydd. Crea galon lân ynon ni fel y gallwn chwerthin a mwynhau gyda'n gilydd, dim ots pwy ydyn ni na beth yw lliw ein croen. Yn enw Iesu Grist, Amen.

Gwaith Trawsgwricwlaidd

- Ydych chi wedi chwarae ffŵl Ebrill ar rywun? Adroddwch yr hanes.
- Pe byddech yn cael y cyfle, ar bwy yr hoffech chi chwarae ffŵl Ebrill?
- Trafodwch y gwahaniaeth rhwng chwerthin am ben rhywun a chwerthin gyda rhywun.
- Mae llawer o gerddoriaeth a cherddi ar gael sy'n cyfleu hwyl. Allwch chi ddod o hyd i rai darnau?

THEMA

Rwy'n siŵr eich bod wedi clywed pobl mewn oed yn dweud mwy nag unwaith, "O, mi hoffwn i petawn i wedi gweithio pan own i yn yr ysgol." Neu "Petawn i'n cael ddoe yn ôl fe fyddwn i wedi gwneud yn wahanol."

UN CAM BYCHAN (MWY O GLAP A CHÂN RHIF 81)

1 CRONICL 22 : 11 – 16

HANES HANS CHRISTIAN ANDERSEN, GŴR O DDENMARC

Doedd Hans ddim yn hoffi'r ysgol o gwbl. Roedd pawb yn gwneud hwyl am ei ben, yn galw enwau arno, ei fod yn hyll am fod ganddo glustiau mawr. Ac felly beth wnaeth e oedd aros gartre. Roedd yn gwybod yn iawn beth oedd am fod wedi tyfu. Roedd am fod yn ganwr opera enwog.

Yn Copenhagen roedd tŷ opera lle byddai enwogion y byd opera yn dod i ganu. Ei freuddwyd oedd gweld ei enw tu allan i'r Tŷ Opera. Byddai'n aros y tu allan i'r lle ac yn breuddwydio. Yn wir roedd yno mor aml nes y daeth y cantorion a'r cerddorion i'w nabod yn dda. Bydden nhw'n siarad ag e ac yn gofyn iddo pam nad oedd e yn yr ysgol. Ei ateb bob tro oedd, "Dw i'n mynd i fod yn ganwr opera enwog ryw ddydd.".

Un diwrnod fe ddaeth cyfle Hans. Daeth un o'r gwragedd allan o'r Tŷ Opera a'i wahodd e i mewn. Aeth ar y llwyfan mawr i ganu. Doedd e ddim yn nerfus o gwbwl. Sut gallai neb oedd yn bwriadu bod yn ganwr byd enwog fod yn nerfus? Cafodd dawelwch perffaith a dechreuodd ganu. Ond dyma'r cerddorion yn dechrau pwffian chwerthin. Yna aeth pawb drwy'r neuadd i gyd i chwerthin. Roedd llais y bachgen yn ddifrifol. Allai e ddim canu un nodyn mewn tiwn!

Cymerodd y wraig drueni drosto ac aeth ato. Eglurodd nad oedd yn gallu canu mewn tiwn felly, allai e byth fod yn ganwr byd enwog. Gofynnodd iddo a allai wneud rhywbeth arall. Roedd Hans yn siomedig iawn. Dywedodd,

"Mae fy rhieni'n dweud 'mod i'n gallu adrodd stori'n dda."

"Tawelwch," galwodd y wraig. Aeth y neuadd yn dawel ac fe ddechreuodd Hans adrodd stori. Chwarddodd neb y tro hwn. Roedd gan Hans ddawn arbennig i adrodd stori. Yn wir roedd y cerddorion wedi eu gwefreiddio ganddo. Wedi iddo orffen, cafodd gymeradwyaeth ryfeddol.

"Beth am i ti ysgrifennu'r stori," awgrymodd y wraig. "Fe wna i ei dangos i'r Brenin."

Aeth adre wrth ei fodd. Ond sylweddolodd fod ganddo broblem. Problem fawr. Doedd e ddim wedi bod yn mynd i'r ysgol yn gyson. Felly doedd e ddim yn gallu ysgrifennu'n dda ac roedd ei sillafu'n echrydus. Buodd e wrthi am oriau yn ysgrifennu. Wedi i'r Brenin ddarllen y stori, crafodd ei ben. Cafodd ei blesio'n fawr gan y stori ond dywedodd,

"Pwy yw'r bachgen ma sydd ddim yn gallu ysgrifennu'n glir. Ac mae ei sillafu'n warthus! Rhaid iddo gael gwersi i wella ei law ysgrifen ac i ddysgu sut i sillafu. Fe dala i amdanyn nhw!"

Felly cafodd Hans ail gyfle. Gweithiodd yn galed a meistrolodd sgiliau ysgrifennu a sillafu. Cafodd y Brenin ei blesio'n fawr gan ddawn aruthrol y bachgen a daeth pawb i wybod am Hans Christian Anderson wrth i'w waith gael ei gyhoeddi. Erbyn heddiw mae ei storïau wedi eu cyfieithu i laweroedd o ieithoedd ac mae miliynau o blant y byd wedi cael pleser mawr wrth eu darllen. Ie, mab i grydd tlawd o Odense oedd y bachgen Hans Christian Andersen. Fe yw awdur storïau byd enwog fel 'Yr Hwyaden Hyll', a 'Dillad Newydd yr Ymerawdwr'. Bydd ei storïau yn byw am byth.

Ganwyd Hans Christian Andersen yn Ebrill, 1805 yn Odense yn Nenmarc. Buodd e farw yn 1875.

CYMER FY MYWYD (MWY O GLAP A CHÂN RHIF 59)

Rhoddwn ddiolch i Ti heddiw am y dalent ddisglair sydd gan gymaint o bobl ac sy'n rhoi cymaint o bleser i ni. Pleser gwrando, pleser gweld a phleser darllen. Diolch, O Dduw, am ddawn a gallu'r bobl hyn. Helpa ni feithrin ein talentau. Rydyn ni'n dymuno defnyddio'n talentau fel y gallwn ni roi pleser i eraill. Roedd torfeydd o bobl yn dilyn Iesu am ei fod yn rhoi pleser iddyn nhw. Pleser gwrando ar ei storïau, pleser bod yn ei gwmni a phleser dwfn hefyd oedd yn cyrraedd yr enaid. Diolch am Iesu. Amen.

GWAITH TRAWSGWRICWLAIDD

- Darllenwch storïau Hans Christian Andersen a dewiswch eich hoff stori.
- Adroddwch un o storïau Hans Christian Anderson wrth weddill y dosbarth.
- Crëwch stori ac iddi wers yn y diwedd fel rhai Hans Christian Andersen.
- Beth yw eich hoff lyfr? Siaradwch amdano.

MIS EBRILL – RHIF 4
YSGOLION CYLCHYNOL –
GRIFFITH JONES, LLANDDOWROR

THEMA

Ychydig iawn o blant fyddai'n cael addysg ddau gan mlynedd yn ôl. Yr adeg honno, doedd pobl gyffredin Cymru, na phobl gyffredin gweddill Ewrop na'r byd, ddim yn medru darllen nac ysgrifennu. Yna daeth ysgolion cylchynol Griffith Jones i Gymru a rhoi cyfle i'r werin ddysgu darllen. Gwerin Cymru oedd y cynta i ddysgu darllen ac i Griffith Jones mae'r diolch.

GWRANDEWCH AR IESU (CLAP A CHÂN RHIF 70)

SALM 9 : 1 A 2, SALM 146 : 1 – 6, SALM 149 : 1 – 4

HANES GRIFFITH JONES, LLANDDOWROR

Roedd Griffith Jones yn awyddus iawn i bobl wybod am Iesu Grist, am y gwyrthiau wnaeth e ac am ei gariad a'i aberth ar y groes.

Y ffordd orau o wneud hynny oedd dysgu pobol i ddarllen. Roedd yn credu'n gryf y dylai'r werin Gymraeg ddysgu darllen y Beibl. Yn 1731 sefydlodd ei ysgol gynta i blant ac oedolion. Yn yr ysgol, roedden nhw'n dysgu darllen y Beibl a dysgu'r catecism. Byddai'r ysgol mewn ardal am dri mis cyn symud ymlaen i ardal arall ac agor ysgol newydd. Dyna pam maen nhw'n cael eu galw yn ysgolion cylchynol.

Roedd angen arian ar Griffith Jones. Syr John Philips, Castell Pictwn a Madam Bevan, Cwrt Derllys, ger Caerfyrddin roddodd yr arian i Griffith Jones i sefydlu llawer o'r ysgolion hyn. Roedd gan Madam Bevan ffrindiau cyfoethog dros y ffin mewn llefydd fel Caerfaddon / Bath a rhoddon nhw hefyd yn hael.

Roedd Griffith Jones yn nabod gwerin Cymru'n dda. Doedd dim pwrpas cynnal ysgol yn ystod misoedd yr haf gan fod cymaint yn brysur wrth eu gwaith ar y ffermydd. Felly ym misoedd y gaea roedden nhw'n cyfarfod mewn mannau cyfleus: ysguboriau, tai ffermydd, bythynnod ac eglwysi. Roedd rhai plant yn mynd i'r ysgol bob dydd, ac roedd llawer o oedolion yn ymuno â nhw. Roedd rhai'n dysgu'n gyflym. Unwaith y byddai'r athro'n sicr bod digon o ddisgyblion yn gallu darllen, byddai'n symud wedyn i blwyf newydd.

Dysgu darllen yr Ysgrythur a dysgu'r catecism ar eu cof, dyna holl waith yr ysgol. Bydden nhw hefyd yn cael prawf bob dydd. Prawf ar y Salmau a'u hadrodd nhw ar eu cof. Doedden nhw ddim yn dysgu sut i ysgrifennu na chael gwersi mathemateg. Pwrpas ysgolion Griffith Jones oedd dysgu darllen a deall yr Ysgrythur. Doedd dim angen dim byd arall i fynd i'r nefoedd.

Griffith Jones ei hunan oedd yn dewis yr athrawon ac fe fyddai'n eu hyfforddi yn yr Hen Goleg yn Llanddowror. £5 y flwyddyn y bydden nhw'n ei gael o gyflog ond hebddyn nhw fyddai'r cynllun ddim wedi llwyddo. Erbyn iddo farw yn Ebrill 1761 roedd wedi sefydlu 3,325 o ysgolion mewn 1,600 o wahanol ardaloedd yng Nghymru. Llwyddodd i ddysgu bron i chwarter miliwn o blant ac oedolion, sef dros hanner poblogaeth Cymru, i ddarllen Cymraeg.

Mae ein dyled heddiw yn fawr iawn i Griffith Jones, Llanddowror. Diogelodd yr iaith Gymraeg a gosododd sail gadarn i waith Hywel Harris, Daniel Rowlands a William Williams, Pantycelyn. Dyma'r dynion a drawsnewidiodd fywyd pobl Cymru a chreu'r Gymru fodern.

GWYBODAETH YCHWANEGOL

Ym Mhenboyr yn 1683, ar y ffin rhwng Caerfyrddin a Cheredigion y cafodd Griffith Jones ei eni. Bugail oedd e am gyfnod ond yna cafodd brofiad crefyddol ac aeth yn offeiriad. Roedd yn bregethwr pwerus a phoblogaidd iawn. Doedd e ddim, serch hynny, yn boblogaidd gyda'i gyd offeiriaid am ei fod e'n ymweld â'u plwyfi nhw a deffro teimladau crefyddol y bobol. Cwynodd llawer ohonyn nhw wrth yr esgob. Oni bai am gefnogaeth Syr John Philips, Castell Pictwn mwy na thebyg fyddai e ddim wedi cael ei ddewis yn offeiriad plwyf Llanddowror yn 1716, lle bu am bedwar deg pump o flynyddoedd.

DEWCH I DŶ FY NHAD (MWY O GLAP A CHÂN RHIF 88)

Ein Tad, diolchwn i ti am Griffith Jones, Llanddowror. Roedd e'n ddyn mawr iawn. Roedd e'n dy garu di ac am wneud yn siŵr bod pawb yn gwybod am dy ras ac am dy nerth ac am dy gariad. Diolch am ei frwdfrydedd, ei ynni a'i dyfalbarhad. Gwnaeth yn sicr bod plant a phobl mewn oed yn cael cyfle i ddysgu darllen Gair Duw.

Helpa ni, blant Cymru heddiw, i ddangos yr un brwdfrydedd dros Grist a thros ein hiaith a phob peth da yn y byd. Gofynnwn hyn yn enw Iesu Grist, Amen.

GWAITH TRAWSGWRICWLAIDD

- Darllenwch ragor am y cyfnod roedd Griffith Jones yn byw ynddo.
- Ysgrifennwch stori ddychmygol am un o'r ysgolion cylchynol.
- Holwch i weld a fu ysgol debyg yn eich ardal chi.
- Pryd cafodd eich ysgol chi ei hagor? Ysgrifennwch ei hanes hi.

THEMA

Ar Ebrill 11eg 1240 bu farw Llywelyn Fawr yn Abaty Aberconwy. Roedd yn un o arweinwyr pwysica Cymru ac yn ystod ei oes llwyddodd i uno'r Cymry. 'Gadwodd dangnefedd i wŷr crefydd, i'r anghenus rhoddodd fwyd a diod'.

ENWOGION CYMRU (MWY O GLAP A CHÂN RHIF 68)

ECCLESIASTICUS 33 : 10 – 12

HANES Y TYWYSOG LLYWELYN FAWR

Collodd Cymru un o'i thywysogion gorau pan fuodd Llywelyn Fawr farw yn 1240. Llywelyn ap Iorwerth oedd ei enw bedydd. Ei dad oedd Iorwerth Drwyndwn a'i fam Margaret merch Madog ap Maredudd. Yng Nghastell Dolbadarn y cafodd ei eni a buodd yn ymladd dros ei wlad yn fachgen ifanc. Fe drechodd ei ewythr Dafydd mewn brwydr yn 1197 ac yn 27 oed ef oedd y dyn mwya pwerus yn y Gogledd, ac ef oedd yn rheoli Gwynedd gyfan.

Cyn cyfnod Llywelyn Fawr, roedd Cymru wedi ei rhannu'n unedau bach ac er bod yr un cyfreithiau, arferion ac iaith dros y wlad, anaml roedd Cymru'n un o dan un Tywysog. Y rheswm penna am hyn oedd bod y Cymry, pan fyddai tywysog yn marw, yn rhannu'r eiddo'n gyfartal rhwng y plant i gyd. Roedd hyn yn creu llawer iawn o gweryla ac ymladd a hefyd yn creu llawer o deyrnasoedd bach yn hytrach nag un fawr.

Roedd Llywelyn yn ddoeth, yn ddeallus ac yn wleidydd craff. Roedd yn gwybod bod yn rhaid bod yn gyfeillgar gyda brenhinoedd cryf Lloegr, fel y Brenin John. Priododd ei ferch Siwan er mwyn ceisio cael heddwch rhwng Lloegr a Chymru. Roedd hyn hefyd yn ychwanegu at statws a grym Llywelyn yng Nghymru. Wedi iddo gael rheolaeth ar Bowys a Cheredigion, ef oedd tywysog mwya pwerus Cymru.

Yn anffodus, doedd e ddim yn gallu dibynnu ar y Brenin John. Ymosododd hwnnw ar diroedd Llywelyn yng Ngogledd Ddwyrain Cymru. Fe gododd y Cymry ac uno tu ôl i Llywelyn Fawr. Roedd pethau'n anodd ar y Brenin John yn Lloegr hefyd, achos cododd y barwniaid yn ei erbyn ac wedi arwyddo Y Magna Carta, bu rhyfel cartre yn Lloegr.

Cymerodd Llywelyn fantais ar hyn. Aeth i frwydr ar hyd y gororau ac yn y De, ac enillodd yn ôl y tiroedd a phob castell a gollodd i'r Saeson. Heb os, ef oedd arweinydd mwya pwerus Cymru. Yn 1216 galwodd gynhadledd o holl dywysogion

Cymru yn Aberdyfi a Llywelyn Fawr oedd eu Tywysog a'u harweinydd. Yn 1218 drwy Gytundeb Caerwrangon gwnaeth brenin Lloegr gydnabod Llywelyn Fawr yn Dywysog Cymru. Chafodd e ddim trafferth wedyn am weddill ei oes.

Roedd yn Dywysog ac yn arweinydd cryf. Gofalodd am y werin bobol, ac aeth ati i weld bod hen gyfraith Hywel Dda yn cael ei gweithredu'n ddoeth a theg. Bu'n hael ei nawdd i'r beirdd a'r mynachlogydd. Yn 1238 mewn seremoni yn Ystrad Fflur, cyhoeddodd Llywelyn mai ei fab Dafydd a fyddai'n dywysog wedi iddo farw. Tyngodd pawb a oedd yn bresennol lw o deyrngarwch i Ddafydd. Ddwy flynedd wedyn, bu farw Llywelyn Fawr ar Ebrill 11eg, 1240 yn abaty mynachod Sistersiaid Aberconwy. Do, fe gollodd Cymru un o'i thywysogion gorau. Tywysog mawr!

O Ddydd i Ddydd (Mwy o Glap a Chân Rhif 71)

O Dad, diolch i Ti am y rhai sydd wedi arwain ein cenedl dros yr oesoedd. Diolch am y rhai sydd wedi bod yn ddoeth ac yn deg. Mae pob un wedi bod yn driw i Ti ac i dy fab, Iesu Grist. Boed i arweinwyr heddiw ddilyn eu hesiampl. Rho iddyn nhw ddoethineb, dy ddoethineb di.

Rydyn ni hefyd yn gofyn i ti am dy ddoethineb. Rhaid i ni ddysgu bod yn deg ac yn gall a pheidio â bod yn styfnig a meddwl am neb arall ond amdanon ni ein hunain. Helpa ni ddilyn Crist a'i esiampl e. Amen.

Gwaith Trawsgwricwlaidd

- Mae hanes y drydedd ganrif ar ddeg yn ddiddorol. Darllenwch ragor am y ganrif hon ac am hanes Siwan. Mae nofelau am y cyfnod hwn gan Rhiannon Davies Jones a Marion Eames yn Gymraeg a gan Dorothy Pargetter a Sharon Penman yn Saesneg.
- Marciwch ar fap o Gymru'r llefydd y bu Llywelyn Fawr yn gysylltiedig â nhw.
- Mae hanes diddorol i Ystrad Fflur. Chwiliwch am beth o'r hanes.
- Sawl Llywelyn a fu'n dywysogion pwysig yng Nghymru? Darllenwch amdanyn nhw.

THEMA

Bob blwyddyn ym mis Ebrill, mae sylw yn cael ei roi i Iechyd y Byd. Heddiw mae doctoriaid yn cydweithio ar raddfa byd eang i geisio dod o hyd i gyffuriau a all wella pob math o afiechydon.

O, ARGLWYDD DIOLCHAF
(MWY O GLAP A CHÂN RHIF 14)

LUC 5 : 17 – 26

STORI BLWCH PANDORA

Ganrifoedd yn ôl allai pobl ddim deall sut roedd afiechydon yn cychwyn. Dyma hen stori o wlad Groeg yn esbonio sut y daeth trafferthion ac afiechydon i'n byd ni.

Amser maith yn ôl doedd ar y ddaear ddim unrhyw haint na phla. Roedd pob anifail a phob dyn a dynes yn hollol iach. Dyma'r byd braf roedd Pandora'n byw ynddo. Roedd Pandora yn mynd i briodi tywysog golygus. Cyn gadael ei gwlad ei hun, derbyniodd anrheg priodas sef blwch ifori hardd iawn â chlo aur arno. Yna cychwynnodd ar ei thaith i'r wlad lle'r oedd y tywysog yn byw ar gyfer y briodas.

Wrth groesi nant, cwympodd y blwch ifori i'r dŵr.

"Gadewch e ble mae e!" gwaeddodd ei gwas. "Ddaw dim byd ond trafferth i chi o'r blwch yna."

"Trafferth!" meddai rhyw lais o fewn y blwch.

"Beth oedd hwnna?" holodd Pandora'n ofnus.

"Adlais oedd e," atebodd y gwas. "Dim ond ail adrodd y gair olaf mae Adlais ac felly mae'n eich rhybuddio chi rhag gwneud dim â'r blwch."

Ar waetha'r rhybudd roedd Pandora yn benderfynol o gadw'r blwch a rhaid oedd i'r gwas ei godi o'r nant. Wedi cyrraedd llys y tywysog, gadawodd y gwas hi ond dim cyn ei hatgoffa i beidio ag agor y blwch.

Yn y palas roedd Pandora yn fwy chwilfrydig nag erioed i wybod beth oedd yn y blwch. Cydiodd ynddo a syllu ar y clo hardd, aur.

"Byddai un cip bach tu mewn ddim yn gwneud dim drwg," sibrydodd wrthi ei hunan. Yn araf dyma hi'n agor y clo ac yn hynod o ofalus cododd y clawr y mymryn lleia. Gynted ag y gadawodd Pandora ychydig olau dydd i mewn i'r blwch, hedfanodd haid o greaduriaid bach du allan drwy'r ochrau gan gnoi a phigo. Cafodd ei phigo ac yn syth bron roedd ganddi boen yn ei phen nad oedd hi erioed wedi'i gael o'r blaen.

Dechreuodd pobl ymhob man ddadlau a ffraeo yn agored yn y strydoedd ac roedd y plant yn ymladd gan dynnu gwallt ei gilydd. Daeth yr holl ddrygioni sydd yn y byd allan o flwch Pandora. Er iddi geisio'i gorau, ni allai eu rhwystro. 'Trafferthion' oedd rhain a nhw ddaeth â salwch, poen, gofid ac anhapusrwydd i bawb.

"Merch ffôl! Pam oeddet ti mor hurt ag agor y blwch?" holai pawb yn gas. Ond roedd yn rhy hwyr. Llwyddodd Pandora ymhen amser i gau'r clawr ac yna clywodd lais yn galw:

"Gad fi allan! Gobaith ydw i. Rwy'n dod â chysur i bawb."

Wrandawodd Pandora ddim ar y llais. Ond yn hytrach ail agorodd y blwch a hedfanodd aderyn bach disglair allan. Wrth hedfan o gwmpas pen Pandora canodd, "Gobaith ydw i. Fel y sleifiais i o'r blwch, mi sleifiaf i galonnau pobl ymhob man. Fe ddo i â gobaith i'w bywydau."

Gyda hynny hedfanodd Gobaith i ddadwneud yr holl ddrygioni roedd Trafferth wedi ei gychwyn. Heddiw daw gwledydd at ei gilydd i ymladd salwch a heintiau ar lefel byd eang. Hynny sy'n dod â Gobaith go iawn i bobl y byd.

CANU AM DANGNEFEDD (CLAP A CHÂN RHIF 56)

Gweddïwn, ein Tad, am heddwch yn ein byd. Rydyn ni'n gwybod mai pobl gyffredin a phlant sy'n diodde pan ddaw rhyfel. Mae dy galon fawr di'n gwaedu wrth weld yr holl angen a'r trueni. Anfonaist di dy Fab, Tywysog Tangnefedd, i'r byd i geisio ein dysgu ni mai heddwch a dod at ein gilydd yw'r unig ffordd. Maddau i ni. Rydyn ni'n dal i feddwl mai trwy'r fwled a'r bom mae'r ateb. Helpa'r rhai hynny mewn awdurdod i ddeall bod gobaith a chariad yn llawer gwell arf na gwn a bwled.

Gweddïwn heddiw ar i wledydd y byd ddod at ei gilydd i ymladd, nid yn erbyn ei gilydd, ond gyda'i gilydd i wella cyflwr yr anghenus a'r cleifion drwy'r byd i gyd. Gofynnwn hyn yn enw Iesu Grist. Amen.

GWAITH TRAWSGWRICWLAIDD

- Chwiliwch wybodaeth am Sefydliad Iechyd y Byd.
- Darluniwch stori Pandora mewn unrhyw gyfrwng.
- Lluniwch boster yn dangos y da yn trechu'r drwg.
- Siaradwch am bob math o salwch. Beth yw'r afiechydon sydd wedi cael eu concro? P'un yw'r haint waethaf yn ein byd heddiw?

MIS EBRILL – RHIF 7
HAWLIAU I BAWB – ABRAHAM LINCOLN

THEMA

Rhywbeth diweddar yw rhoi hawliau i bobl gyffredin. Roedd y bobl ddu yn yr Unol Daleithiau yn gweithio fel caethweision ar dir eu meistr heb unrhyw hawliau o gwbl. Cyn rhoi hawliau i'r bobl hyn, aeth y De a'r Gogledd i ryfel.

 GYDA IESU GRIST (CLAP A CHÂN RHIF 66)

 MATHEW 21 : 33 – 40

HANES RHYDDHAU POBL DDUON YR UNOL DALEITHIAU

Roedd Abraham Lincoln yn bedair ar bymtheg oed pan aeth i New Orleans. Yno gwelodd ddynion du yn gweithio i'r dynion gwyn, yn cael eu prynu a'u gwerthu fel pe baen nhw'n anifeiliaid, heb unrhyw hawl yn y byd. Roedd hi'n amhosibl i Abraham Lincoln anghofio beth welodd e yn New Orleans, felly gweithiodd dros roi hawliau i'r dyn du am weddill ei oes.

Roedd ganddo bersonoliaeth arbennig, roedd yn siaradwr dewr a hawdd gwrando arno. Eto, mewn caban pren y cafodd ei eni, yn Kentucky yn 1809, yn fab i saer a ffermwr cyffredin. Roedd y teulu yn aelodau mewn Capel y Bedyddwyr oedd yn dadlau yn erbyn caethwasiaeth. Chafodd e ddim llawer o addysg. Aeth i weithio mewn siop, yna mewn swyddfa bost a hefyd bu'n mesur tir. Roedd pawb yn ei nabod fel *Honest Abe* am ei fod mor barod i wneud cymwynas. Pan etholwyd e i gynrychioli ei dalaith, dechreuodd astudio'r gyfraith yn ei amser hamdden a phasiodd yn gyfreithiwr yn 1836.

Cafodd ei ethol yn 1846 i Dŷ'r Cynrychiolwyr, Tŷ Is Senedd yr Unol Daleithiau. Daeth yn enwog am ei ddadleuon ffyrnig yn erbyn caethwasiaeth. Yn 1860 cafodd ei ethol yn Arlywydd yr Unol Daleithiau ar adeg anodd iawn. Doedd Taleithiau'r De ddim yn barod i adael eu caethweision yn rhydd. Aeth hi'n rhyfel rhwng y Gogledd a'r De, rhyfel gwaedlyd, trist iawn i'r ddwy ochr.

Ar ôl i'r De golli'r rhyfel, cyhoeddodd Lincoln ei fod yn barod i roi'r bleidlais i'r dyn du. Gwylltiodd llawer o bobl, ond neb yn fwy nag actor o'r enw John Wilkes Booth. Roedd yn fileinig yn erbyn syniadau Lincoln. Mewn theatr yn Washington, yn ystod perfformiad, cerddodd John Wilkes Booth at y man lle'r oedd Abraham Lincoln yn eistedd a'i saethu.

Caiff Abraham Lincoln ei gofio am iddo sefyll dros hawliau pobl dduon ei wlad ac am ei ddadleuon yn erbyn caethwasiaeth.

Dewch i Garu Iesu Grist
(Mwy o Glap a Chân Rhif 86)

Ein Tad, rydyn ni'n gwybod bod pawb yr un peth yn dy olwg di. Diolch i Ti am ein derbyn fel ag yr ydyn ni. Helpa ni i beidio teimlo ein bod ni'n well nac yn bwysicach nag eraill. Rydyn ni i gyd yn sbesial i Ti. Diolch i Ti am ein caru ni bob un.

Rydyn ni'n gwybod y dylai pawb gael yr un hawliau a'r un cyfle. Eto, rydyn ni'n gwybod bod bywyd rhai yn y trydydd byd yn gwbl annheg. Maen nhw'n gweithio ac yn ennill cyflog bach, bach er mwyn i ni allu prynu llawer o bethau yn rhad. Maddau i ni a helpa ni i gael gwared ar yr annhegwch hwn. Rydyn ni i gyd yn blant i Ti. Dysg ni barchu eraill a derbyn y gwahaniaethau sydd rhyngon ni. Er mwyn dy fab Iesu Grist. Amen.

Gwaith Trawsgwricwlaidd

- Sawl Arlywydd gafodd ei lofruddio wrth ymladd dros hawliau dynol?
- Bu Martin Luther King yn brwydro dros hawliau'r dyn du. Chwiliwch am ei hanes.
- Darllenwch am hanes Nelson Mandella.
- Mae yna annhegwch yng Nghymru heddiw. Trafodwch.

THEMA

Mae pawb yn nabod y bobl hynny nad ydyn nhw byth yn fodlon, byth yn hapus.

Mi hoffwn i gael y …
Mi hoffwn i fynd i …
Mi hoffwn i fod yn …

OS WYT TI'N HAPUS (CLAP A CHÂN RHIF 58)

GALATIAID 6 : 3 – 5

STORI O YNYSOEDD MÔR Y DE

Roedd dau frenin yn byw ar ynysoedd De'r Môr Tawel. Roedd y Brenin Tangalog yn frenin cyfrwys, bob amser yn ceisio gwneud ei orau er lles ei bobl ac er ei les ef ei hunan. Munanui oedd enw'r brenin arall. Un ffôl oedd e, yn eiddigeddus o bawb, yn credu bod gan bawb fwy a gwell pethau nag oedd ganddo fe.

Aeth y Brenin Munanui ar daith i ynys y Brenin Tangalog. Y peth cynta y sylwodd arno oedd y llen mawr oedd yn hongian tu allan i balas y Brenin Tangalog.

"Mae'r llen yna yn fendigedig. Does gen i ddim un tebyg iddo. Fedra i ei gael e?" holodd y Brenin Munanui braidd yn ddigywilydd. Gwenodd Tangalog ac esbonio na allai roi'r llen iddo am ei fod mor hardd. Y gwirionedd oedd bod y llen yn cadw'r mosgitos rhag dod i mewn i'r palas a brathu pawb.

Aeth y ddau frenin i mewn i'r palas ac fel sy'n digwydd ar ynysoedd y De tywyllodd yr awyr yn gyflym. Wrth iddi dywyllu dechreuodd y mosgitos swnian yr ochr draw i'r llen. Gan nad oedd mosgitos ar ynys y Brenin Munanui doedd e ddim yn gwybod beth oedd y sŵn a gofynnodd i Tangalog beth oedd e.

"A ha!" meddai Tangalog," fy ffrindiau i sydd yno. Maen nhw'n dod i ganu bob nos er mwyn rhoi help i mi gysgu."

"Wel dyna wych," meddai Munanui. "Does gen i ddim byd fel yna."

"Cofia, maen nhw'n hynod o swil a fyddan nhw ddim am gael eu gweld. Dyna pam ryn ni'n cadw'r llen rhyngon ni."

Credodd y Brenin Munanui hyn ac roedd yn hynod o eiddigeddus.

"Edrych, fy ffrind," meddai. "Mi hoffwn i gael dy ffrindiau di i ddod i ganu i fi. Gad i fi eu prynu nhw."

Doedd Tangalog ddim yn gallu credu ei glustiau. Roedd y dyn gwirion yma eisiau prynu mosgitos a oedd yn boen iddo ef a'i bobl. Ond roedd Tangalog yn gyfrwys ac roedd gan Munanui rywbeth y byddai e yn hoffi ei gael.

"Dim gobaith, fy ffrind. Allwn i ddim meddwl eu gwerthu nhw."

"Nawr, gwranda," meddai Munanui. "Mi rodda i unrhyw beth i ti er mwyn i fi gael y creaduriaid yna i'm suo i gysgu."

Rhwbiodd Tangalog ei ên yn feddylgar, "Fe gei di nhw os ca i dy bysgod cregyn di."

"Bargen," gwaeddodd Munanui. "Tyrd di â'r creaduriaid yna sy'n canu i fi ac fe gei di 'mhysgod cregyn i."

Roedd pawb yn gwybod mai pysgod cregyn ynys y Brenin Munanui oedd y rhai mwya blasus yn y byd i gyd. Daliodd Tangalog holl fosgitos ei ynys a'u rhoi mewn cawell diogel tra bu Munanui yntau'n casglu'r holl bysgod cregyn.

Ar ôl llwytho'r pysgod cregyn ar ei long, fe drodd Tangalog am adre ar unwaith. Wedi iddo fynd dros y gorwel, fe agorodd Munanui'r cawell. Hedfanodd y mosgitos i bobman gan gnoi pawb a oedd o fewn eu cyrraedd. Cwynodd y trigolion unwaith eto am eu brenin gwirion. Ond roedd trigolion Tangalog yn mwynhau'r pysgod cregyn ac yn hapus bod y mosgitos wedi diflannu oddi ar eu hynys.

"Ffôl yw'r dyn sydd eisiau pob peth," meddai gwraig y Brenin Tangalog wrtho'r noson honno.

Moli Brenin Nef (Mwy o Glap a Chân Rhif 72)

Helpa ni, o Dduw i beidio â bod yn eiddigeddus o'r hyn sydd gan bobl eraill. Helpa ni i weld beth sydd gynnon ni a mwynhau'r pethau hyn. Maddau i ni am gwyno. Maddau i ni am ddweud mor aml, 'Does gen i ddim byd i wneud. Dw i'n bored.'

Rwyt ti wedi creu cymaint o amrywiaeth, cymaint o'n cwmpas i ni weld, profi a darganfod. Gwna ni'n bobl sy'n mwyhau dy fyd di; pobl sy'n hoffi dewis gwneud yn hytrach na chwyno a disgwyl i bobl eraill wneud droston ni. Yn enw Iesu Grist y gofynnwn hyn. Amen.

Gwaith Trawsgwricwlaidd

- Actiwch y stori gan greu eich deialog eich hunan.
- Gwnewch strip gartŵn o'r stori.
- Chwiliwch am hanes Ynysoedd y Môr Tawel.
- Ydyn ni'n byw mewn byd lle mae pawb eisiau popeth? Trafodwch.

THEMA

Mae'n siwr eich bod wedi dweud,

> "Trueni na fyddwn i wedi gwneud..."
> "Trueni na fyddwn i wedi dweud..."
> "Ond mae'n rhy hwyr nawr!"

 YCHYDIG HEDD (CLAP A CHÂN RHIF 34)

 LUC 15 : 11 – 32

PEIDIWCH Â'I GADAEL HI'N RHY HWYR

Mae hi'n ddiwedd Ebrill ac mae hi'n arllwys y glaw a gwynt rhewllyd yn chwythu. Dewch gyda fi ar ddiwrnod marchnad diflas i Lichfield. Ychydig iawn o gwsmeriaid sydd yma ar y fath dywydd ac mae'r stondinwyr yn swatio y tu ôl i'w cownteri.

Ond, maen nhw'n gweld dyn yn sefyll yn yr union fan lle'r oedd stondin lyfrau Bill Johnson yn arfer bod. Roedd yr hen Bill wedi marw ers sawl blwyddyn. Dyw'r dyn ddim yn chwilio am gysgod rhag y gwynt a'r glaw. Yn wir, mae'n wlyb at y croen ac yn sefyll ynghanol pwll o ddŵr. Pwy yw'r dyn dieithr? Pam mae e'n sefyll yn y glaw?

Dywedodd un o'r hen stondinwyr,

"Dw i'n gwybod pwy yw hwnna. Rwy'n siŵr mai mab yr hen Bill Johnson yw e. Ond beth mae e'n wneud yma ar y fath ddiwrnod? Ddaeth e ddim yn agos pan oedd ei dad byw." Yna, cerddodd yr hen stondinwr draw at y dyn dieithr gyda'r stondinwyr eraill yn ei ddilyn fel defaid.

"Samuel...ie?"

"Ie." Samuel Johnson ei hun sy'n ateb, mab y stondinwr tlawd, Bill Johnson. Ond mae Samuel, y mab, yn ddyn enwog erbyn hyn, yn awdurdod ar waith Shakespeare ac yn enwog hefyd am iddo ysgrifennu Geiriadur yr iaith Saesneg.

"Rwy'n siŵr eich bod chi i gyd yn methu deall beth ydw i'n wneud yma, heddiw. Flynyddoedd yn ôl, pan oedd nhad yn sâl ac yn methu edrych ar ôl y stondin am ychydig o ddiwrnodau, fe ofynnodd i fi ei helpu. Doeddwn i ddim yn gweithio ar y pryd ac fe allwn yn hawdd fod wedi ei helpu. Ond rown i'n rhy bwysig o lawer! Rown i wedi bod yn Rhydychen, ac yn cymysgu gyda'r bobl bwysig. Sut gallwn i edrych ar ôl stondin mewn marchnad? Nawr mae 'nhad wedi marw, alla i ddim dweud wrtho pa mor ddrwg ydw i'n teimlo. Y peth gorau galla i wneud yw sefyll yma yn y glaw. Gobeithio rywfodd ei fod e'n gwybod 'mod i'n flin am i mi wrthod ei helpu pan gallwn i fod wedi gwneud."

Edrychodd y stondinwyr ar ei gilydd heb ddweud gair. Awgrymodd un ohonyn nhw, "Mae croeso i chi ddod i gysgodi hefo ni."

GWYBODAETH YCHWANEGOL

Dr Samuel Johnson 1709 – Cafodd ei eni yn Lichfield. Daeth i Gymru gydag un o deulu enwog y Salisbury's o Ddyffryn Clwyd. Gallwch ddarllen hanes ei daith gyda Mrs Hester Thrale, ei gŵr, a'u merch Quennie yn y dyddiadur ysgrifennodd Hester. Yn Nhremeirchion mae bedd Hester Thrale ac ar y gofeb yn yr eglwys mae cyfeiriad at ei thaith gyda Dr Samuel Johnson.

DIOLCH IÔR PENILLION 2, 3, 4
(MWY O GLAP A CHÂN RHIF 1)

Ein Tad, gofynnwn i ti faddau i ni. Yn rhy aml rydyn ni'n meddwl amdanon ni ein hunain. Dyw teimladau eraill ddim yn bwysig. A dywedodd Iesu wrthon ni, 'Câr dy gymydog fel ti dy hun.' Nid peidio â'n caru ni ein hunan yw'r broblem ond caru eraill fel rydyn ni'n caru ein hunain.

Helpa ni i weld hyn. Mae angen dy Ysbryd di y tu fewn i ni i allu gwneud hyn.

'Tyrd Ysbryd Sanctaidd ledia'r ffordd,
    Bydd i mi'n niwl a thân,
    Ni cherdda i'n gywir hanner cam
    Oni byddi di o'm blân.'

Yn enw Iesu y gofynnwn y cyfan. Amen

GWAITH TRAWSGWRICWLAIDD

- Rydych chi siŵr o fod wedi clywed stori debyg i hon. 'Trueni na… Ysgrifennwch y stori.
- Beth yw eich barn am yr hyn a wnaeth Samuel Johnson? Trafodwch.
- Tynnwch lun o unrhyw olygfa yn y stori.
- Un o'r deg gorchymyn yw, 'Anrhydedda dy dad a'th fam.' Ydy hyn yn wir heddiw? Trafodwch.

THEMA

Ar Ebrill 30ain, 1789 dechreuodd George Washington ar ei swydd fel Arlywydd cynta Unol Daleithiau America. Fe yw 'tad y genedl'. Cawn weld beth a wnaeth George Washington yn ŵr mor arbennig.

MOLWCH DUW (MWY O GLAP A CHÂN RHIF 77)

RHUFEINIAID 12 : 2 – 17

HANES BYWYD GEORGE WASHINGTON

Ar fferm yn Virginia yn 1731 y cafodd George Washington ei eni. Roedd ei deulu yn wreiddiol o Loegr cyn symud i Virginia. Prynodd y teulu dir a daethon nhw'n gyfoethog. Ychydig iawn o addysg ffurfiol gafodd George Washington. Ond cafodd addysg ymarferol wrth weithio ar ffermydd ei dad, cymysgu gyda'r gweithwyr a dod i nabod pob modfedd o'r wlad. Dyna oedd ei baratoad ar gyfer bywyd.

Yn un ar hugain mlwydd oed, etifeddodd stad enfawr Mount Veron. Yno roedd y plasty a ddaeth yn gartre i'w deulu. Yr adeg yma roedd byddinoedd Prydain a Ffrainc yn brwydro yn erbyn ei gilydd. Y wobr oedd ennill cymaint â phosibl o diroedd ar gyfandir America. Ymunodd George Washington â byddin Prydain. Buodd yn brwydro llawer yn erbyn y Ffrancod a dangosodd fod ganddo'r gallu i arwain dynion.

O dipyn i beth, gwelodd nad oedd yn gallu parhau fel milwr ym myddin Lloegr. Doedd e ddim yn cytuno gyda'r ffordd roedd y fyddin yn gweithredu. Felly, trodd George Washington ei gefn ar Brydain ac aeth yn ôl i Mount Veron i ffermio. Ond daeth tro ar fyd. Roedd dynion y wlad newydd yma wedi deall erbyn hyn nad oedden nhw am gael eu rheoli o Lundain. Nhw oedd piau tiroedd newydd America ac nid y Brenin yn Lloegr.

Yn 1775, gwnaeth George Washington rywbeth hollol chwyldroadol. Arweiniodd byddin Taleithiau America yn erbyn Prydain. Roedd rhai yn credu bod ffawd yn gofalu amdano achos cafodd y ceffylau roedd yn eu marchogaeth eu saethu ddwywaith. Aeth pedwar bwled trwy ei got. Daeth George Washington i gredu ei fod wedi cael ei achub i arwain ei wlad, ac wrth gwrs felly bu. Parhaodd yr ymladd am wyth mlynedd ac yn y diwedd, arwyddodd Lloegr gytundeb heddwch gyda George Washington wrth y llyw.

Roedd yr Americanwyr yn credu mai George Washington ddylai fod yn Arlywydd cynta America. Ar Ebrill 30ain 1789, cafodd ei urddo yn Arlywydd a bu'n

Arlywydd am ddeng mlynedd. Dan ei arweiniad datblygodd yr Unol Daleithiau yn wlad newydd. Enillodd galonnau'r Americanwyr gan ei fod yn arweinydd dewr, doeth ac yn bwysicach na dim yn ddyn gonest. Dyna pam bod George Washington yn cael ei ystyried fel un o arweinyddion mwya a fu erioed, ac yn 'dad y genedl'. Ymddeolodd fel Arlywydd a dychwelyd i Mount Veron yn 1796. Bu farw ddiwedd 1779.

DUW MAWR POB GOBAITH
(MWY O GLAP A CHÂN RHIF 70)

Ein Tad, diolch am gael clywed hanes arweinydd cywir a gonest. Helpa pob arweinydd i fod yn onest ac i arwain er lles pobl, er lles pawb. Rho ynon ni'r dymuniad bob amser i ddweud y gwir a sefyll dros y gwir hyd yn oed pan mae hynny'n anodd.

Bydd gyda phawb sydd yn sefyll dros y gwir. Yn enwedig dros y rhai sydd mewn carchar oherwydd eu cydwybod. Rydyn ni'n gwybod bod cymaint o bobl, dynion a merched, yn cael eu trin yn greulon. Dim ond am eu bod yn sefyll dros y gwir ac am eu bod wedi siarad yn onest. Mae dy angen di arnyn nhw bob awr o'r dydd. Yn enw Iesu y gofynnwn hyn. Amen.

GWAITH TRAWSGWRICWLAIDD

- Edrychwch am hanes arlywyddion enwog eraill yr Unol Daleithiau America.
- Ymfudodd llawer o Gymru i'r Unol Daleithiau yn y ddeunawfed a'r bedwaredd ganrif ar bymtheg. Chwiliwch am yr hanes. Beth am edrych yn y gyfrol *Llwch Cenhedloedd* gan Jerry Hunter?
- Byddai George Washington yn rhoi pwyslais mawr ar gadw rheolau. Ydych chi'n dda am gadw at y rheolau? Pa mor bwysig yw rheolau? Trafodwch.
- Chwiliwch am Virginia ar fap o'r Unol Daleithiau. Pam rhoi enw Virginia ar y dalaith?

Llong Y Mimosa

THEMA

Am ganrifoedd cafodd Calan Mai ei ddathlu fel un o wyliau hapusa'r flwyddyn. Ar y diwrnod hwn roedd pawb yn croesawu'r haf â'r lliwiau a'r dawnsio'n rhan bwysig o'r diwrnod.

O DIOLCH DDUW I TI (CLAP A CHÂN RHIF 2)

CANIAD SOLOMON 2 : 10 – 13
SALM 147 : 7 – 11

TRADDODIADAU CALAN MAI

Roedd cynnau coelcerthi yn rhan bwysig o ddathlu Calan Mai a dim ond ar ganol y bedwaredd ganrif ar bymtheg y diflannodd yr arferiad hwn yn Ne Cymru. Rhaid oedd dilyn y ddefod yn ofalus wrth baratoi'r goelcerth.

Byddai naw dyn yn tynnu popeth o'u pocedi. Roedd hi'n bwysig iddyn nhw gael gwared ar bob darn o arian fel nad oedd unrhyw fetel yn y pocedi. Yna byddai'r dynion hyn yn mynd i'r goedwig agosa. Y dasg nawr oedd casglu brigau oddi ar naw coeden wahanol a'u cario yn ôl at y goelcerth. Y cam nesa oedd torri cylch o gwmpas y goelcerth a gosod y brigau ar draws ei gilydd o fewn y cylch.

Erbyn hyn, byddai pobl yr ardal wedi dod i wylio'r seremoni hon. Wedi gosod y brigau, byddai un o'r naw yn cydio mewn dau ddarn o bren derw a'u rhwbio wrth ei gilydd nes bod fflam yn cynnau. Weithiau byddech yn gweld dwy goelcerth yn cael eu cynnau wrth ochr ei gilydd.

Byddai'r gwragedd wedi gwneud dau fath o deisennau ceirch, rhai cyffredin a rhai lliw brown. Y ddefod nawr oedd torri'r teisennau hyn a'u rhoi mewn cwdyn. Byddai pawb yn gorfod dewis darn allan o'r cwdyn. Pe baech chi'n dewis darn brown, byddai'n rhaid i chi neidio deirgwaith dros y tân neu redeg deirgwaith rhwng y ddau dân. O wneud hyn, roedd pobl yn credu y bydden nhw'n sicr o gael cynhaea da. Gallwch ddychmygu'r hwyl wrth weld pobol yn neidio a rhedeg dros y tân fel hyn. Pe baech chi'n lwcus ac yn dewis teisen geirch, byddech chi'n gorfod dawnsio a chanu.

Arferiad arall ar noson Calan Mai oedd mynd i gasglu brigau'r ddraenen wen â blodau arnyn nhw er mwyn addurno tu allan i'r tai. Roedd hi'n anlwcus dod â blodau'r ddraenen wen i mewn i'r tŷ. Mewn ardaloedd eraill bydden nhw'n casglu briallu Mair, neu frigau'r fedwen neu'r griafolen. Roedd y rhain yn arwydd o dyfiant newydd y gwanwyn a ffrwythlonder y ddaear.

Rhan bwysig arall o'r dathlu oedd dawnsio o gwmpas y Fedwen Fai. Coed y fedwen oedd y polyn Mai yn y De bob amser a byddai'r fedwen wedi ei pheintio mewn gwahanol liwiau llachar. Gwaith arweinydd y dawnswyr oedd gosod ei rubanau o gwmpas y fedwen a byddai'r dawnswyr eraill yn dilyn nes bo'r fedwen yn llawn rhubanau. Yna byddai pawb yn dawnsio o gwmpas y Fedwen Fai.

Roedd yr arferiad ychydig yn wahanol yn y Gogledd. Yno byddai ugain o ddynion yn dawnsio ac yn chwarae offerynnau a phawb ond dau wedi eu gwisgo mewn gwyn ac wedi eu haddurno gyda rhubanau. Byddai un o'r ddau arall yn chwarae rhan y Ffŵl a'r llall y Cadi. Cot dyn a phais merch oedd gwisg y Cadi a byddai un ohonyn nhw'n cario'r gangen haf â llwyau arian arni ac unrhyw beth gloyw y medren nhw eu benthyca gan bobl yr ardal. Dau berson oedd rhain yn edrych yn ôl dros yr hen dymor ac ymlaen at y tymor newydd. Wrth i'r grŵp fynd o gwmpas yr ardal, byddai'r Ffŵl a'r Cadi yn gofyn am gyfraniad ariannol. Byddai pawb yn yfed medd neu win cartre yn ystod y dathlu a byddai pawb mewn hwyliau da.

DIOLCH IESU (CLAP A CHÂN RHIF 9)

Diolchwn i Ti, O Dad, bod yr amser hapus yma o'r flwyddyn yn amser hapus. Rwyt Ti wedi paratoi ar ein cyfer ac yn gwybod gymaint rydyn ni'n mwynhau gweld y gwanwyn yn cyrraedd wedi'r gaeaf. Clywed yr adar yn canu wrth i ni godi yn y bore, gweld blagur ar y coed a chymaint o flodau lliwgar o'n cwmpas.

Helpa ni weld yr harddwch yma. Dydyn ni ddim yn agor ein llygaid ddigon. 'Duw cariad yw.' Mae dy gariad o'n cwmpas bob amser a gallwn ddibynnu arno beth bynnag ddaw. Diolch i Ti am anfon Iesu Grist i'n byd yn brawf o'th gariad mawr. Amen.

GWAITH TRAWSGWRICWLAIDD

- Holwch am arferion Calan Mai yn eich ardal chi.
- Tynnwch lun o bob coeden a phob planhigyn sy'n cael eu henwi yn y stori.
- Mae llawer o garolau Calan Mai ar gael. Cofnodwch rai ohonyn nhw.
- Beth am wneud Bedwen Fai yn y maes chwarae?
- Ysgrifennwch am eich hoff flodyn neu eich hoff dymor.

MIS MAI – RHIF 2
GWYLEIDD-DRA –
GŴR I FERCH Y TWRCH DAEAR

THEMA

Dangosodd Iesu Grist i ni sut i fod yn wylaidd. Doedd dim cywilydd ganddo olchi traed ei ddisgyblion. Ydyn ni'n barod i fod yn wylaidd, gadael i eraill fynd i'r tu blaen, helpu eraill, bod yn barod i wneud pethau annifyr ar adegau?

ESTYN DY LAW FY FFRIND
(MWY O GLAP A CHÂN RHIF 47)

IOAN 13 : 3 – 17

STORI

Bydd tyrchod daear yn cael eu geni ym mis Mai ac fe anwyd un ferch fach i'r tyrchod daear oedd yn byw yng nghysgod yr hen dderwen fawr. Bu dathlu mawr ac roedd yn rhaid dweud wrth bawb nad oedd neb tebyg i'w merch fach nhw.

Aeth y blynyddoedd heibio a thyfodd hi'n bert iawn ac roedd y tad a'r fam yn sicr nad oedd eu merch nhw yn mynd i briodi rhyw dwrch cyffredin. Na, roedd rhaid iddi hi briodi rhywun arbennig a phwysig. Roedd pawb yn cytuno mai'r Awyr Las oedd y peth mwya godidog mewn bod. Felly un bore dyma'r tad yn cychwyn allan i chwilio am yr Awyr Las a gofyn iddo briodi eu merch. Er mawr syndod, atebodd yr Awyr Las yn syth nad fe oedd y peth mwya gogoneddus mewn bod gan ei fod e'n dibynnu'n llwyr ar yr Haul am y lliw glas.

Felly, aeth y twrch daear i weld yr Haul. Heb wastraffu dim amser, aeth y tad i chwilio am yr Haul er mwyn gofyn iddo briodi ei ferch. Allai'r twrch ddim credu'r peth. Roedd yr Haul yn bendant nad fe oedd y peth mwya pwysig a godidog yn y byd. Esboniodd fod y cwmwl yn gallu ei guddio'n llwyr a'i gadw rhag gallu tywynnu'n braf drwy'r dydd, bob dydd. Heb os, yn ôl yr Haul, byddai'n rhaid i'r twrch fynd i gael sgwrs â'r cwmwl. Pwy oedd y tad i ddadlau â'r haul!

Felly, aeth yn ei flaen. Roedd y Cwmwl yn hwylio heibio ar y pryd ac o'r Cwmwl, disgynnodd y glaw fel pistyll am ben Mr Twrch Daear. Serch hynny fe ddywedodd ei neges. Ni chafodd fawr o ateb ond fe ddeallodd nad y Cwmwl oedd y peth mwya pwerus gan fod y Gwynt yn feistr arno fe ac yn gallu ei chwythu i bellteroedd byd.

Daeth y Gwynt gan chwythu popeth o'i flaen. Dyma, o'r diwedd, ŵr teilwng i'w ferch. Ond na! Fe fyddai'r Gwynt wedi hoffi meddwl mai fe oedd y peth gorau yn y byd ond roedd Craig Fawr ddim yn bell o gartre Mr Twrch na allai ei symud o gwbwl. Ac roedd y Gwynt yn sicr mai'r Graig honno oedd y peth gwycha yn y byd.

Fu dim rhaid i'r Twrch fynd ymhell i weld y Graig. Canmolodd y Graig ei hunan yn fawr a theimlai'r twrch mai hwn yn siŵr oedd y gŵr perffaith i'w ferch. Er bod yr Haul yn llosgi'r Graig, y glaw yn ei golchi a'r gwynt yn hyrddio'i holl nerth ati, doedden nhw'n cael dim effaith arni. Ond wedyn cafodd siom! Esboniodd y Graig fod yna deulu o dyrchod daear yn byw yn y ddaear oddi tano ac yn mynnu tyllu a gwneud twneli. Cyn hir fe fyddai hi, y Graig, yn siŵr o droi ar ei hochr a rholio i mewn i dyllau'r tyrchod daear. Felly gwell fyddai i'r Twrch fynd i holi'r twrch daear o dan y Graig gan mai fe oedd y peth gwycha y gwyddai'r Graig amdano.

Daeth y Twrch Daear o hyd i ŵr delfrydol i'w ferch yn ymyl ei gartre wedi'r cwbwl!

BYD SY'N LLAWN O HEDD
(MWY O GLAP A CHÂN RHIF 48)

Dysg ni, Iesu Grist, i beidio â bod yn hunan bwysig. Rydyn ni'n gallu gwneud y pethau bach di-nod a chael pleser wrth eu gwneud. Does dim rhaid dweud amdanyn nhw fel pe baen ni wedi gwneud rhywbeth pwysig. Rwyt Ti'n gwybod am bopeth rydyn ni'n ei wneud ac mae popeth yn bwysig yn dy olwg di. Helpa ni i ddweud popeth wrthot ti a gofyn i Ti fendithio'r cyfan.

Pan ydyn ni'n bobl ddefnyddiol, yn bobl garedig, rydyn ni'n gwybod ein bod yn blant i Ti a tithau'n ein bendithio ni. Er mwyn Iesu a ddaeth i'n byd i helpu eraill, i wella pobl ac i fod gyda phobl oedd mewn angen y gofynnwn y cyfan. Amen

GWAITH TRAWSGWRICWLAIDD

- Ail ysgrifennwch y stori ar ffurf strip comig.
- Ydy pêl-droedwyr yn gosod esiampl mewn gwyleidd-dra? Trafodwch.
- Chwiliwch am wybodaeth ynglŷn â'r twrch daear.
- Mae llawer o gerddi wedi eu hysgrifennu am fis Mai. Chwiliwch am rai ohonyn nhw.

THEMA

Mae hau sibrydion neu storïau sy ddim yn wir yn beth peryglus iawn. Gall wneud drwg a brifo'r rhai sy'n cael eu trafod. Yn sicr, yn y pen draw, fe ddaw rhywun i wybod pwy ddechreuodd y stori ac fe fydd helynt yn digwydd.

TYRD AM DRO (MWY O GLAP A CHÂN RHIF 80)

ECCLESIASTICUS 28 : 13 A 14

STORI AM EFA, YR HWYADEN

Roedd hi'n fore braf ym mis Mai ac roedd Shemi'r gaseg yn cael ei harwain i'r dre i gael ei phedoli. Roedd hyn bob amser yn digwydd ar ddechrau'r haf. Wedi cael ei phedoli ac wedi cyrraedd gartre yn ddiogel, fyddai dim byd anarferol wedi digwydd oni bai am Efa'r hwyaden. Roedd Efa bob amser yn hongian o gwmpas drws cefn y ffermdy. Roedd hi'n gwrando ar y sgwrs, ond doedd hi byth yn cael y stori yn iawn. Roedd ei ffrindiau'n dweud bod ganddi ddwy geg a dim ond un glust.

Y bore yr aeth Shemi i gael ei phedoli yn yr efail, aeth Efa o gwmpas y buarth gyda'i "Cwac, cwac," wyllt yn dweud wrth bawb,

"Mae Shemi'n mynd i gael ei saethu! Maen nhw'n mynd i ladd caseg ddiniwed. Mae Shemi'n gariad. Mae hi'n arwres. Mae'n mynd i farw i'n hachub ni i gyd!"

"Hi oedd y gaseg orau yn y byd," meddai hen iâr sentimental â'i dagrau'n powlio.

"I fi, hen Shemi oedd hi," meddai'r fuwch yn realistig. "Peidiwch â bod yn rhy ddigalon."

"Roedd hi'n arbennig!" crawciodd yr ŵydd wirion.

"Hy! Beth wnaeth hi erioed?" gofynnodd yr afr.

Aeth Efa ymlaen a chreu manylion hollol newydd.

"Y cigydd arweiniodd hi ffwrdd i gael ei saethu. Bydde fe wedi torri'n gyddfau ni i gyd wrth i ni gysgu heblaw am Shemi ddewr," meddai Efa'n ddramatig.

"Welais i 'run cigydd. A dw i'n gweld pob dim, hyd yn oed ar noson ddi-leuad," meddai'r dylluan. "Chlywais i mo'r cigydd chwaith ac mi fedra i glywed llygoden yn cerdded ar draws mwswgl," ychwanegodd y dylluan.

"Rhaid i ni adeiladu cofgolofn i Shemi Fawr. Hi achubodd ein bywydau ni," cwaciodd Efa'n groch.

Aeth holl greaduriaid y buarth ati, pawb ond y dylluan ddoeth, yr afr llawn

178

amheuon a'r fuwch realistig, i adeiladu cofgolofn i Shemi. Gyda hynny pwy ymddangosodd ar ben y lôn ond y ffermwr a Shemi a'i phedolau newydd yn disgleirio yn yr haul. Allai'r anifeiliaid ddim credu eu llygaid. Roedden nhw'n gandryll o'u co. O ben ceiliog y gwynt, roedd y dylluan yn hwtian, "Fe ddywedes i! Fe ddywedes i!"

Y fuwch a'r afr atgoffodd pawb pwy ddechreuodd y stori – Efa yr hwyaden, honno â'r un glust a dwy geg a chafodd ei chosbi.

Does neb yn boblogaidd os ydyn nhw'n lledu storïau, a'r storïau hynny'n gelwydd. Cofiwch hynny bob amser.

UN CAM BYCHAN (MWY O GLAP A CHÂN RHIF 81)

Iesu, rydyn ni heddiw'n gweddïo am help i beidio â meddwl yn ddrwg am neb. Fe ddaethost ti i'r byd i rannu newyddion da. Newyddion da o lawenydd mawr. Newyddion da llawn cariad. Dim ond i ni droi atat Ti, rydyn ni'n sicr o fod yn rhan o'r cariad yma. Gweddïwn am nerth i droi atat Ti. Does dim celwydd yn rhan o dy fyd, neb yn gas wrth ei gilydd a neb yn gwneud niwed. Yn enw Iesu Grist y gofynnwn hyn. Amen.

GWAITH TRAWSGWRICWLAIDD

- Ydych chi'n deall neges y stori? Ydy hi'n anodd ei derbyn?
- Mae rhywun yn creu stori ffug neu gelwyddog yn digwydd yn aml iawn. Beth yw eich profiad chi? Trafodwch.
- Tynnwch lun unrhyw olygfa yn y stori.
- Ysgrifennwch weddi sy'n gofyn i Iesu eich helpu.

THEMA

Gweithiodd Robert Owen trwy ei oes er mwyn dod â chymaint o degwch ag y gallai i weithwyr, mewn cyfnod pan nad oedd llawer iawn o degwch yn bod. Roedd yn Gymro, ond dyw e ddim wedi cael y sylw y dylai e yng Nghymru.

TYRD IESU GRIST (MWY O GLAP A CHÂN RHIF 69)

DIARHEBION 14 : 21 – 24

HANES ROBERT OWEN O'R DRENEWYDD

Gadawodd Robert Owen yr ysgol yn naw oed ac wedi gweithio am flwyddyn mewn siop gwerthu defnyddiau, aeth i Lundain at ei frawd hynaf. Yno daeth yn brentis mewn siop ddillad dynion. Roedd y perchennog yn garedig ac yn annog Robert Owen i barhau darllen ac astudio. Dyma berchennog oedd yn gofalu am ei weithiwyr ac yn meddwl am eu dyfodol. Pan gafodd swydd ger pont Llundain eto mewn siop ddillad dynion, chafodd e ddim yr un croeso yno. Roedd yn rhaid i Robert Owen weithio oriau hir dan amgylchiadau gwael.

Aeth yn sâl ac ar ôl chwe mis, symudodd i Fanceinion. Yno cychwynnodd fusnes gyda gŵr o'r enw Ernest Jones, yn gwneud peiriannau i'r diwydiant cotwm a oedd yn tyfu'n gyflym yn ardal Manceinion. Pharodd e ddim yn hir yn y busnes. Dechreuodd fusnes cotwm ei hunan gyda thri dyn arall yn gweithio iddo. Tyfodd y busnes ac enillodd brofiad yn y gwaith. Yn ugain oed, cafodd ei benodi fel rheolwr melin gotwm newydd fodern yn cyflogi 500 o bobl.

Gweithiodd Robert Owen yn galed a chyn bo hir daeth yn bartner yn y busnes. Arhosodd ym Manceinion am dair blynedd ar ddeg. Dyma pryd y dechreuodd ymladd dros y gweithwyr a siarad yn gyhoeddus bod angen gwella eu cyfleusterau yn y gwaith. Pan brynodd Robert Owen a'i bartneriaid felin fawr yn New Lanark yn yr Alban roedd yn cyflogi dwy fil o bobl a phum cant o blant.

Roedd cyfleusterau'r gweithwyr mewn ffatrioedd yn ddifrifol: roedden nhw'n gweithio am oriau hir heb ddim awyr iach. Roedd y cyflog yn fach iawn a medd-dod ac ymladd yn bethau cyffredin. Cyfrifoldeb rheolwyr y melinau oedd rhoi bwyd a dillad i'r plant oedd yn gweithio o dan eu gofal. Doedden nhw ddim yn cael bwyd â maeth ynddo. Roedd eu dillad yn llawn tyllau a doedden nhw ddim yn cael addysg o gwbwl. Ddylen nhw ddim bod yn gweithio oriau mor hir ond doedd neb yn arolygu faint roedden nhw'n gweithio.

Roedd Robert Owen ar dân eisiau newid hyn i gyd. Ar y dechrau, roedd y gweithwyr eu hun yn amau Robert Owen. Poeni am eu buddsoddiad oedd y partneriaid yn y cwmni. Eto, roedd Robert Owen yn benderfynol o lwyddo. Gweithiodd trwy ei oes i wella cyfleusterau gwaith gweithwyr cyffredin mewn cyfnod pan nad oedd llawer o degwch yn bod. Gwellodd gyflwr tai'r gweithwyr. Rhoddodd dargedau i'w weithwyr anelu atyn nhw er mwyn ennill rhagor o gyflog.

Roedd hi'n bwysig i Robert Owen bod pob plentyn yn gallu darllen, ysgrifennu ac astudio mathemateg, hanes, cerddoriaeth a chwaraeon. Ond yr adeg yma, doedd plant gweithwyr ddim yn cael addysg. Ar ôl llawer o wrthwynebiad, yn 1816 sefydlodd ysgol. Roedd hon yn llwyddiant mawr a daeth pobl bwysig y wlad i weld yr ysgol a'r disgyblion. Robert Owen ddechreuodd y system addysg i blant ifanc y gweithwyr.

Gwariodd Robert Owen ei arian i gyd yn gwella cyflwr y gweithwyr drwy roi addysg, hunan barch a gwerthoedd cymdeithasol iddyn nhw. Hefyd fe oedd yn gyfrifol am sefydlu'r mudiad cydweithredol cynta erioed. Yma, roedd gan y gweithwyr siâr yn y busnes. Ie wir, dyn o flaen ei amser!

Teulu Dyn (Mwy o Glap a Chân Rhif 64)

Diolch i Ti ,O Dad, am waith pobl fel Robert Owen. Treuliodd ei fywyd yn poeni am amgylchiadau byw plant a gweithwyr cyffredin. Gweithiodd yn galed iawn a, diolch i Dduw, fe lwyddodd yn New Lanark. Eto, rhaid oedd aros yn hir cyn i weithwyr dros yr ynysoedd hyn gael yr un hawliau. Diolch i Ti am Robert Owen. Diolch am ei ymdrech a'i benderfyniad. Diolch i Ti ei fod wedi llwyddo.

Ond maddau i ni bod cymaint yn dal i ddioddef heddiw. Does dim tegwch mewn sawl lle nag mewn sawl gwlad heddiw. Bydd gyda'r bobl sy'n dioddef. Amen.

Gwaith Trawsgwricwlaidd
- Chwiliwch am ragor o wybodaeth am Robert Owen ac am ei blant yn UDA.
- Chwiliwch am yr amodau gwaith yn y cyfnod 1750 – 1850. Ysgrifennwch amdano.
- Allwch chi feddwl am enwogion eraill o'r un ardal a gyfrannodd at ddatblygiad diwydiannol Cymru? David Davies, Llandinam, er enghraifft.
- Does dim llawer yn gwybod am waith Robert Owen heddiw. Trafodwch ei waith a pham nad yw'n enwog bellach.

THEMA

All neb fesur cyfraniad Syr Owen M Edwards i'n hiaith a'n diwylliant.

MOLWN EF AM GYMRU (MWY O GLAP A CHÂN RHIF 90)

PREGETHWR 8 : 1

HANES OWEN M EDWARDS

Roedd dwy ysgol yn Llanuwchllyn, Ysgol y Pandy ac Ysgol y Llan. Ysgol y Pandy oedd yr orau ond gan mai Syr Watcyn Williams Wynn oedd yn berchen ar dir Coed y Pry, rhaid oedd i Owen Morgan Edwards fynd i ysgol yr eglwys. Yn Ysgol y Llan roedd cosb am siarad Cymraeg. Ar ei ddiwrnod cynta yn yr ysgol fe gafodd Owen y gansen am iddo siarad Cymraeg. Rhoddwyd y Welsh Not am ei wddf sef darn trwm o bren.

Doedd Owen ar y pryd ddim yn gwybod beth oedd ystyr hyn. Allai o ddim deall yr ysgolfeistres ond roedd yn deall mai cael ei gosbi am siarad Cymraeg roedd o. Penderfynodd na fyddai o byth yn plygu i'r rheol ac yn rhoi'r Welsh Not i blentyn arall.

"Y mae hyn yn gysur i mi hyd heddiw, – ni cheisiais erioed gael llonydd gan y tocyn trwy ei drosglwyddo i un arall."

Roedd yn gas ganddo'r ysgol a byddai'n chwarae triwant yn aml ac yn crwydro'r llethrau yn mwynhau sylwi ar fyd natur. Dysgodd am wledydd tramor gan hen ŵr ar un o'i grwydradau o'r ysgol.

Nid yn Ysgol y Llan y cafodd ei wir addysg ond yn yr Ysgol Sul. Dyma'r dylanwad mawr arno ar hyd ei oes. Hyd yn oed pan oedd yn Brif Arolygydd Ysgolion, fyddai o byth yn colli'r Ysgol Sul. Profiad diflas oedd yr ysgol uwchradd iddo hefyd ac ond am ddau dymor yn unig y bu yno. Yna aeth i astudio yng Ngholeg y Bala ac wedyn aeth i Brifysgol Aberystwyth.

Er bod Owen yn weithiwr cydwybodol roedd yn mwynhau chwarae rygbi dros y coleg. Roedd hefyd yn llawn hiwmor a direidi. Un noson yn y coleg am hanner nos clywyd sŵn corn hela yn diasbedain drwy'r coleg. Rhedodd un o'r athrawon allan o'i ystafell yn ei grys nos. Y bore wedyn, rhaid oedd dod o hyd i'r heliwr. Dim llwyddiant. Rai wythnosau'n ddiweddarach digwyddodd yr un peth, sŵn corn hela yn diasbedain drwy'r coleg. Y tro yma galwyd y myfyrwyr at ei gilydd a holi pob yn un yn unigol. Bu'n rhaid i Owen Edwards gyfaddef mai ef oedd y drwgweithredwr. Doedd y Prifathro ddim yn gallu gweld yr ochr ddoniol.

Roedd Owen Edwards yn fyfyriwr disglair. Wedi graddio yn Aberystwyth aeth yn gynta i Brifysgol Glasgow ac yna i Goleg Balliol, Rhydychen. Yno roedd yn un o'r rhai a sefydlodd Gymdeithas Dafydd ap Gwilym yn Rhydychen, cymdeithas sydd yno hyd heddiw. Wedyn, teithiodd y cyfandir am ddwy flynedd cyn ei benodi'n diwtor Hanes yn Rhydychen.

Ei ddiddordeb oedd ysgrifennu. Yn wir, iddo fe mae'n rhaid diolch am y cylchgrawn cyntaf i blant Cymru sef *Cymru'r Plant*. Roedd pob rhifyn yn gwerthu deuddeg mil bob tro. Mae'r deunydd sydd yn *Cymru'r Plant* yn werth ei ddarllen hyd yn oed heddiw.

Ysgrifennodd lawer o lyfrau eraill o ddiddordeb i'r werin bobol fel *Cartrefi Cymru*. Wedi dod yn Brif Arolygydd Ysgolion gwelodd fod rhai athrawon ond yn siarad Saesneg â'r plant ac yn dysgu popeth yn Saesneg. Roedd e'n mynnu dangos bod lle pwysig iawn i'r Gymraeg a bod yn rhaid dysgu ein barddoniaeth, darllen ein llyfrau a dysgu am hanes Cymru ac am y Beibl, yn Gymraeg, wrth gwrs. Yn sicr allwn ni ddim mesur dylanwad Syr Owen M Edwards ar addysg Gymraeg yng Nghymru ddechrau'r ganrif ddiwetha.

ENWOGION CYMRU
(MWY O GLAP A CHÂN RHIF 68)

Ein Tad, diolch i Ti am fywyd a gwaith Owen M Edwards. Dangosodd Owen Edwards i ni pa mor werthfawr yw Cymru a phopeth sy'n perthyn iddi. Dangosodd i ni fod arwyr a hanes gennyn ni a bod ein pobl ni wedi diodde a brwydro am eu bod nhw'n Gymry.

Diolch am esiampl Owen M Edwards. Roedd o'n Gristion da. Roedd yn barod i ddysgu am Iesu drwy gydol ei oes, ac yn barod i ddod i'w nabod yn well bob dydd o'i oes. Roedd hefyd yn barod i weithio, er bod yn ddyn pwysig mewn swydd bwysig. Helpa ni ddilyn ei esiampl, i fod yn Gymry da ac yn Gristnogion da. Er gogoniant Iesu Grist, Amen.

GWAITH TRAWSGWRICWLAIDD

- Mae yna storïau diri am Owen M Edwards sy'n werth eu darllen. Chwiliwch amdanyn nhw? Pam ydyn ni'n cofio am ei fab Ifan ap Owen Edwards?
- Ar fap dilynwch yrfa Syr Owen M Edwards ar ôl gadael Llanuwchllyn.
- Mae cofgolofn Syr Owen a Syr Ifan ym mhentref Llanuwchllyn ac mae porth arbennig ym mynwent y Pandy. Chwiliwch am luniau ohonyn nhw.
- Pwy yw eich hoff awdur Cymraeg chi heddiw? Dywedwch pam.

THEMA – GLENDID

Mae glendid yn bwysig i bawb. Gawn ni feddwl sut y gallwn gadw'n hunain a phopeth arall o'n cwmpas yn lân a destlus.

MAE'R INC YN DDU (CLAP A CHÂN RHIF 54)

SALM 24 : 3

STORI

Roedd Rhys yn anniben tu hwnt. Byddai'n gadael ei lyfrau yn flêr ar hyd y llawr a rhoi ei esgidiau mwdlyd, drewllyd ar y bwrdd. Wrth fwyta, byddai'n gwthio ei fysedd i mewn i'r pot jam ac wedyn eu sychu yn ei grys. Yn aml roedd saws coch yn llifo lawr ei ên ac i lawr ei drowsus. Doedd dim diwedd ar annibendod Rhys.

Un diwrnod daeth yr angel Cymen i'w ystafell,

"Wnaiff hyn mo'r tro!" meddai'r angel, "Mae hyn yn ddifrifol iawn. Fe fydd yn rhaid i ti fynd i aros hefo dy frawd tra 'mod i'n cael amser i roi trefn ar y stafell yma."

"Ond does gen i ddim brawd," atebodd Rhys yn sionc.

"O oes, mae gen ti un," meddai'r angel. "Efallai dy fod ti ddim yn ei adnabod e ond mae e'n dy adnabod di. Cer nawr, allan i'r ardd i ddisgwyl amdano."

Doedd gan Rhys ddim unrhyw syniad beth fyddai allan yn yr ardd. Cyn hir daeth wiwer ar draws yr ardd.

"Wyt ti'n frawd i fi?" holodd Rhys. Syllodd y wiwer yn syn arno â'i lygadu i fyny ac i lawr.

"Gobeithio wir, mod i ddim!" meddai'r wiwer. "Mae 'nghot ffwr i'n lân a llyfn, mae fy nyth yn gymen a does dim baw ynddi yn un man. Na, fyddwn i ddim eisiau bod yn frawd i ti!"

Diflannodd y wiwer cyn i Rhys gael cyfle i ddweud gair. Wedi cael cyfle i eistedd a meddwl, daeth dryw bach heibio.

"Wyt ti'n frawd i fi?" holodd Rhys i'r dryw.

"Nac ydw wir!" meddai'r dryw. "Does dim un creadur mwy cymen na fi yn yr ardd ma. Edrych, mae'r plu hyn yn berffaith ac mae fy wyau yn lân ac yn hardd. Brawd i ti wir!"

Sbonciodd y dryw yn ôl i'r llwyn o'r golwg ac eisteddodd Rhys yno'n dal i feddwl. Yn fuan wedyn daeth mochyn i mewn i'r ardd. Gwelodd Rhys y mochyn ac yn sicr doedd e ddim yn mynd i ofyn yr un cwestiwn i'r mochyn. Ond dywedodd y mochyn wrtho:

"Helo, frawd," gan roi rhoch.

"Ond dw i ddim yn frawd i ti!" meddai Rhys.

"Wyt, wyt," meddai'r mochyn. "Er rhaid i fi gyfadde nad ydw i'n falch iawn o hynny. Dere i ti gael rholio yn y mwd tu ôl i'r sgubor, mae na fwd bendigedig yno."

"Dw i ddim eisie rholio mewn mwd!" protestiodd Rhys.

"Hy!" meddai'r mochyn. "Edrych ar dy ddwylo di, dy esgidiau ac ar dy ddillad di! Fe gei di ychydig o swper allan o'r cafn gyda fi wedyn."

"Dw i ddim eisiau bwyd moch," protestiodd Rhys. Gyda hynny daeth yr angel Cymen ato o'r tŷ.

"Mae popeth wedi cael ei dacluso a bydd yn rhaid cadw'r ystafell fel hyn. Nawr, wyt ti'n mynd gyda dy frawd y mochyn neu wyt ti am ddod gyda fi a bod yn berson twt?"

"Gyda ti, gyda ti!" meddai Rhys gan gydio'n dynn yn yr angel.

"Dim colled!" meddai'r mochyn. "Mwy o fwyd i fi," ac i ffwrdd ag e ar drot am y sgubor.

RHOWN GYMORTH (MWY O GLAP A CHÂN RHIF 49)

Ein Tad, rydyn ni'n hoffi bod yn lân. Helpa ni fod yn lân yn ein meddwl, yn lân ein geiriau heb sôn am olchi ein dwylo'n lân. Helpa ni sefyll dros y gwir yn hytrach na derbyn y drwg mor hawdd.

Cadw ni rhag arferion drwg. Dysga ni chwarae'n deg a gweithio'n galed. Maddau i ni pan fyddwn yn angharedig a helpa ni faddau i'r rhai hynny sy'n angharedig wrthon ni. Gofynnwn hyn yn enw Iesu Grist, Amen

GWAITH TRAWSGWRICWLAIDD

- Gwnewch slogan sydd yn dangos sut mae cadw'r ysgol yn lân.
- Chwiliwch wybodaeth am fudiadau fel 'Cadw Cymru'n Daclus'. Sut maen nhw'n delio â thrafferthion sbwriel? Oes problem sbwriel yn eich ardal chi?
- Mewn grwpiau, trafodwch ail-gylchu. Beth rydych chi'n ei ail gylchu? Allech chi wneud mwy?
- Sgriptiwch y stori am Rhys a'i hactio.

THEMA – GOFAL DROS ERAILL

Mae bron pawb ohonon ni wedi cael brechiad rywbryd neu'i gilydd. Mae hyn yn ein cadw ni rhag cael haint. Dr Edward Jenner oedd y cynta i roi brechiadau nôl yn niwedd y ddeunawfed ganrif.

CYMORTH I'R METHEDIG (CLAP A CHÂN RHIF 46)

LUC 7 : 18 – 23

HANES EDWARD JENNER

Cafodd Edward Jenner ei eni ym mis Mai, 1749. Buodd e'n astudio fel prentis i lawfeddyg mewn ysbyty am naw mlynedd, yna symudodd i Lundain i astudio ymhellach. Ar ôl gorffen astudio symudodd nôl i Sir Gaerloyw, lle cafodd ei eni. Yno y gweithiodd fel meddyg hyd ddiwedd ei oes.

Roedd y rhan fwya o'i gleifion yn ffermwyr neu weision a morynion ffermydd. Mae'n siŵr eich bod wedi clywed am y frech wen. Yn amser eich teidiau a'ch neiniau / mam-gu a'ch tad-cu, roedd y frech wen yn haint cyffredin iawn ac yn lladd llawer. Dyma fel roedd hi yn y ddeunawfed ganrif. Yn Llundain, byddai dros 2000 yn marw o'r frech wen bob blwyddyn. Yn 1788 lledodd y frech wen ar draws Sir Gaerloyw.

Fe sylwodd Edward Jenner nod oedd cleifion a oedd wedi bod yn gweithio hefo gwarheg ac wedi dod i gysylltiad â haint y fuwch (cowpog), byth yn diodde o'r frech wen. Fe benderfynodd Jenner bod yn rhaid iddo geisio profi'r theori hon. Daeth y cyfle yn 1796 pan ddaeth morwyn fferm o'r enw Sarah Nelmes ato yn diodde o haint y fuwch. Roedd doluriau dros ei dwylo a gwelodd Jenner ei gyfle. Fe storiodd beth o'r hylif a oedd yn y doluriau hyn. Yna, gwnaeth yr un peth i glaf arall a oedd yn diodde o'r frech wen.

Theori Jenner oedd petai modd brechu rhywun â hylif haint y fuwch, byddai microbau o'r hylif yn amddiffyn y corff yn erbyn microbau peryglus y frech wen. Holodd Jenner ffermwr lleol o'r enw Pibbs a fyddai'n fodlon iddo wneud arbrawf ar ei fab James. Esboniodd Jenner ei fod am frechu'r bachgen yn erbyn y frech wen, ac os oedd ei theori'n gywir fyddai'r mab byth yn dal y frech wen. Er mawr syndod i Edward Jenner cytunodd y ffermwr. Agorodd Jenner ddau glwyf bach ym mraich James ac yna arllwysodd yr hylif a gododd o ddoluriau Sarah i mewn iddyn nhw. Yna rhoddodd rwymyn o gwmpas y ddau glwyf.

Yn ystod y dyddiau wedyn roedd James yn ddi hwyl ond fuodd e ddim yn wael o gwbwl. Chwe wythnos yn ddiweddarach, wedi i James wella'n llwyr, cafodd frechiad arall y tro hwn gyda hylif y frech wen. Gwyddai Edward Jenner pe bai ei theori'n anghywir fe fyddai James yn siŵr o gael y frech wen ac o bosib byddai'n marw. Fe allai Jenner wedyn gael ei gyhuddo o lofruddio'r bachgen. Yn ffodus chafodd James ddim salwch wedi'r brechiad. Roedd yr arbrawf wedi gweithio.

Yn 1798 cyhoeddodd ganlyniadau ei arbrawf. Galwodd ei syniad yn vaccination a ddaeth o'r gair Lladin am haint y fuwch sef vaccinia. Jenner hefyd a fathodd y gair firws. Roedd llawer iawn o amheuon gan feddygon am arbrawf Jenner ond daliodd Jenner i frechu ei gleifion rhag y frech wen ac erbyn 1800 roedd meddygon eraill yn brechu ac yn derbyn bod Jenner yn hollol gywir. Rhoddodd llywodraeth y dydd 30 mil o bunnoedd iddo ddatblygu ei waith ymchwil ymhellach. Roedd ei arbrawf yn llwyddiant gan ei bod hi'n gwbwl amlwg gymaint llai oedd yn marw o'r frech wen wedi iddyn nhw gael eu brechu. O ganlyniad fe ledaenodd brechu ar draws Ewrop a Gogledd America, diolch i waith y Dr Edward Jenner.

PAN FO ANGEN CYMYDOG
(MWY O GLAP A CHÂN RHIF 55)

Ein Tad, diolchwn i Ti am feddygon. Maen nhw'n bobl mor bwysig yn ein cymdeithas. Maen nhw'n gofalu amdanon ni ac yn ein gwella ni pan mae rhyw afiechyd yn ein taro. Mae rhai meddygon wedi rhoi eu bywyd i wella ein hiechyd. Diolch am eu gwaith yn darganfod ffordd o ladd heintiau a gwella poen. Bendithia waith meddygon a nyrsys a diolch i'r rhai hynny sy'n parhau i chwilio am ddulliau newydd o ddileu haint a salwch. Yn enw Iesu Grist, y meddyg mawr. Amen.

GWAITH TRAWSGWRICWLAIDD
- Chwiliwch am ddarganfyddiadau eraill sydd wedi bod o help i wella cyflwr ein hiechyd fel gwaith Louis Pasteur.
- Pa frechiadau rydych chi wedi eu cael? Holwch eich rhieni.
- Edrychwch am wybodaeth am waith ymchwil sy'n digwydd ar hyn o bryd megis Tenovus. Chwiliwch am hanes yr elusen.
- Trafodwch mewn grwpiau a fydd hi'n bosibl, yn y dyfodol, i gael brechiad ar gyfer pob haint?

THEMA - MENTER A FFYDD

Menter a ffydd yw'r thema heddiw. Rhaid bod gan y 162 o bobl a ddaeth i ddociau Lerpwl ar 28ain o Fai,1865, lawer o ffydd. I ble roedden nhw'n mynd? I ochr arall y byd i sefydlu Cymru newydd, Gwladfa Gymraeg ym Mhatagonia yn Ne America.

TYRD AM DRO (MWY O GLAP A CHÂN RHIF 80)

MARC 4 : 35 – 41

YR FORDAITH ENWOCAF YN HANES CYMRU

Llong hwylio fach iawn oedd y Mimosa. Roedd hi wedi bod yn hwylio ers rhyw ddeuddeng mlynedd yn cario te o China i'r ynysoedd hyn. Ond, yn 1865, roedd hi'n mynd ar daith hanesyddol i Batagonia. Cafodd silffoedd eu gosod o gwmpas yr ochrau ac yno byddai'r teithwyr yn cysgu. Disgyn i lawr ar hyd ysgol sigledig oedd yr unig ffordd o fynd i'r howld.

Yn wir doedd y Mimosa ddim yn llong addas iawn i gario 162 o Gymry saith mil o filltiroedd ar draws y môr i arfordir deheuol De America. Roedd y teithwyr wedi cyrraedd Lerpwl o bob rhan o Gymru, pedwar deg ohonyn nhw o Aberpennar. Roedd deuddeg o blant ar y daith a hanner cant o ferched a'r gweddill yn ddynion.

Y Parch Michael D Jones sef Prifathro Coleg y Bala oedd yr arweinydd. Costiodd y fenter yn ddrud iddo. Roedd wedi gwario dros ddwy fil a hanner o bunnoedd, arian mawr iawn yr adeg honno, yn llogi a pharatoi'r llong ac yn hysbysebu'r daith.

Cychwynnodd y fordaith enwoca yn hanes Cymru ar Fai'r wythfed ar hugain, 1865. Roedd rhesymau da gan bawb dros fynd yr holl ffordd i Batagonia, sef chwilio am fywyd gwell. Er eu bod yn gweithio'n galed, bach iawn oedd yr arian roedden nhw'n ei ennill oherwydd pŵer y meistri tir a pherchnogion y gweithfeydd glo. Roedd y bobl hyn yn chwilio am Gymru newydd lle roedd parch at y Gymraeg ac yn ddigon pell o gyrraedd Eglwys Loegr a oedd yn cymryd eu harian trwy'r degwm.

Rhan o'r Ariannin yw Patagonia ac mae tua phum gwaith maint Ynys Prydain. Roedd Lewis Jones o Gaernarfon ac Edwyn Roberts o Sir Fflint wedi bod o gwmpas yn siarad am Batagonia ac yn sôn am eu breuddwyd o sefydlu Gwladfa Gymraeg yno. Fore Sul oedd hi pan symudodd y Mimosa i lawr afon Mersi. Cawson nhw wasanaeth ar fwrdd y llong a'r Capten yn ei arwain. Yn wir buodd gwasanaethau ac Ysgol Sul bob dydd Sul yn ystod y fordaith, a hefyd cwrdd gweddi bob noson o'r wythnos.

Ar yr ail ddiwrnod cododd storm anferth oddi ar arfordir Sir Fôn ac wrth gwrs roedd llawer o'r teithwyr yn swp sâl yn howld y llong, ond ymhen diwrnod, tawelodd y storm. Cymerodd hi ddau fis union i gyrraedd Porth Madryn. Yn ystod y fordaith roedd yn rhaid croesi'r cyhydedd. Yno, roedd y gwres yn llethol ac oherwydd diffyg gwynt, ara iawn oedd y llong yn symud. Un diwrnod, bu gwrthryfel ar y llong pan fynnodd y Capten dorri gwallt y merched er mwyn sicrhau mwy o lendid. Fe gafodd un plentyn ei eni ar y daith a buodd pedwar plentyn farw. Wedi dau fis o daith hir roedd pawb yn barod i lanio.

Eto i gyd trist iawn oedd y teithwyr wedi glanio. Roedd hi'n aeaf ym Mhatagonia, y tywydd yn ddiflas ac yn oer, neb yno i'w croesawu a bu'n rhaid cysgodi mewn ogofau. Yr enw a roddodd y Cymry ar y bae lle glanion nhw oedd Porth Madryn. Roedd antur fawr arall yn eu hwynebu ar ôl glanio ond stori arall yw honno.

CODI TÝ (MWY O GLAP A CHÂN RHIF 55)

Roedd gan y rhai aeth ar y Mimosa ffydd fawr ynot Ti. Roedden nhw'n barod i deithio ar draws y byd ac ar dân eisiau cael yr hawl i ddarllen y Beibl yn Gymraeg, a gweddïo arnat Ti yn Gymraeg. O achos creulondeb y meistri tir a pherchnogion y gweithfeydd, roedd y bobl hyn yn deall geiriau emyn Williams Pantycelyn:

'Pererin wyf mewn anial dir, yn crwydro yma a thraw,
ac yn rhyw ddisgwyl bob yr awr bod tŷ fy Nhad gerllaw.'

Rho o Dduw dân yn ein calonnau ni heddiw. Cariad atat Ti sydd fel tân yn llosgi, cariad at ein gilydd a chariad at ein gwlad. Yna, gallwn ddweud yn onest, 'Byddaf ffyddlon i Gymru, i gyd-ddyn ac i Grist.' Yn enw Crist, Amen.

GWAITH TRAWSGWRICWLAIDD

- Mae'r hanes yn disgrifio dechrau'r antur fawr i Batagonia. Chwiliwch am ragor o storïau am sefydlu'r Wladfa.
- Darllenwch rai o nofelau R Bryn Williams a gafodd ei eni a'i fagu yn y Wladfa. Yna dychmygwch eich bod chi'n un o'r teithwyr ac ysgrifennwch ddyddiadur un diwrnod?
- Ymfudodd llawer iawn o Gymry i nifer o wledydd. Chwiliwch am fwy o wybodaeth am yr ymfudo yma.
- Petaech yn dymuno ymfudo, pa wlad y byddech chi'n ei dewis a pam?

THEMA – NERTH GWEDDI

Mae pŵer anghyffredin mewn gweddi. Mae llawer o bobl yn gwybod bod gweddi wedi achub eu bywyd. Yn anffodus mae tuedd ynon ni i weddïo pan fyddwn mewn trafferth neu'n poeni am rywbeth. Fe ddywedodd yr Iesu wrthon ni am gysylltu ag e'n gyson. Bob dydd. Dyma beth yw ystyr gweddïo.

O DDYDD I DDYDD (MWY O GLAP A CHÂN RHIF 71)

LUC 11 : 1 – 4

GRYM GWEDDI

Ar Ynys Iona yn yr Alban, flynyddoedd mawr yn ôl, roedd cymuned o bobl Dduw yn byw. Mynach o'r enw Columba oedd eu harweinydd. Gwaith y bobl hyn oedd lledaenu neges Crist.

Penderfynodd Cormac, un o'r gymuned, fod Duw wedi'i alw i fynd i fyw ar un o'r ynysoedd eraill fel bo'r bobl yn clywed am fab Duw ac am ei gariad. Daeth y mynachod i gyd i ffarwelio â Cormac. Roedden nhw wedi cario bwyd a dŵr i lan y môr ac wedi gosod y cyfan yn ddiogel mewn cwrwgl. Rhwyfodd Cormac yn araf a gofalus allan i'r môr ac arhosodd pawb yno yn gwylio tan iddo fynd o'r golwg dros y gorwel.

Yn hwyrach y noson honno, fe ddywedodd Columba wrthyn nhw fod taith Cormac yn un hir a pheryglus. Dylai pawb weddïo bob dydd a gofyn i Dduw gadw Cormac yn ddiogel. Y noson honno aeth pawb ar eu gliniau a gweddïo gan ofyn i Dduw fod gyda Cormac yn ystod y daith anodd. Yn nes ymlaen y noson honno, cododd pawb a gweddïo eto ar i Dduw gadw Cormac yn ddiogel. Gwaith bob dydd ar Ynys Iona oedd trin y tir, darllen y Beibl, copïo llawysgrifau a choginio. Ac yn eu gweddïau, byddai'r mynachod yn cofio am Cormac bob dydd yn ystod y mis cynta.

Ond o dipyn i beth, dechreuon nhw anghofio. Wrth gwrs roedd cymaint o bethau eraill i weddïo amdanyn nhw. Aeth y gwanwyn yn haf, a'r haf yn aeaf. Mae'n arw iawn ar Ynys Iona yn ystod y gaea, y gwynt a'r glaw yn hyrddio'r môr a'i donnau yn erbyn y creigiau. Roedd y mynachod yn teimlo'n falch eu bod yn glyd yn y fynachlog ar nosweithiau fel hyn. Erbyn hyn doedd dim un ohonyn nhw'n cofio am Cormac nac yn dychmygu y gallai fod allan ar y môr ar dywydd mor arw.

Ganol nos, un noson stormus a'r gwynt yn rhuo, canodd cloch fawr y fynachlog yn galw'r mynachod i weddïo. Doedden nhw ddim yn deall pam. Doedd hi ddim yn amser gweddi. Ond, â'u clogynnau wedi eu lapio'n gynnes amdanyn nhw, brwydrodd

190

y brodyr drwy'r gwynt a'r glaw i'r capel. Pwy oedd yn canu'r gloch fawr? Columba ei hun. Oedd pawb yn cofio y gallai Cormac fod allan ar y môr? Oedden nhw wedi cofio amdano yn eu gweddïau bob dydd? Roedden nhw'n teimlo'n euog iawn am eu bod nhw wedi anghofio eu ffrind. Fe syrthion nhw ar eu gliniau a gweddïo'n daer ar i Dduw gadw Cormac yn ddiogel.

Rai diwrnodau wedyn roedd un o'r mynachod yn edrych allan tua'r gorwel a gwelodd gwch bach yn dod tuag at yr ynys. Galwodd ar y lleill ac aethon nhw i lawr at y traeth i'w gyfarfod. Er mawr syndod iddyn nhw, camodd Cormac allan o'r cwrwgl.

"Bedwar diwrnod yn ôl, roedd storm ddychrynllyd ar y môr," meddai Cormac. "Roedd fy nghwrwgl bron â suddo ac roeddwn i wir yn ofni am fy mywyd. Yna cofiais eich bod chi wedi addo gweddïo drosof i bob dydd. Yn sydyn cefais ryw nerth a dewrder o rywle. Ymladdais yn erbyn y tonnau a dyma fi. Eich gweddïau chi wnaeth y gwahaniaeth." Edrychodd y mynachod ar ei gilydd gan deimlo'n falch bod Columba wedi eu galw i weddïo rai nosweithiau cynt.

YR ARGLWYDD YW FY MUGAIL (CLAP A CHÂN RHIF 59)

O Dduw, sydd wedi addo gwrando ar ein gweddïau, gwranda ar ein gweddi'r funud hon. Dim ond siarad â Ti fel rydyn ni'n siarad â'n ffrind gorau, dyna yw gweddi. Mae mor syml â hynny. Maddau i ni ein bod yn anghofio gweddïo. Maddau i ni ein bod yn cofio am Fi fy hunan ac yn anghofio gweddïo am bobl eraill sydd angen ein gweddïau. Helpa ni weddïo. Helpa ni hefyd i wrando arnat Ti yn siarad â ni tra rydyn ni'n gweddïo. Yn enw Iesu Grist y gofynnwn hyn. Amen

---

GWAITH TRAWSGWRICWLAIDD

- Ydy Duw yn ateb gweddïau heddiw? Trafodwch.
- Ysgrifennwch weddi un o'r mynachod ar ôl i Columba atgoffa pawb am Cormac neu ysgrifennwch weddi dros yr anghenus yn y byd.
- Fyddwch chi'n gweddïo bob dydd? Trafodwch
- Edrychwch ar ambell i weddi yn llyfr Cynthia Saunders Davies, *Gweddïau Enwog*.

Edgar Evans yn yr Antartig gyda Scott

THEMA - SYNNWYR CYFFREDIN

Mae synnwyr cyffredin mor bwysig! Gallwch fod yn berson galluog neu'n berson cyffredin. Does dim gwahaniaeth beth yw eich gwaith; mae ychydig bach o synnwyr cyffredin yn gwneud y byd o les.

PWY RHODDODD? (MWY O GLAP A CHÂN RHIF 66)

MATHEW 28 – YN YR ATGYFODIAD

STORI

Ganrifoedd yn ôl, roedd pedwar offeiriad yn byw mewn pentre yn yr India. Roedd y pedwar wedi eu magu gyda'i gilydd ac yn ffrindiau mawr. O'r pedwar roedd tri ohonyn nhw wedi darllen yn eang ac wedi meddwl yn ddwfn. Roedd y pedwerydd heb fod yn sgolor mawr ond eto roedd ganddo ddigon o synnwyr cyffredin.

Wrth i'r tri offeiriad gael mwy a mwy o wybodaeth, roedden nhw'n mynd yn fwyfwy anfodlon â bywyd y pentre. Roedd eu gallu, eu gwybodaeth a'u doethineb yn cael eu gwastraffu mewn pentre mor ddinod. Awgrymodd un y dylen nhw gynnig eu doniau i'r brenin. Fe fyddai'n falch o gael gwasanaeth dynion mor alluog. Ac felly fe baratodd y tri fynd i weld y brenin.

Rhag siomi a phechu ei ffrind, y pedwerydd offeiriad, rhoddon nhw gynnig iddo ymuno â nhw ar y daith. Eto, roedden nhw'n gwybod na fyddai gan y brenin ddiddordeb ynddo fe. Wrth adael y pentre, ar eu ffordd trwy'r goedwig, daethon nhw ar draws pentwr o esgyrn. Meddai'r offeiriad cynta,

"Gweddillion creadur mawr ydyn nhw."

"Mae hynny'n amlwg!" meddai'r pedwerydd offeiriad. "Esgyrn llew ydyn nhw." Roedd e wedi gweld yr helwyr yn hela pan oedd y tri offeiriad arall â'u pennau mewn llyfrau.

"Mi drefna i'r esgyrn yma fel eu bod yn ffurfio sgerbwd y llew," cynigiodd yr offeiriad cynta.

"Mae gen i'r ddawn a'r wybodaeth i roi cnawd, gwaed a chroen i'r llew yna," meddai'r ail offeiriad yn ddifrifol iawn.

Roedd y trydydd wedi cynhyrfu trwyddo.

"Wyddoch chi," meddai'r trydydd, "mi fedra i roi bywyd yn ôl i'r anifail." Heb yngan gair ymhellach, aeth y tri offeiriad ati gydag ynni anghyffredin. Eistedd wnaeth y pedwerydd offeiriad a'u gwylio gan grychu ei dalcen yn bryderus. Pan oedd y llew wedi cael ei ail ffurfio a chnawd a gwaed a chroen bellach amdano a'r trydydd offeiriad yn barod i anadlu bywyd newydd i mewn i'r creadur, meddai'r pedwerydd offeiriad,

"Edrychwch ffrindiau! Ydych chi'n sylweddoli beth rydych chi'n ei wneud? Mae'r llew yn greadur ffyrnig, ac os anadlwch chi fywyd i mewn i hwnna fe..."

"Bydd dawel yr hen ffŵl!" meddai'r offeiriad cynta. "Fedri di ddim gweld ein bod ni'n creu hanes – yn rhoi bywyd i'r marw!"

"Rwy'n erfyn arnoch chi wrando arna i," meddai'r pedwerydd offeiriad. "Rwy'n gwybod tipyn am lewod."

"Wyddost ti ddim hanner cymaint â ni am lewod, a ninnau wedi darllen yr holl lyfrau amdanyn nhw. Ddarllenaist ti ddim un!"

Cododd y pedwerydd offeiriad ei ysgwyddau ac wrth iddo ddringo i ben coeden gyfagos meddai,

"Wel, eich angladd chi fydd hi!" Eisteddodd ar gangen gan wylio'r cam nesa. Yn sydyn agorodd y llew ei lygaid, rhuodd ac ymosododd ar y tri offeiriad. Meddai'r pedwerydd yn drist, "Dydy'r holl ddysg yn y byd yn dda i ddim heb synnwyr cyffredin!"

Down at ein Gilydd (Mwy o Glap a Chân Rhif 58)

Diolch o Dduw, dy fod wedi rhoi amrywiaeth o ddoniau i bob un ohonon ni. Helpa ni ddatblygu pob un o'n doniau hyd eitha ein gallu. Helpa ni i'w defnyddio er daioni ac er clod i Ti. Yn fwy na dim bendithia ni â synnwyr cyffredin. Yna gallwn gydfyw gyda'r bobl sy o'n cwmpas yn ddedwydd.

Does dim syniad gyda ni beth sydd o'n blaen mewn bywyd. Rydyn ni'n gofyn i Ti fod gyda ni yn ein harwain. Helpa ni weld mai synnwyr cyffredin yw pwyso arnat Ti. Gofynnwn hyn yn enw Iesu Grist, Amen

---

Gwaith Trawsgwricwlaidd

- Sgriptiwch y stori a'i hactio.
- Ceisiwch feddwl am stori arall lle byddai synnwyr cyffredin wedi achub y sefyllfa.
- Byddai Iesu bob amser yn dod o hyd i atebion syml i gwestiynau anodd. Fedrwch chi feddwl am esiampl? Dyma rai enghreifftiau i'ch helpu:

  – Ydy hi'n gyfreithlon talu trethi i Gesar? – Mathew 22 : 17
  – Cwestiwn y gŵr ifanc cyfoethog i'r Iesu – Pwy yw fy nghymydog?

- Ysgrifennwch ddramodig sy'n dangos pwysigrwydd synnwyr cyffredin.

THEMA - DIFFYG DEALLTWRIAETH

Yn aml, mae rhyfeloedd yn digwydd oherwydd diffyg trafod, a diffyg dealltwriaeth. Petai arweinwyr yn defnyddio ychydig synnwyr cyffredin, byddai wedi bod yn bosibl osgoi nifer o ryfeloedd gwaedlyd. Dyma ymgais dwy wlad i fyw mewn heddwch.

GWRANDEWCH AR IESU (CLAP A CHÂN RHIF 70)

IAGO 3 : 16 – 18

CRIST YR ANDES

Mae cerflun efydd anferth o Iesu Grist ynghanol yr Andes. Mewn un llaw mae Iesu'n dal croes ac mae'r fraich arall wedi ei chodi ac yn bendithio. Mae'r hanes sut y cafodd y cerflun ei greu a'r rheswm pam yn her i ni i gyd. Mae hefyd yn adfer ein ffydd yn y rhai sy'n rheoli ac mewn synnwyr cyffredin.

Rhaid i chi yn gynta edrych ar fap er mwyn gweld lle mae Chile a'r Ariannin. Fe welwch ar y map fod mynyddoedd yr Andes yn gwahanu'r ddwy wlad. Ddiwedd y bedwaredd ganrif ar bymtheg, roedd Chile a'r Ariannin wedi arwyddo cytundeb pwysig. Y pwrpas oedd cytuno ble roedd y ffin rhwng y ddwy wlad. Yn anffodus, doedd geiriau'r cytundeb ddim yn glir. Felly, roedd y naill ochr a'r llall yn dehongli'r cytundeb mewn ffordd oedd yn fanteisiol iddyn nhw.

O ganlyniad, roedd dadlau mawr a bygythiadau parhaus rhwng y ddwy wlad. Roedd rhai yn gyson yn ceisio setlo'r broblem ond parhau roedd y cweryl. Wrth i'r sefyllfa waethygu, roedd arwyddion clir y byddai'r ddwy wlad yn mynd i ryfel dros y cytundeb. Roedd y ddwy wlad yn gwario arian mawr ar arfau ac ar gryfhau eu byddinoedd. O ganlyniad i'r gwario ar arfau, roedd y ddwy wlad yn mynd yn dlotach ac yn dlotach. Roedd rhai'n dadlau mai peth ffôl oedd yr holl baratoi hyn a bod pentyrru arfau a chryfhau byddinoedd yn sicr o arwain at ryfel. Wrandawodd neb. Yn wir, roedd y bobl oedd yn cefnogi'r rhyfel yn galw'r gwrthwynebwyr rhyfel yn fradwyr.

Roedd hi'n ddiwedd y ganrif a lleisiau croch ar y ddwy ochr yn galw am ryfel. Nid bechgyn ifanc yn unig oedd yn galw am gyfle i fynd i ymladd. Roedd llawer o ddynion canol oed yn dymuno codi arfau dros eu gwlad. A gwragedd hefyd, bob dydd, yn dweud eu bod yn barod i aberthu bywydau eu gwŷr, eu meibion a'u brodyr er mwyn ennill yr achos. Roedd hi'n amlwg bod rhyfel yn anochel.

Ond trwy ryfedd wyrth, roedd ysbryd nerthol heddwch ar waith hefyd. Roedd arweinyddion y ddwy wlad, Arlywydd Errazuriz o Chile a'r Cadfridog Roca o'r

Ariannin, o'r un farn na ddylid mynd i ryfel ac y dylen nhw edrych am ffordd heddychlon o ddatrys y broblem. Gwahoddwyd dau ddyn annibynnol, un o Loegr ac un o'r Unol Daleithiau i eistedd fel barnwyr. Cododd yr Eglwys ei llais ac ymbil ar y bobl i gofio geiriau Iesu Grist, "Gwyn eu byd y Tangnefeddwyr." Yna, sylweddolodd pawb pa mor ffôl roedden nhw wedi bod. Diflannodd y gwallgofrwydd a'r gri am ryfel.

Fe lunion nhw gytundeb newydd roedd y ddwy ochr yn gallu ei dderbyn. Cafodd yr arfau eu taflu ac wedi toddi'r gynnau mawr, fe ddefnyddion nhw'r efydd i greu'r gofgolofn o Iesu Grist sy'n sefyll ac yn edrych i lawr dros y ddwy wlad. Ac yng nghysgod y gofgolofn maen nhw wedi byw fel cymdogion mewn heddwch ers hynny.

HEDD, PERFFAITH HEDD
(MWY O GLAP A CHÂN RHIF 83)

O Arglwydd, planna yng nghalon pawb yr awydd am heddwch. Gwna i bobl wrthod rhyfel. Dysga ni, ymhob gwlad, ei bod hi'n well caru ein gilydd nag ymladd. Dyro heddwch yn ein byd a boed diwedd ar yr holl ryfeloedd. Anfonaist dy fab, Tywysog Tangnefedd, i'n byd i'n dysgu mai ffordd heddwch yw dy ffordd di; ffordd cymod a chariad.

Gwna ni'n blant i Ti, plant sy'n dysgu mai trwy heddwch mae dod â dy deyrnas di i'n byd. Er mwyn dy enw mawr, Amen.

GWAITH TRAWSGWRICWLAIDD
- Lluniwch fap o Chile ac Ariannin gan gynnwys yr Andes rhyngddyn nhw.
- Beth oedd y rheswm dros y rhyfel diweddar yn erbyn yr Ariannin? Pa ynys oedd ynghanol yr anghydfod? Sut roedd Cymry'n ymladd yn erbyn Cymry yn y rhyfel hwn?
- Oes rhywun yn ennill mewn rhyfel? Trafodwch.
- Ddylai'r holl gêmau cyfrifiadurol fod yn ymwneud ag ymladd? Trafodwch.

THEMA – ENNILL Y RAS I FOD YN GYNTAF

Cyrhaeddodd Capten Scott Begwn y De yn Nhachwedd 1910, ar y llong y Terra Nova. Cafodd ei siomi. Cyrhaeddodd Amundsen, gŵr o Norwy, yno ychydig o'i flaen. Ond mae'n stori o ddewrder ac ymdrech anhygoel.

TYRD AM DRO (MWY O GLAP A CHÂN RHIF 80)

ECCLESIASTICUS 34 : 9 – 12

CAPTEN SCOTT

Rhaid oedd trefnu'n ofalus iawn ar gyfer y daith. Yn gynta dewis aelodau'r tîm, yna sicrhau cŵn i dynnu'r ceir llysg. Roedd rhain wedi cael eu mewnforio o Ganada ac roedd aelod o'r tîm wedi ei hyfforddi i ofalu am y cŵn hyn.

Aeth bron i flwyddyn heibio cyn dechrau ar y daith o ddifri. Galwon nhw ym mhorthladd Caerdydd i gael glo ar gyfer y daith i'r Antarctic. Ger llyn Parc y Rhath, fe welwch gofeb i Scott sy'n sôn am ei ymweliad. Wedi cyrraedd yr Antarctic, dechreuodd Scott a'r naw arall ar y daith dyngedfennol.

Roedden nhw'n symud yn araf iawn, tua 13 milltir y dydd a phroblemau'n digwydd bob ddydd. Cyn bo hir torrodd peiriant y tri char llysg a doedden nhw'n werth dim i'r ymgyrch. Roedden nhw'n defnyddio sawl caseg i dynnu'r llwythi. Ar ôl rhyw gant o filltiroedd doedden nhw ddim yn gallu teithio fawr bellach a rhaid oedd eu lladd. Roedd hi'n amlwg erbyn hyn mai dim ond y cŵn oedd yn addas i dynnu'r llwythi.

Dyna a wnaeth Amundsen a oedd yn benderfynol o gyrraedd y Pegwn o flaen Scott. Roedd ganddo 200 o gŵn tra mai ond 33 oedd gan Scott. Wynebodd Scott a'i dîm dywydd difrifol yn ystod mis Rhagfyr. Roedd yn rhaid dringo dros lif o rew ddwywaith uchder yr Wyddfa. Roedd bwyd y cŵn hefyd bron â gorffen, felly bu'n rhaid i un aelod â'r cŵn fynd yn ôl.

Rhannwyd y tîm yn dri grŵp ac roedd yn rhaid i bob tîm lusgo ei sled ei hunan. Wedi cyrraedd pen y rhewlif, penderfynodd Scott, Wilson, Oates, Bowers ac Evans fynd ymlaen; aeth y lleill yn ôl i'r gwersyll cynta er mawr siom iddyn nhw. Ond roedd dros 170 o filltiroedd eto cyn cyrraedd y Pegwn a doedd dim digon o adnoddau ar gyfer pawb.

Felly, dim ond pump aeth yn eu blaenau. Ar Ionawr 16eg, daethon nhw ar draws sled wedi ei gadael ac arni faner Norwy. Dyna'r prawf bod Amundsen ar y blaen ac felly yn sicr o fod wedi cyrraedd Pegwn y De o'i flaen. Doedd dim llawer i'w ddathlu felly am fod Amundsen wedi cyrraedd ac wedi gadael pan gyrhaeddon nhw'r Pegwn y diwrnod wedyn.

Wedyn roedd rhaid wynebu taith o 800 milltir yn ôl a'r freuddwyd wedi ei chwalu. Hunlle oedd y daith yn ôl. Oerfel dychrynllyd, prinder bwyd, a phawb erbyn hyn yn teimlo'n wan. Ar Chwefror 17eg cafwyd Evans wedi marw yn yr eira. Ar Fawrth 17eg cerddodd Oates allan o'i babell a welodd neb mohono fe byth wedyn. Erbyn iddyn nhw gyrraedd o fewn 11 milltir i'r gwersyll ar Fawrth 29ain, buodd Bowers farw. Ar yr un noson, mae Scott yn dweud yn ei ddyddiadur na allai ysgrifennu rhagor. Cyn bo hir, buodd e a Wilson farw. Daethon nhw o hyd i babell Scott ar Dachwedd 12ed,1912. Roedd Scott yn gorwedd yno gyda'i ddau gyfaill wrth ei ochr.

Cawson nhw eu claddu yn y fan a'r lle gan godi carn o gerrig i nodi'r bedd.

Cariad Iesu (Clap a Chân Rhif 40)

Helpa ni, O Dad, i beidio â chael ein siomi. Rwyt ti am i ni wneud ein gorau. Dim ond i ni wneud ein gorau, rwyt ti'n falch ohonon ni. Weithiau dydyn ni ddim yn cyrraedd ond rhan o'r ffordd. Bendithia ein hymdrech a'n gwaith. Rho i ni'r nerth i fynd ymlaen. I geisio eto ac eto os oes rhaid. Paid â gadael i ni roi'r ffidil yn y to. Paid â gadael i ni ddigio. Dim ond i ni weddïo arnat Ti a siarad â Ti, byddi di'n dangos y ffordd i ni. Diolch Iesu am fod yn ffrind i ni bob amser. Amen.

Gwaith Trawsgwricwlaidd

- Chwiliwch am ragor o wybodaeth am Begwn y De. Beth sy'n digwydd i'r ddau begwn heddiw?
- Dychmygwch mai chi yw Scott. Ysgrifennwch ddyddiadur dau ddiwrnod yn ystod y daith.
- Oes pwrpas i ymgyrchoedd tebyg i un Scott? Trafodwch.

THEMA

Meddyliwch am y pethau sy'n werthfawr i chi, eich trysorau personol chi. Dywedodd yr Iesu wrthon ni am beidio â phoeni am bethau bob dydd ond am y pethau sy'n wir yn cyfrif.

DERBYN A RHANNU (MWY O GLAP A CHÂN RHIF 56)

MATHEW 13 : 44 – 46

STORI AM DDYN Â'I FRYD AR AUR AC ARIAN

Os ewch chi am dro yn ystod mis Mehefin, cofiwch edrych yn y cloddiau neu yn y goedwig am flodyn glas. Dyma un o'r blodau perta sy'n bod. Enw'r blodyn yn Gymraeg yw 'glas y gors', 'cwlwm cariad cywir' neu 'blodyn cof'. Yn Saesneg ei enw yw 'forget me not'. Dyma, yn ôl y chwedl, sut y cafodd ei enw.

Daeth bugail o hyd i'r blodyn hardda a welodd erioed. Doedd e ddim wedi gweld blodyn tebyg iddo ac felly fe glymodd y blodyn ar ei ffon fugail a chychwyn am adre. Roedd am ddangos y blodyn hardd i'w deulu. Yn sydyn, neidiodd rhyw ddyn bach allan o'r tu nôl i goeden gan ddychryn y bugail.

"Rwyt ti'n ddyn lwcus iawn," meddai'r dyn bach rhyfedd. "Mae trysor gen ti fanna! Wir i ti! Cymer y blodyn, a chyffwrdd â'r graig acw. Fe fydd y graig yn agor ac yna fe weli di aur ac arian a chyfoeth y tu hwnt i dy ddychymyg di. Cymer e. Gymaint ag wyt ti'n ei ddymuno. Ond cofia, paid â gadael i'r gorau fynd yn angof!"

Diflannodd y dyn bach mor gyflym ag yr ymddangosodd. Safodd y bugail yn stond am ychydig yn pendroni beth i'w wneud nesa. Yna gan gydio yn y blodyn hardd glas, cerddodd ymlaen at y graig a'i chyffwrdd â'r blodyn. Clywodd sŵn rhygnu uchel. Yn araf, agorodd y graig o'i flaen a dangos grisiau cerrig yn arwain i lawr i grombil y graig. Yn ofnus, aeth i mewn ac i lawr y grisiau cerrig yn araf a gofalus o un gris i'r llall. Fel y cyfarwyddodd ei lygaid â'r tywyllwch, gwelodd sachau o aur ac arian o'i flaen a chistiau yn llawn perlau a diemwntau. Yn gyflym, gosododd y bugail y blodyn bach glas ar gornel isa'r grisiau. Yna cydiodd yn y sgrepan oedd ar ei ysgwydd a dechreuodd rofio gymaint o aur ac arian, perlau a diemwntau i mewn i'r cwdyn. Wrth iddo godi'r trysor, clywodd lais bach yn galw,

"N'ad i'r gorau fynd yn angof! N'ad i'r gorau fynd yn angof!"

Anwybyddodd y bugail y llais oherwydd y cyfan oedd ar ei feddwl oedd casglu cymaint o aur, arian, diemwntau a pherlau. Pan na allai gario ddim mwy, brysiodd i fyny'r grisiau cerrig ac allan ag e o'r ogof. Anghofiodd y cyfan am y blodyn bach hardd ar waelod y grisiau. Wedi iddo gamu allan i'r awyr iach, caeodd y graig gyda chlep. Brasgamodd y bugail am adre â'i wynt yn ei ddwrn er mwyn dangos y trysor i'w deulu. Fe fydden nhw'n gyfoethog am weddill eu hoes.

"Edrychwch beth sydd gen i!" gwaeddodd yn gyffrous wrth gerdded i mewn i'r bwthyn, a thaflodd y cwdyn ar y bwrdd. Brysiodd y teulu o bob cyfeiriad i weld beth oedd yr holl gyffro. Ond pan agorodd y bugail y cwdyn, doedd dim o werth tu mewn – dim ond llwch a lludw.

Yna cofiodd y bugail. Roedd wedi anghofio am y blodyn bach glas hardda a welodd erioed. Rhedodd fel mellten yn ôl i'r fan lle roedd y graig. Roedd y graig ynghau ac allai e ddim mynd i mewn. Yn y tawelwch clywodd lais gwanllyd yn dweud,

"Cofia amdana i?... N'ad fi'n angof!" Yn ei frys am arian ac aur, roedd y bugail wedi anghofio am y blodyn cof.

Pwy Roddodd (Mwy o Glap a Chân Rhif 66)

Ein Tad, diolch i Ti am ein trysorau, y pethau sy'n bwysig i ni. Rydyn ni'n eu cadw'n ddiogel, weithiau mewn lle nad oes neb yn gwybod amdano, dim hyd yn oed mam. Diolch i ti am y pleser mae rhain yn eu rhoi i ni.

Helpa ni barchu trysorau eraill. Gwna ni hefyd yn bobl sy'n gwerthfawrogi holl drysorau dy fyd di ym mhob mis o'r flwyddyn. Gofynnwn hyn yn enw dy fab Iesu Grist, Amen.

GWAITH TRAWSGWRICWLAIDD

- Tynnwch lun unrhyw olygfa yn y stori.
- Edrychwch am lun o 'glas y gors' a gwnewch amlinelliad ohono.
- Ysgrifennwch gerdd i'r 'glas y gors' neu unrhyw flodyn arall.
- Beth yw eich 'trysor' neu eich 'trysorau' chi?

THEMA – BUDDUGOLIAETH Y PLANT

Mae UNICEF yn gweithio dros blant y byd i gyd. Wyddoch chi fod traean o blant dan 5 oed yn y byd yn diodde o ddiffyg bwyd ac mae un o bob pump o boblogaeth y byd heb ddŵr glân? Mae 250 miliwn o blant yn gweithio mewn amgylchiadau peryglus. Meddyliwn am blant ar draws y byd heddiw.

MAE PLANT BACH TRIST (CLAP A CHÂN RHIF 51)

MARC 10 : 13 – 16

STORI

Ers dyddiau bellach, roedd y gelyn mewn cylch o gwmpas y ddinas. Roedd pawb wedi blino ar amddifyn y drysau a'r muriau. Doedd dim bwyd yn y ddinas a phawb yn gwybod nad oedd gobaith dod â bwyd i mewn. Roedd y dyfodol yn glir. Byddai'n rhaid agor y drysau ac ildio i'r gelyn.

Un bore, roedd Wolff, un o filwyr y ddinas, yn dychwelyd i'w gartre wedi blino'n lân. Roedd wedi bod ar y muriau yn amddiffyn y dre drwy'r nos. Doedd dim pwrpas i'r holl ymladd, roedd yn gwybod hynny. Drannoeth fe fyddai'n rhaid agor y drysau i'r gelyn. Y funud honno roedd yn cerdded heibio perllan fawr yn llawn o goed ceirios ac roedd pwysi o geirios aeddfed ar y coed. Fe gafodd weledigaeth. Os oedd eisiau bwyd ar bobl y ddinas, roedd y fyddin tu allan hefyd eisiau bwyd. Roedd hi'n amlwg nad oedd saethau, na cherrig, na gwaywffyn wedi llwyddo. Efallai y byddai rhodd garedig yn achosi gwyrth.

Doedd dim llawer o amser ar gael, ac os oedd yn mynd i achub bywydau rhaid oedd mynd ati ar unwaith. Aeth o dŷ i dŷ ac o stryd i stryd yn casglu cymaint o blant ag y gallai. Erbyn iddo fynd drwy'r ddinas roedd dros dri chant o blant yn ei ddilyn, pawb yn gwisgo gwyn fel arwydd o heddwch. Aeth â'r plant i'r berllan a'u llwytho gyda cheirios. Yna agorodd ddrysau'r ddinas led y pen a cherddodd y plant allan ar eu siwrnai beryglus. Pan welodd arweinydd byddin y gelyn y drysau yn agor, tybiodd fod y ddinas wedi ildio. Yna gwelodd y plant yn eu gwyn yn dod tuag ato.

"Beth yw'r cynllwyn yma?" gwaeddodd a chododd ei fraich yn barod i roi'r arwydd i'w filwyr saethu at y plant. Yna digwyddodd y wyrth.

Wrth i'r plant ddod yn nes atyn nhw, gallai'r milwyr weld y ffrwythau. Cododd gwaedd o groeso. Rhoeson nhw eu harfau ar lawr a chroesawu'r plant â breichiau agored. Cymeron nhw'r ffrwythau a'u bwyta; doedden nhw ddim wedi gweld ffrwythau ers cymaimt o amser. Roedd arweinydd y fyddin yn gwybod ei fod wedi'i goncro, nid â nerth arfau ond drwy garedigrwydd rhodd y plant.

Aeth y plant yn ôl i'r ddinas ac aeth y gelyn adre. Am flynyddoedd ar ôl hynny, bu'r ddinas yn dathlu'r diwrnod hwn bob blwyddyn. Roedd hi'n ddiwrnod o wyliau, Gŵyl y Ceirios. Wrth gwrs, byddai'r plant yn gwisgo dillad gwynion ac yn cario ceirios i ddathlu'r fuddugoliaeth.

TEULU DYN (MWY O GLAP A CHÂN RHIF 64)

Gofynnwn i Ti, ein Tad, fendithio plant ar draws y byd, yn enwedig y rhai hynny sy'n newynog, yn amddifad ac yn ddigartref. Bydd gyda'r plant hynny sydd ddim yn gwybod beth yw cariad mam a thad a theulu. Cofiwn bob amser mai dy blant Di ydyn ni ble bynnag rydyn ni'n byw. Dyro oleuni i'r cryf fel eu bod yn gofalu am y gwan. Dyro oleuni i'r rhai sydd â phob dim ganddyn nhw i roi i'r rhai hynny sydd heb ddim.

Gweddïwn dros y plant hynny sy'n wael eu hiechyd. Bydd gyda nhw yn eu poen a helpa nhw i wella. Gofynnwn hyn yn enw dy fab Iesu Grist a wellodd cymaint. Amen.

GWAITH TRAWSGWRICWLAIDD

- Chwiliwch am wybodaeth ynglŷn â gwaith UNICEF.
- O'r wybodaeth a gewch am UNICEF, dangoswch ar fap y byd ym mha wledydd y mae plant yn dioddef fwyaf.
- Chwiliwch am enghreifftiau o Iesu'n gwella pobl:
    - e.e y wraig a gyffyrddodd â mantell Iesu yn Mathew 9 : 20-22
    - Dyn(ion) oedd ym meddiant cythraul yn Mathew 8 : 28-34
    - Deg o ddynion gwahanglwyfus yn Luc 17 : 11-19
- Chwiliwch am wybodaeth am blant y stryd yn Brazil.
- Sut gallwch chi helpu plant anghenus y byd? Sut mae'r teledu o gymorth?

THEMA – YN WYNEB MARWOLAETH

Alban oedd Merthyr cynta yr ynysoedd hyn. Fe gofiwn amdano ar Fehefin 22ain bob blwyddyn.

MOLI BRENIN NEF (MWY O GLAP A CHÂN RHIF 72)

ACTAU 7 : 55 – 60

HANES ALBAN Y MERTHYR

Rhufain oedd yn rheoli Ynys Prydain. Yn y cyfnod hwn, roedd gŵr bonheddig cyfoethog o'r enw Alban yn byw ar gyrion Llundain. Roedd yn hael a charedig ac fe fyddai pawb yn cael croeso yn ei gartre. Un prynhawn o haf aeth hen ŵr i gartre Alban. Un o'r gweision agorodd y drws iddo ac yna aeth a dweud wrth Alban ei fod yno. Wrth i Alban sgwrsio â'r gŵr deallodd yn fuan iawn mai Cristion oedd yr hen ŵr a'i fod yn ffoi rhag y milwyr Rhufeinig. Roedden nhw wedi cael gorchymyn i ladd pob Cristion. Dywedodd Alban wrth ei weision am roi bwyd a dillad i'r hen ŵr a'i gadw yn y tŷ heb i neb wybod ei fod e yno.

Deallodd Alban fod yr hen ŵr yn offeiriad a dechreuodd ei holi am Gristnogaeth. Pwy oedd Iesu Grist? Beth oedd wedi digwydd iddo? Pam fod ganddo gymaint o ddilynwyr? Roedd Alban, fel y rhan fwya o bobl yr adeg honno, yn addoli pob math o dduwiau. Yn fuan iawn, daeth Alban i sylweddoli bod rhywbeth llawer mwy yn ffydd yr hen offeiriad nag oedd gan ei dduwiau e.

Roedd Alban wedi sylwi pa mor dawel a dewr oedd yr offeiriad yn wyneb y perygl o gael ei ladd. Po fwya y clywai Alban am yr un Duw Hollalluog a'i fab Iesu, roedd yn fwy a mwy sicr ei fod am droi'n Gristion. Dyna a wnaeth. Un diwrnod daeth yr awdurdodau i wybod bod yr offeiriad yn cuddio yng nghartre Alban a daeth llu o filwyr i'w arestio. Heb ddweud wrth yr hen offeiriad, cydiodd Alban yng nghlogyn yr hen ŵr a lapio'i hunan ynddo. Roedd Alban yn gwybod y gallai'r hen offeiriad wneud llawer mwy nag ef i ledaenu'r ffydd Gristnogol. Rhoddodd Alban aur iddo a'i glogyn hardd ei hunan. Dywedodd wrtho am ddianc o'r tŷ ar hyd llwybr nad oedd neb yn gwybod amdano a mynd ymhell o Lundain i bregethu neges Crist.

Gan feddwl eu bod wedi dal yr offeiriad, aeth y milwyr ag Alban o flaen y Llywodraethwr. Roedd e'n gynddeiriog; roedd e'n adnabod Alban ac felly'n gwybod ei fod wedi cael ei dwyllo. Er mwyn cosbi Alban, rhoddodd orchymyn iddo. Dywedodd wrtho am aberthu i'r duwiau Rhufeinig yn ei ŵydd ef. Gwrthododd

Alban gan ddweud ei fod yn Gristion. Yr unig aberth roedd yn fodlon ei wneud oedd aberthu i'r unig Dduw Hollalluog.

Cafodd ei boenydio er mwyn ceisio newid ei feddwl ond lwyddon nhw ddim. Aethpwyd ag Alban allan o'r ddinas, ar draws yr afon ac i fyny i ben bryn. Dyma'r man lle roedd Cristnogion yn cael eu dienyddio, yn y man lle roedd blodau'r haf yn tyfu yn eu holl ogoniant.

"Mae hwn yn ddyn sanctaidd," oedd barn un o'r milwyr oedd yn arwain Alban.

"Fedra i ddim ei ladd," meddai a thaflu ei gleddyf i'r llawr.

Daliwyd y milwr ac fel cosb, cafodd ei ddienyddio gydag Alban ar ben yr un bryn. Cododd ffynnon yn y man hwn ac enw'r lle yw Bryn y Ffynnon Sanctaidd. Erbyn heddiw mae Eglwys Gadeiriol ar y bryn yn ninas Sant Alban's.

Dewch i dŷ fy Nhad (Mwy o Glap a Chân Rhif 88)

Rho i ni, O Dad, yr ewyllys i sefyll yn gryf ac yn gadarn pan mae pobl yn galw enwau arnat Ti. Mae cymaint heddiw yn dweud nad wyt Ti'n bod. Ti, creawdwr pob peth! Helpa ni wynebu'r bobl hyn. Rydyn ni'n gwybod mai Ti yw ein Duw ni. Ti sydd wedi ein creu ni mewn cariad a Ti sydd yn gofalu amdanon ni beth bynnag ddaw.

Helpa ni i wynebu dyfodol heb ofni, yn ddewr ac yn siriol. Rho i ni galon sy'n caru heddwch ac sy'n barod i faddau ac yn barod i dderbyn maddeuant. Yn enw Iesu Grist, Amen.

Gwaith Trawsgwricwlaidd

- Chwiliwch ar y map am St Alban's.
- Mae storïau diddorol eraill am y ddinas ac am Alban Sant. Chwiliwch amdanyn nhw.
- Mae llawer yn yr ynysoedd hyn wedi marw dros Grist. Chwiliwch am eu hanes.

THEMA – CLADDU EICH TALENTAU NEU EU DEFNYDDIO NHW?

 MOLI BRENIN NEF (MWY O GLAP A CHÂN RHIF 72)

 ACTAU 7 : 55 – 60

HANES HELEN KELLER

Cafodd Helen Keller ei geni ar Fehefin 27ain, 1880. Yn ddeunaw mis oed, cafodd hi afiechyd cas ac er iddi wella, sylwodd ei rhieni nad oedd Helen yn gallu gweld nac yn gallu clywed dim. Roedd llawer yn dweud nad oedd dim y gallai neb wneud i helpu Helen. Gwrthododd ei rhieni gredu hynny.

Am nad oedd Helen yn gallu clywed, doedd hi hefyd ddim yn gallu siarad. Roedd Helen felly'n ddall, yn fyddar ac yn fud. Allwch chi ddychmygu hyn? Caewch eich llygaid, rhowch eich dwylo dros eich clustiau ac esgus nad ydych yn gallu siarad. Cofiwch mai fel hyn roedd Helen bob eiliad o'r dydd a phob dydd o'r flwyddyn.

Yna llwyddodd rhieni Helen i ddod o hyd i athrawes ifanc un ar hugain oed o'r enw Ann Sullivan. Newydd orffen cael ei hyfforddi fel athrawes i'r deillion roedd hi. Sylweddolodd Ann Sullivan yn fuan iawn fod sialens fawr o'i blaen. Roedd Helen yn blentyn anodd. Byddai'n cicio, cnoi, rhedeg i ffwrdd ac yn bwyta fel mochyn. Hi oedd plentyn mwya gwyllt roedd Ann Sullivan wedi ei weld erioed.

Penderfynodd Ann y byddai rhaid disgyblu Helen o'r dechrau. Pan fyddai Helen yn rhedeg i ffwrdd byddai Ann yn ei llusgo nôl. Mynnodd Ann fod Helen yn gwneud fel roedd Ann yn ei ddweud. Pan fyddai Helen yn taro Ann ar draws ei hwyneb, byddai Ann yn gwneud yr un peth yn ôl iddi. Dysgodd Helen yn eitha cyflym bod yn well iddi wrando ar Ann Sullivan. Ond gwnaeth Ann un peth arall yn gyson sef rhoi llawer iawn o sylw a chariad i Helen. Roedd yn ei magu a chydio yn ei llaw yn aml. Daeth Helen i ddeall mai wedi dod i'w helpu roedd Ann a thyfodd y berthynas rhwng y ddwy.

Gwellodd ymddygiad Helen a dechreuodd dderbyn cael ei dysgu. Dysgodd iaith arwyddion y mud a'r byddar yn rhyfeddol o gyflym ac unwaith y sylweddolodd Helen ei bod yn gallu cyfathrebu â'i rhieni, ag Ann a hefyd ag eraill, doedd dim yn ei dal yn ôl. Dysgodd ddarllen Braille yn hynod o gyflym hefyd. Sylweddolodd Ann Sullivan fod Helen Keller yn ferch ddeallus iawn a bod dyfodol disglair o'i blaen er gwaethaf ei hanabledd. Aeth i ysgol arbennig lle dysgodd ddarllen yn rhugl. Dysgodd siarad ieithoedd eraill megis Groeg a Lladin. Astudiodd Fathemateg a phynciau gwyddonol. Llwyddodd mor dda fel y cafodd ei derbyn i astudio mewn Prifysgol. Allai hi ddim bod wedi cyflawni cymaint oni bai am Ann Sullivan a fu wrth ei hochr drwy'r ysgol a'r Brifysgol.

Yn ddwy ar hugain oed, ysgrifennodd Helen ei hanes. Ymhen dim roedd y llyfr yn fyd enwog a chafodd ei gyfieithu i dros hanner cant o ieithoedd. Teithiodd y byd yn darlithio ac yn rhoi cefnogaeth i bobl anabl. Gwnaeth ffilmiau ac ysgrifennodd lyfrau. Yn hwyrach yn ei gyrfa bu'n dysgu'r deillion, y mud a'r byddar. Roedd Ann Sullivan tu cefn iddi trwy'r amser. Hefyd roedd ymdrech, penderfyniad a dyfalbarhad Helen ei hun yn anhygoel.

Defnyddiodd Helen Keller ei thalentau hyd yr eitha ac mae ei hesiampl wedi bod yn ysbrydoliaeth i filoedd o bobl anabl. Bu farw Helen Keller yn 1968 a chafodd deyrngedau lu am iddi gyflawni cymaint.

TYRD IESU GRIST (MWY O GLAP A CHÂN RHIF 69)

Diolchwn i Ti, ein Tad am ein llygaid a'r gallu i weld. Am ein clustiau a'r gallu i glywed. Am y gallu i siarad hefyd. Gallwn ni werthfawrogi'n byd a gallwn ddweud wrth eraill am yr hyn a welwn ni ac a glywn ni. Bydd gyda'r rhai hynny sy'n ddall, mud a byddar, o Dduw.

Diolch am fywyd Helen Keller. Rydyn ni bore ma wedi cael ein hysbrydoli gan yr holl ymdrech wnaeth hi. Gyda help, fe lwyddodd i ddatblygu ei thalentau'n llawn. Bendithia bawb sy'n gweithio gyda'r anabl heddiw. Helpa ni sylweddoli beth yw ein talentau arbennig ni er mwyn eu datblygu a'u defnyddio yn y ffordd rwyt Ti'n am i ni wneud. Gofynnwn hyn yn enw Iesu Grist, Amen.

GWAITH TRAWSGWRICWLAIDD
- Darllenwch hunangofiant Helen Keller, *The Story of my Life*.
- Chwiliwch am wybodaeth am waith cymdeithasau sy'n gweithio gyda'r deillion, y mud a'r byddar.
- Ceisiwch ddychmygu eich bywyd pe baech chi'n ddall, mud a byddar. Ysgrifennwch baragraff byr yn disgrifio'r profiad.
- Meddyliwch am ffordd ymarferol o helpu'r anabl yn eich ysgol ac yn y gymuned.

MIS MEHEFIN – RHIF 8
YR APOSTL PEDR

THEMA

Mehefin 29ain yw dydd Sant Pedr yn ôl calendar yr Eglwys Babyddol. Ef oedd arweinydd y disgyblion. Galwodd Iesu ef yn graig. 'Ar y graig hon yr adeiladaf fy eglwys.'

MOLI BRENIN NEF (MWY O GLAP A CHÂN RHIF 72)

IOAN 21 : 9 – 17

HANES PEDR AC IOAN AR Y FFORDD I'R DEML YN JERIWSALEM

Roedd Jeriwsalem yn brysur iawn am dri o'r gloch y prynhawn. Amser gweddi i'r Iddewon ac roedd Pedr ac Ioan ar eu ffordd i'r Deml. Daeth y ddau at ddrws mawr oedd yn arwain i mewn i gwrt y Deml. Hwn oedd y Porth Prydferth.

Clywson nhw gardotyn yn gofyn am arian. Roedd e wedi bod yno bob dydd ers deugain mlynedd. Byddai ei ffrindiau yn ei gario a'i osod wrth y Porth bob bore, a byddai wedyn yn cardota am arian i brynu bara. Doedd e erioed wedi gallu cerdded. Pan welodd y dyn fod Pedr ac Ioan wedi troi ato, cododd ei ddwylo gan obeithio cael ychydig arian. Dywedodd Pedr wrtho,

"Edrych arnon ni". Cododd y cardotyn ei ben ac edrych ar Pedr ac Ioan yn y gobaith y byddai'n cael darn o arian. Ond yr hyn ddywedodd Pedr wrtho oedd,

"Does gen i ddim aur nac arian i'w gynnig i ti. Ond, yn enw Iesu Grist, rwy'n dweud wrthot ti am godi a cherdded."

Cydiodd Pedr yn llaw dde'r cardotyn a'i helpu i godi. Dechreuodd y cardotyn symud o gwmpas heb gymorth. Ac yna neidiodd i fyny ac i lawr gan weiddi,

"Edrychwch, rwy'n cerdded!"

Fe aeth o flaen Pedr ac Ioan drwy'r Porth Prydferth. Roedd pawb yn rhyfeddu bod y cardotyn bellach yn cerdded. Sut roedd hi'n bosibl bod dyn oedd wedi eistedd wrth y Porth Prydferth am dros ddeugain mlynedd yn gallu cerdded a neidio?

Gan fod cymaint o bobl yno, dechreuodd Pedr siarad â'r dyrfa a dweud wrthyn nhw am yr Iesu. Wedi clywed Pedr yn adrodd yr hanes, daeth llawer i gredu ac yn Gristnogion. Yna, daeth milwyr a mynd â Pedr ac Ioan i'r carchar. Doedd llywodraethwyr y ddinas na'r arch offeiriaid ddim yn gwybod beth i'w wneud â'r ddau yma.

"Mae pawb yn gwybod eu bod wedi iacháu dyn sydd wedi bod yn gorwedd am dros ddeugain mlynedd," medden nhw wrth ei gilydd.

208

Gadawon nhw'r ddau yn rhydd wedi rhybuddio Pedr ac Ioan i beidio â sôn dim am Iesu Grist. Ond fe ddywedodd y ddau fod hyn yn amhosibl. Erbyn hyn roedd llawer yn barod i ddilyn Iesu a llawer yn credu petai cysgod Pedr yn disgyn ar berson sâl, yna byddai yn cael ei iacháu.

Roedd yr archoffeiriaid yn dal yn gandryll ac fe daflwyd Pedr ac Ioan i'r carchar am yr ail waith. Y noson honno, agorwyd drysau'r carchar gan Angel a dywedodd yr Angel wrthyn nhw am fynd i'r deml a dweud wrth y bobl am y bywyd newydd sydd yn Iesu Grist. Felly aeth y ddau i'r Deml i bregethu. Fore trannoeth pan ddaeth y milwyr i'r carchar, roedd pob drws ar glo a neb yno. Allai'r prif archoffeiriad na'r swyddogion ddim deall beth oedd wedi digwydd. Yna clywon nhw fod Pedr yn pregethu yn y Deml. Daeth y milwyr â Pedr ac Ioan o flaen y Sanhedrin. Roedd yr archoffeiriaid yn barod nawr i ladd y ddau am beidio gwrando. Ateb Pedr oedd,

"Rhaid ufuddhau i Dduw yn hytrach nag i ddynion."

DEWCH I FOLI (MWY O GLAP A CHÂN RHIF 78)

Diolchwn i Ti, O Dad am dy fab Iesu Grist. Mae hanes ei fywyd mor ddiddorol. Roedd yn ffrindiau gyda phobl gyffredin ac anghyffredin, yn rhoi lle i ferched fel Mair Magdalen, Mair a Martha a'r wraig o Samaria. Roedd tyrfaoedd yn ei ddilyn ond y bobl bwysig yn ei ofni a rhai yn ei gasáu.

Diolch am fywyd a gwaith Pedr. Roedd yn dwli ac yn dotio ar Iesu. Gadawodd bopeth er mwyn dilyn Iesu. Yn nerth Iesu, roedd Pedr yn gallu gwella pobol fel roedd Iesu'n gallu gwneud. Helpa ninnau i garu'r Iesu a dysgu amdano a'i ddilyn. Amen.

GWAITH TRAWSGWRICWLAIDD

- Beth ddigwyddodd i Pedr ar ddiwedd ei oes?
- Beth oedd enw arall Pedr?
- Chwiliwch am ragor o hanes Pedr e.e. yn gwadu'r Iesu: Math 26 : 69 ac yn rhoi bywyd yn ôl i Dorcas: Actau 9 : 36.
- Enwch y disgyblion roedd Pedr yn arweinydd arnyn nhw.

THEMA - ENNILL RAS I ENNILL GWRAIG

Yr adeg yma o'r flwyddyn, mae'n siŵr eich bod yn cymryd rhan ym mabolgampau'r ysgol. Fe fyddwch am gystadlu ac ennill pwyntiau i'ch llys. Mae pawb yn hoffi ennill ond dydy hynny ddim yn bosib bob tro. Ond i chi gymryd rhan a gwneud eich gorau, mae pawb yn hapus. Ond cofiwch os cystadlu, cystadlu'n deg. Dydy twyllo ddim yn mynd i ddod ag unrhyw glod i chi.

BETH AM RODDI CÂN (CLAP A CHÂN RHIF 73)

CORINTHIAD 1 : 9, 24 – 27

STORI ATALANTA SY'N RHAN O FYTHOLEG GWALD GROEG

Doedd tadau ddim yn llawenhau pan fyddai merch yn cael ei geni yng ngwlad Groeg flynyddoedd yn ôl. Roedd tad Atalanta mor ddig fel y gadawodd iddi farw ar ochr y mynydd. Cafodd ei magu gan eirth nes i helwyr ei darganfod a buodd hi'n byw gyda nhw nes iddi gyrraedd ei harddegau. Roedd Atalanta yn helwraig benigamp, yn well nag unrhyw ddyn. Daeth yn enwog yn Helfa'r Baedd blynyddol. Llwyddodd i ladd y baedd yn gynt nag un o'r dynion. Roedd hyn wrth fodd ei thad a derbyniodd hi nôl i'r teulu.

Roedd hi nawr yn dywysoges ac roedd hi'n hynod o hardd. Bwriad ei thad oedd dod o hyd i ŵr i Atalanta. Cyn cael caniatâd i'w phriodi, gosodwyd tasg i'r bechgyn. Roedd yn rhaid iddyn nhw redeg ras yn erbyn Atalanta a'i churo. Pe na fydden nhw'n ei churo, caen nhw eu condemnio i farwolaeth. Roedd Atalanta mor hardd fel y ceisiodd llawer iawn o ddynion ifanc ei hennill yn wraig, ond yn ofer. Bu llawer yn cystadlu yn ei herbyn ond allai neb redeg yn gynt nag Atalanta ac roedd hi'n gwybod hynny'n iawn.

Syrthiodd Melanion mewn cariad ag Atalanta. Allai e dim meddwl am ddim arall ond am briodi Atalanta. Roedd e'n gwybod na allai e fyth ei churo mewn ras. Felly rhaid oedd meddwl am gynllwyn. Penderfynodd fynd i weld Aphrodite, duwies cariad, a gofyn iddi am ei help. Rhoddodd Aphrodite dri afal aur i Melanion er mwyn hudo Atalanta. Daeth diwrnod y ras. Roedd Atalanta'n barod ac roedd Melanion hefyd yn barod. Roedd wedi cuddio'r tri afal aur.

Cychwynnodd y ras a gadawodd Atalanta i Melanion fynd ar y blaen. Yna pan deimlodd ei fod yn ddigon pell dechreuodd redeg o ddifri a'i ddal. Fel roedd hi'n mynd heibio, gadawodd Melanion i un o'r afalau aur gwympo o'i blaen. Arhosodd

Atalanta ac edmygu'r afal hardd felly, bu'n rhaid iddi redeg yn galed er mwyn dal Melanion. Fel roedd Atalanta yn mynd heibio, gadawodd Melanion i'r ail afal i gwympo. Fel y tro cynta, arhosodd Atalanta ac edmygu harddwch anhygoel yr ail afal aur. Fuodd hi ddim yn hir iawn cyn dal Melanion unwaith eto. Nawr, roedd Melanion yn gwybod bod y ras yn tynnu at ei therfyn. Y tro hwn, wrth i Atalanta ddod yn nes ac yn nes ato, taflodd y trydydd afal ar ochr y llwybr. Gwelodd Atalanta'r afal ac eto fe arhosodd i'w edmygu. Y tro hwn roedd hi wedi gadael gormod o fwlch rhyngddi a Melanion. Melanion enillodd y ras a'r hawl i briodi Atalanta.

TYRD AM DRO (MWY O GLAP A CHÂN RHIF 80)

O Dduw, ein Tad, rydyn ni'n gwybod na fedrwn ennill pob ras na bod yn gynta ym mhob peth a wnawn. Ond fe allwn wneud ein gorau bob tro. Helpa ni wrth i ni baratoi ar gyfer taith bywyd. Bydd gyda ni yn ein cartrefi. Bydd gyda ni yma, yn yr ysgol. Bydd gyda ni ble bynnag awn ni. Helpa ni gadw ein cyrff yn iach a'n meddyliau yn effro. Rydyn ni'n dymuno bod yn blant i Ti, yn iach ac yn llawn bywyd fel y gallwn wneud y gorau o'n gallu. Yn enw Iesu Grist, Amen.

GWAITH TRAWSGWRICWLAIDD

- Ydych chi'n credu bod Melanion wedi twyllo neu beidio? Trafodwch.
- Cynhelir y Gêmau Olympaidd bob pedair blynedd. Chwiliwch am hanes sefydlu'r gêmau.
- Mae gan Gymru athletwyr arbennig. Ysgrifennwch hanes un ohonyn nhw.
- Erbyn hyn, dydy rhedeg milltir mewn llai na phedair munud ddim yn gymaint o gamp. Ond roedd hi'n gamp fawr yn 1954. Chwiliwch am hanes y ras hanesyddol honno.
- Tynnwch lun unrhyw olygfa yn y stori.

THEMA – BILI'N MYND ATI AR EI BEN EI HUN

Yn ôl un hen ddywediad, 'Mae Duw yn helpu'r rhai sy'n helpu eu hunain.' Hynny yw, os ydych chi eisiau rhywbeth, mae'n werth i chi fynd ar ei ôl a pheidio â dibynnu ar rywun arall i'w wneud drostoch chi.

 UN CAM BYCHAN (MWY O GLAP A CHÂN RHIF 81)

 ECCLESIASTICUS 10 : 26 – 28

STORI

Doedd y cadno ddim yn cael unrhyw drafferth helpu'i hunan i hwyaid y Ffermwr. Roedden nhw yno, yn cysgu ar wellt yng nghornel yr hen stabl. Roedd tyllau yn y to, ac roedd bwlch mawr o dan y drws, bwlch digon mawr iddo fedru mynd i mewn i'r stabl. Yn gyson bob rhyw dair wythnos, byddai'r cadno yn dod i'r stabl ac yn helpu'i hunan i hwyaden dew braf.

Roedd y ffermwr naill ai yn rhy hen neu'n rhy ddiog i drwsio to a drws y stabl. Un diwrnod fe alwod hwyaden fach glyfar o'r enw Bili ar ei ffrind.

"Henri, mae'n rhaid i ni chwilio am le mwy diogel i gysgu. Mae'r stabl wedi mynd â'i phen iddo a dyna lle rydyn ni'r hwyaid yn eistedd ac yn disgwyl cael ein cipio gan y cadno felltith yna. Mae gen i syniad. Pam na allwn ni ddefnyddio basged y ci? Mae wedi bod yn gorwedd yn segur ar y buarth ers i Carlo farw fisoedd yn ôl."

"Rhaid dy fod ti'n boncyrs!" meddai Henri. "Bydd y cadno yn dod i mewn i'r buarth ac yn ein bachu ni o'r fasged. Ha, ha! Doniol iawn!"

Ond aeth Bili ati wedyn i esbonio yn iawn i Henri beth oedd ganddo mewn golwg. Ym mhen draw'r buarth roedd coeden dderw braf ac ar un o ganghennau cryf y dderwen, roedd hen siglen. Ar hon, roedd plant y ffarm yn chwarae pan oedden nhw'n ifanc. Syniad Bili oedd cael gwared ar sedd y siglen a defnyddio'r rhaff er mwyn clymu'r pob ochr i'r fasged yn sownd wrthi. Wedyn hedfan i ben y gangen a thynnu'r rhaff i fyny bob ochr fel bod y fasged yn ddigon uchel allan o gyrraedd y cadno ac fe allen nhw hedfan i mewn i'r fasged a chysgu'n dawel bob nos.

"Fe fydd yn waith andros o galed," meddai Bili. "Ond fe allwn ni'n dau ddod i ben yn iawn. Beth am ddechrau nawr?"

Atebodd Henri braidd yn llipa, "Na, rwy'n credu bod yn well i mi wrthod, Mae gen i, ym...ym... gefn tost ac rwy'n cael trafferth hedfan. Mae'n well i ti ofyn i rywun arall."

Aeth Bili ar hyd y buarth nes dod at Donald. Roedd pawb yn credu mai Donald oedd yr hwyaden gryfa ohonyn nhw i gyd. Esboniodd Bili ei gynllun wrth Donald, ond gwrthod wnaeth hwnnw wedyn gan ei fod yn cael pendro wrth ddringo.

Holodd Bili bob un o'r hwyaid yn eu tro ond gwrthododd pob un. Felly, doedd dim amdani ond gwneud y gwaith ei hun. Cychwynnodd am hanner dydd, a bu wrthi'n ddiwyd drwy'r prynhawn. Roedd yn chwys domen yn cael gwared ar sedd y siglen. Erbyn min nos roedd wedi gorffen a hedfanodd i fyny i'r fasged ac fe gysgodd drwy'r nos.

Cafodd ei ddeffro gan sŵn cwacian uchel. Henri a Donald oedd yn cadw sŵn, "Mae'r cadno wedi mynd â dwy hwyaden neithiwr. Gawn ni gysgu hefo ti heno Bili?"

Plediodd Henri a Donald am gael cysgu yn y fasged. Roedd pendro Donald dipyn yn well a dywedodd Henri fod ei gefn wedi gwella dros nos. Gan fod Bili yn greadur calon feddal, cytunodd fod y ddau yn cael ymuno ag e yn y fasged. Ond allai e ddim peidio â dweud wrth y ddau, "Y tro nesaf, os ydych chi eisiau rhywbeth, gwnewch e eich hun."

DUW MAWR POB GOBAITH
(MWY O GLAP A CHÂN RHIF 70)

Ein Tad, rho i ni'r awydd a'r gallu i weithio gorau gallwn ni a pheidio â gwneud esgusodion. Rydyn ni'n gwybod ein bod yn dibynnu ar eraill. Dyna sut rydyn ni'n gweithio orau – gyda'n gilydd. Gwna ni'n ddiolchgar fod eraill eisiau ein help ni. Wrth weithio gyda'n gilydd fel tîm gallwn symud sawl mynydd. Bydded i'r hyn a wnawn ni fod yn dderbyniol gennyt Ti ac o gymorth i eraill. Yn enw Iesu Grist. Amen.

GWAITH TRAWSGWRICWLAIDD
- Gwnewch stribed gomig yn darlunio'r stori.
- Chwiliwch am ddiarhebion â gwers ynddyn nhw.
- Lluniwch stori ar unrhyw ddywediad neu ddihareb.
- Sgriptiwch y stori a'i hactio.

THEMA – PEIDIO AG ILDIO I DEMTASIWN

 DOWN AT EIN GILYDD (MWY O GLAP A CHÂN RHIF 58)

 LEFITICUS 19 : 11

HANES LLEIDR

Mae'n anodd credu bod y stori hon yn wir. Ond fe ddigwyddodd hyn rai blynyddoedd yn ôl.

Roedd yr heddlu'n synnu bod cymaint yn cael ei ddwyn o siopau crand y ddinas. Gemau, diamwntiau, a modrwyau gwerthfawr iawn a hefyd roedd dillad costus iawn yn diflannu. Gadawodd y lleidr ychydig o olion bysedd ond doedd rhain ddim yn debyg i unrhyw rai oedd gan yr heddlu. Roedd yn amlwg i'r Arolygydd Lewis, a oedd yng ngofal yr achos, nad oedden nhw'n delio â lleidr cyffredin.

Nos Fawrth oedd hi, noson clwb gwyddbwyll yr Arolygydd. Byddai'n mynd yno er mwyn ymlacio ac anghofio am broblemau ei waith. Byddai'n chwarae sawl gêm gyda'i ffrind Morgans, dyn busnes cyfoethog. Yna, byddai'r ddau yn eistedd a sgwrsio dros baned o goffi.

Siaradodd Morgans am y gwyliau roedd newydd ei dreulio yn Sbaen. Holodd sut oedd yr achos lladrata'n datblygu. Atebodd yr Arolygydd,

"Does dim un lladrad wedi bod ers pythefnos." Yna chwarddodd a dweud, "Mae'n rhaid bod y lleidr ar ei wyliau hefyd!"

Ddwy noson yn ddiweddarach tarodd y lleidr eto a dwyn gwerth miloedd o bunnau o fodrwyau diemwnt. Roedd yr Arolygydd bron â chyrraedd pen ei dennyn. Roedd y lleidr hwn mor gyfrwys fel na fyddai byth yn cael ei ddal. Tynnodd allan y ffeil oedd yn cynnwys yr holl achosion a meddai wrtho'i hunan,

"Mae'n rhaid bod yr ateb rhywle yn y papurau yma."

Ddwy awr yn ddiweddarach, sythodd ei gefn ac roedd syndod ar ei wyneb. Roedd y peth yn amhosib. Ail edrychodd ar ei nodiadau. Oedd, roedd hi'n wir nad oedd lladrad wedi digwydd ar unrhyw noson pan oedd yn chwarae gwyddbwyll. Fuodd na ddim lladrad yn ystod y pythefnos pan oedd Morgans ar ei wyliau. Ond pam byddai dyn cyfoethog fel Morgans yn lleidr? Dim ond un esboniad oedd yn bosibl – trachwant. Rhaid cael mwy a mwy a mwy fyth.

Daeth nos Fawrth ac roedd Lewis a Morgans yn chwarae gwyddbwyll ac yn cael paned o goffi wedyn. Wrth adael, cydiodd yr Arolygydd yng nghwpan coffi Morgans a'i roi yn ei boced. Rai dyddiau wedyn roedd adroddiad ar ddesg yr Arolygydd Lewis yn cadarnhau mai'r olion bysedd ar y cwpan coffi oedd olion bysedd y lleidr.

Felly Morgans oedd y lleidr.

Rai nosweithiau wedi hynny, gadawodd Morgans ei dŷ crand a cherdded i ganol ardal y siopau mawr drud. Edrychodd a'r hyd y stryd; roedd popeth yn berffaith dawel. Gadawodd ei hun i mewn i un o'r siopau gemau. Ymhen dim roedd yn penlinio wrth y sêff. Yn sydyn daeth y lle yn olau i gyd a'r Arolygydd yn sefyll yn y drws. Agorodd Morgans ei lygaid yn fawr, "Sut dest ti i wybod?" gofynnodd i Lewis.

"Olion bysedd ar y cwpan coffi," oedd yr ateb swta.

"Ond pam na fuaset ti wedi fy arestio i yn syth bryd hynny?" gofynnodd Morgans. Edrychodd yr Arolygydd Lewis i fyw llygaid Morgans, ac meddai,

"Am dy fod ti wedi gwneud gymaint o ffŵl ohono i, roeddwn am dy ddal di wrthi!"

TYRD IESU GRIST (MWY O GLAP A CHÂN RHIF 69)

Ein Tad, gwna ni'n bobl onest. Helpa ni sylweddoli dy fod di'n casáu'r drwg. Gwna ni'n bobl sy'n mwynhau bod yn lân ac yn onest. Mae mynd ag unrhyw beth sydd ddim yn perthyn i ni yn anonest.

Mae pawb yn cael eu temtio. Dysga ni, O Dduw, nad cael ein temtio yw'r pechod ond ildio i demtasiwn. Cadwa ni rhag dymuno cael pethau pobl eraill. Gwna ni'n bobl sy'n mwynhau popeth yn y byd bendigedig rwyt Ti wedi 'i roi i ni yn rhad ac am ddim. Gofynnwn hyn yn enw Iesu Grist, Amen.

GWAITH TRAWSGWRICWLAIDD

- Mae dwyn o siopau yn beth cyffredin ymysg plant. Beth yw eich barn chi?
- Dylid cosbi troseddwyr yn llawer llymach. Trafodwch.
- Mae troseddau wedi cynyddu am fod dylanwad yr Ysgol Sul wedi cilio. Beth yw eich barn chi?
- Gwnewch boster yn rhybuddio plant ynglŷn â ffolineb dwyn unrhyw beth.

THEMA – MAE ELUSENNAU YN GWBL HANFODOL

FY NGHYMYDOG (MWY O GLAP A CHÂN RHIF 43)

DIARHEBION 22 : 1 – 6

Y FFATRI CYNHYRCHU CEIR

Roedd y ffatri yn cyflogi miloedd o bobl. Gwyrth y dechnoleg fodern oedd y llinell gynhyrchu a hon oedd prif gonsyrn y rheolwyr. Dim ond bod hon yn cynhyrchu ceir wrth y miloedd bob wythnos, roedd y rheolwyr yn hapus. Ac wrth gwrs roedd y peiriannau yn cael y gofal gorau.

Ond yn anffodus roedd llawer o ddamweiniau yn y ffatri. Doedd y dull modern o gynhyrchu ceir erioed wedi ystyried bod gweithwyr yn gallu gwneud camgymeriadau. Er enghraifft, gallai gweithiwr fethu â chanolbwyntio am ychydig, yna gwneud rhywbeth yn ddifeddwl a chael ei frifo. Gallai eraill fethu â sylweddoli eu bod wedi blino. Bryd hynny, roedd damweiniau'n digwydd.

Ddydd ar ôl dydd, byddai pobl yn gadael y ffatri eu bysedd wedi eu gwasgu, rhai wedi eu clwyfo neu wedi eu cleisio. Roedd trychinebau hefyd yn gallu digwydd; byddai gweithiwr yn colli ei fraich, gweithiwr arall yn colli ei goes ac fe gafodd un ferch ei thrydaneiddio. Gwasgwyd un gweithiwr i farwolaeth.

Dechreuodd pobl sylweddoli bod angen gwneud rhywbeth i wella'r cyfleusterau yn y ffatri. Aeth y capeli a'r eglwysi lleol ati i gasglu arian ac o ganlyniad cafwyd pabell cymorth cyntaf y tu allan i'r ffatri. Trwy ymdrechion Cyngor Eglwysi'r ddinas, casglwyd digon o arian i godi clinic ar gyfer gweithwyr y ffatri lle gallen nhw drin y damweiniau difrifol.

Clywodd Cyngor y Ddinas am hyn ac roedden nhw am wneud rhywbeth. Yna deallodd y Siambr Fasnach a'r Clwb Rotari beth oedd y sefyllfa yn y ffatri ac roedden nhw hefyd am helpu. O ganlyniad, tyfodd y clinic yn ysbyty fach gydag offer modern, theatr lawdriniaethau a staff llawn amser o feddygon a nyrsys. Yn wir fe achubwyd nifer o fywydau ac roedd pawb yn falch o hynny.

Erbyn hyn, sylweddolodd rheolwyr y ffatri bod yn rhaid iddyn nhw wneud rhywbeth os oedden nhw am ymddangos fel petaen nhw'n rheolwyr da. Cyfrannon nhw swm o arian yn flynyddol at waith yr ysbyty a hefyd at ambiwlans er mwyn symud achosion difrifol yn gynt o'r ffatri i'r ysbyty.

Ond er hyn oll, fel yr oedd cynnyrch y ffatri yn cynyddu o flwyddyn i flwyddyn, roedd nifer y damweiniau hefyd yn cynyddu'n gyson. Er mor effeithiol oedd yr ysbyty ac er mor glyfar oedd y meddygon, roedd y ffeithiau moel yn dangos bod mwy a mwy o weithwyr yn marw o ganlyniad i ddamweiniau yn y ffatri.

Dim ond ar ôl i bobl ddechrau holi o ddifri y dechreuodd y rheolwyr fynd i'r afael â phroblemau'r gweithwyr ar y llinell gynhyrchu ei hun. Bryd hynny, daeth y rheolwyr wyneb yn wyneb â'r cwestiwn mawr. Oedd y peiriannau, a achosodd y damweiniau, yn fwy o werth na bywydau'r gweithwyr?

Rhywun Sy'n Fwy (Mwy o Glap a Chân Rhif 76)

Ein Tad, helpa ni deimlo consyrn am bobl. Mae pobl yn bwysig i Ti. Llawer, llawer yn fwy pwysig i Ti na gwneud arian. Helpa ni dyfu'n gryf fel ein bod yn ddigon dewr i feddwl a mynegi barn ar faterion fel hyn. Mae'n bwysig bod pob Cristion yn ddewr ac yn barod i gwyno yn erbyn anghyfiawnder.

Cofiwn fel y dysgodd Iesu Grist i ni fod caru cymydog yn bwysicach na charu arian a chyfoeth. Dyro i ni'r nerth i gredu hyn. Yn enw Iesu Grist, Amen.

Gwaith Trawsgwricwlaidd

- Ydyn ni'n byw mewn oes pan mae gwneud elw yn bwysicach na dim? Trafodwch.
- Ysgrifennwch lythyr at reolwyr y ffatri yn cwyno am y peiriannau peryglus.
- Meddyliwch am esiamplau eraill lle mae gwneud elw yn bwysicach na dim. Beth am yr esgidiau chwaraeon sy'n cael eu gwneud yn y trydydd byd, er enghraifft?

THEMA – MAE ANGEN BOD YN GRYF, YN BAROD I DDISGYBLU EIN HUNAIN A DWEUD 'NA.'

GWRANDEWCH AR IESU (CLAP A CHÂN RHIF 70)

CORINTHIAD 9 : 24 – 27

STORI O'R ISELDIROEDD

Fel y gwyddoch, mae llawer iawn o dir yr Iseldiroedd o dan lefel y môr a miloedd o erwau o dir wedi cael eu hachub o'r môr. System gymhleth o forgloddiau cryf sy'n llwyddo cadw'r môr draw.

Dros bum can mlynedd yn ôl, penderfynwyd codi dinas fawr ar dir gwastad wedi'i achub o'r môr. Fel y gallwch ddychmygu, roedd adeiladu dinas newydd yn fusnes costus eithriadol. Ond roedd y rhai a oedd wedi buddsoddi arian mawr yn y fenter yn ffyddiog y bydden nhw'n gwneud elw mawr.

Wrth i'r gwaith adeiladu dynnu at ei derfyn, tynnodd un o'r peirianwyr sylw at ffaith bwysig. Petai yna lanw uchel anghyffredin ar yr un pryd â gwyntoedd cryf, fe fyddai'n bosibl i'r môr ddod dros y morgloddiau ac fe fyddai'r ddinas a'r holl drigolion yn siŵr o foddi. Go brin y byddai neb yn gallu byw trwy'r fath drychineb.

Buon nhw'n trafod ofnau'r peiriannydd am amser hir. Cytunodd pawb fod perygl a bod yn rhaid gwneud rhywbeth i ddiogelu'r ddinas yn erbyn digwyddiad o'r fath. Gofynnwyd am gyngor y prif beiriannydd. Awgrymodd y dylid adeiladu wal anferth o gwmpas y ddinas. Ei gyngor e oedd y dylai'r wal gael ei hadeiladau o gerrig llyfn a fyddai'n cloi yn ei gilydd, ac fel diogelwch pellach y dylai pob carreg gael ei bolltio wrth ei gilydd.

Aethpwyd ati wedyn i amcangyfrif costau adeiladu'r wal. Pan welodd arweinwyr y ddinas beth oedd y gost derfynol roedden nhw'n cytuno ei bod yn rhy ddrud. Roedd yn fwy na phosibl na fyddai'r fath drychineb byth yn digwydd. Roedd y morglawdd oedd yno'n barod yn edrych yn iawn ac eisoes wedi gwrthsefyll stormydd enbyd. Felly cytunwyd ar gyfaddawd. Byddai wal o gerrig garw yn cael ei chodi. I dorri ar y costau, fe benderfynwyd peidio â defnyddio sment arbennig nad oedd yn toddi mewn dŵr hallt ond yn hytrach, morter cyffredin oedd y rhatach.

Ymhen hir a hwyr fe gwblhawyd y wal. Er mwyn cuddio'r cerrig garw, rhoddwyd y morter drosti, yna peintiwyd y wal mewn patrymau amrywiol lliwgar glas a gwyn. Roedd pawb yn edmygu'r wal a phawb yn mynd i weld pa mor fawr a hardd roedd hi. Yn wir, gofalodd y naill genhedlaeth ar ôl y llall am y wal trwy sicrhau ei bod yn cael ei pheintio'n rheolaidd.

Ac yna fe ddigwyddodd y drychineb! Ganrif a hanner wedi'r adeiladu, cafwyd llanw anghyffredin o uchel gyda chorwynt yn hyrddio'r môr tuag at y morglawdd. Roedd y tonnau'n anferthol ac yn ddidrugaredd nes yn y diwedd, agorwyd hollt yn y morglawdd a chafodd ei chwalu fel castell tywod ar draeth. Ymlaen yr aeth y môr ar draws y tir gwastad gan hawlio'r tir yn ôl iddo'i hun. Roedd y tonnau yr un mor ffyrnig wrth wynebu wal y ddinas. Sut gallai'r wal rwystro'r llif? Toddodd y morter cyffredin a chafodd y tonnau afael yn y cerrig garw a'u rhwygo oddi wrth ei gilydd. Diflannodd y ddinas a'i thrigolion yn llwyr.

Pan ail adeiladwyd y morglawdd flynyddoedd lawer yn ddiweddarach ac ail feddiannu'r tir, y cyfan a oedd yn weddill o'r ddinas fawr lewyrchus oedd twmpathau o adfeilion a cherrig yn frith ar hyd y tir. Chafodd y ddinas mo'i hailadeiladu yno fyth wedyn, serch hynny.

DEWCH BLANT Y GWLEDYDD
(MWY O GLAP A CHÂN RHIF 60)

Dysg ni, O Arglwydd i ddisgyblu ein hunain. Mae'n bwysig gallu rheoli ein gweithredoedd a rheoli ein meddyliau a'n siarad hefyd.

Helpa ni sefyll yn gryf a sefyll yn onest ac yn gall. Helpa ni sefyll yn erbyn y temtasiwn o ddilyn 'pawb' a bod 'fel pawb'. Rho dy law yn fy llaw o fy Iesu er mwyn i fi allu bod yn gryf. Amen.

GWAITH TRAWSGWRICWLAIDD
- Edrychwch ar fap i weld yn hollol ble mae'r Iseldiroedd.
- Chwiliwch am hanes adeiladu'r Cob ym Mhorthmadog
- Chwiliwch am wybodaeth sy'n esbonio sut y caiff morgloddiau eu hadeiladu.
- Mae stori hyfryd am fachgen yn gwthio'i fys i mewn i forglawdd i rwystro'r dŵr rhag dod i mewn. Chwiliwch am y stori.

THEMA – MAE IESU AM I NI GYD UNO DAN EI FANER EF

MAWL I'R IÔR AM WLEDYDD Y BYD
(CLAP A CHÂN RHIF 50)

SALM 20 : 5

TRAFOD BANERI

Beth yw baner? Un ateb posibl yw – darn o ddefnydd lliwgar wedi ei glymu wrth bolyn sy'n chwifio yn yr awyr. Ateb cywir. Ond mae'n fwy na hynny.

Mae baner yn symbol. Mae gan bob gwlad ei baner ei hun ac ystyr arbennig iddi. Mae gan fudiadau fel y Groes Goch, y Cenhedloedd Unedig a'r Undeb Ewropeaidd hefyd eu baneri eu hunain.

Mae'n siŵr mai'r faner rydych chi fwya cyfarwydd â hi yw baner Cymru, y Ddraig Goch. Gallwch chi ei gweld hi, y cefndir gwyrdd a gwyn a'r ddraig goch yn y canol. Fel y gwyddoch, mae ystyr i'r tri lliw. Gwyrdd yw tir Cymru, ystyr y coch yw gwaed sef gwaed pobl Cymru, a'r gwyn yw glendid a phurdeb Cymru fel gwlad Gristnogol. Mae'r ddraig yn arwydd o ddewrder, o gryfder cymeriad ac o annibyniaeth.

Ers y cychwyn, mae baneri wedi cael eu codi'n uchel ar bolion a'u cario i ryfel. Roedd gan y lleng Rhufeinig ei baner a'r symbol arni oedd yr eryr. Byddai'r faner yn cael ei chario'n uchel fel bod pob milwr yn gallu ei gweld ac roedd osgoi gadael i'r faner syrthio i ddwylo'r gelyn yn holl bwysig. Pe bai'r milwr oedd yn cario'r faner yn cael ei ladd mewn brwydr, fe fyddai un arall yn cael gorchymyn i gymryd ei le a chodi'r faner. Yn y Canol Oesoedd roedd baneri o wahanol siâp ond erbyn heddiw siâp petryal sydd iddyn nhw i gyd.

Cynllun syml iawn sydd gan rai baneri tra bod gan eraill gynllun cymhleth. Y Stars and Stripes yw baner yr Unol Daleithiau. Mae un deg tri o stribedi ar y faner yn cynrychioli'r trefedigaethau gwreiddiol, tra bod yr hanner cant o sêr yn cynrychioli'r taleithiau. Mae symbolau crefyddol ar nifer o faneri. Seren Dafydd sydd ar faner gwlad Israel ac ar nifer o faneri'r gwledydd Mwslemaidd, mae cilcant y lleuad.

Caiff baneri eu defnyddio i nabod llongau ar y môr. Pan fo llong yn chwifio baner felen, golyga hyn fod yna haint ar fwrdd y llong. Pan fo baner yn hedfan hanner ffordd i fyny polyn naill ai ar dir neu ar fôr, mae hynny'n arwydd bod rhywun pwysig wedi marw. Mae pawb yn gwybod bod baner goch yn arwydd o berygl. Byddai'r lluoedd arfog yn defnyddio baneri i anfon negeseuon drwy eu chwifio mewn amrywiol ffyrdd. Un ffurf arall ar faner yw'r rhai hir hynny sydd ynglwm wrth ddau bolyn, Ar y faner ceir hysbyseb neu slogan. Wrth hysbysebu carnifal, gwelwn enwau'r perfformwyr neu'r rhai sy'n eu noddi neu efallai enw'r elusen fydd yn derbyn yr arian.

Mae llawer o sôn am faneri yn y Beibl. Pan oedd yr Israeliaid ar y ffordd i wlad Cannan, byddai pob un o'r llwythi yn gwersylla o dan eu baner eu hun yn ôl trefn Moses. Mae'r Salmydd, mewn gwasanaeth yn y deml, yn annog y bobl i godi baner yn enw Duw. Yn y rhan yna o'r gwasanaeth fe fyddai cludwyr baneri yn chwifio'r baneri a oedd yn eu gofal.

Fe allwn ni heddiw gario baner yn enw Duw ac Iesu Grist. Does dim rhaid cario baner y gall pawb ei gweld ond gallwn ddangos ein bod ar ochr Duw yn y ffordd rydyn ni'n byw ac yn siarad â'n gilydd.

Moli Brenin Nef (Mwy o Glap a Chân Rhif 72)

Helpa ni O Dduw i ddangos ein bod yn perthyn i Ti. Os ydyn ni'n gas wrth ein gilydd, yn meddwl yn gas ac yn defnyddio geiriau cas, yna rydyn ni'n gwybod ein bod yn siomi Iesu. Ddaeth e ddim i'r byd i hau casineb ac ymladd. Daeth e i'r byd i ddangos cariad Duw tuag at bawb.

Helpa ni ddangos y cariad hwn at ein gilydd, gartre, yn yr ysgol ac wrth chwarae â'n gilydd. Yn enw Iesu Grist. Amen

Gwaith Trawsgwricwlaidd
- Caiff nifer o faneri eu defnyddio mewn rasys ceir. Fedrwch chi ddod o hyd i bwrpas y gwahanol faneri?
- Pa symbol fyddai orau ar faner Iesu Grist?
- Cynlluniwch faner i'ch ysgol.
- Baner pa wlad yw'r orau gennych chi o ran ei chynllun?

223

THEMA

Mae Gorffennaf 15fed yn bwysig o safbwynt y tywydd. Yn ôl traddodiad, bydd y tywydd gawn ni ar y diwrnod hwn yn para am ddeugain niwrnod. Dyma ddydd Sant Swiddin.

DIOLCH AM Y PEDWAR TYMOR
(CLAP A CHÂN RHIF 18)

MATHEW 5 : 5

HANES SANT SWIDDIN

Gŵr addfwyn a phoblogaidd iawn oedd Sant Swiddin. Yng Nghaer-wynt neu Winchester roedd e'n byw ac yn y flwyddyn 852, fe ddaeth yn Esgob Caer-wynt. Roedd yn weithiwr caled iawn ac wrth ei fodd yn codi eglwysi. Dyma'r cyfnod pan oedd pobl yn troi oddi wrth dduwiau paganaidd at Grist. Felly roedd angen eglwys lle y gallen nhw addoli Duw.

Roedd Swiddin yn gyfrifol am adeiladu pont ar ochr ddwyreiniol dinas Caer-wynt. Byddai'n mynd yno i wylio'r gwaith gan wybod bod ei bresenoldeb yn hwb i'r gweithwyr weithio'n galetach. Un diwrnod, daeth hen wraig yn cario basged o wyau heibio. Chwalodd gweithiwr lletchwith y fasged nes bod pob un o'r wyau'n chwilfriw ar y llawr. Roedd Sant Swiddin yn cydymdeimlo cymaint â'r hen wraig fel y rhoiodd bob ŵy yn ôl wrth ei gilydd ac aeth yr hen wraig adre yn rhyfeddu at ei allu gwyrthiol.

Roedd yn ddyn galluog iawn, yn dod o deulu o uchelwyr ac yn cymysgu gyda phobl bwysig ei oes. Roedd hefyd yn athro da a'i ddisgybl enwoca oedd y Brenin Sacsonaidd enwog, *Alfred the Great*. Er hyn i gyd, dyn syml, cyffredin oedd Swiddin, yn mynnu cerdded i bobman yn hytrach na marchogaeth ar gefn ceffyl.

Bu farw Swiddin ar Orffennaf yr ail, 862 ac fe'i claddwyd, yn ôl ei ddymuniad, yn hen fynwent yr Eglwys Gadeiriol. Ei ddymuniad oedd bod cerddwyr yn troedio dros y bedd a'r glaw yn disgyn arno. Tra oedd yn fyw, doedd dim cyswllt o gwbl rhwng Sant Swiddin a'r tywydd

Roedden nhw'n ailadeiladu Eglwys Gadeiriol Caer-wynt a phenderfynwyd symud gweddillion Sant Swiddin a'u gosod yn yr eglwys. Bu'n rhaid gohirio'r symud sawl tro am ei bod hi'n bwrw glaw yn ddiddiwedd. Yn ystod y cyfnod hwn maen nhw'n dweud i lawer o gleifion gael gwellhad gwyrthiol a hyn oedd y prawf terfynol bod Swiddin yn deilwng o fod yn sant. Roedd hi'n bwrw'n drwm ar y pymthegfed o Orffennaf. Eto, penderfynwyd bod yn rhaid symud y gweddillion y diwrnod hwnnw a'u cysegru o fewn yr eglwys. Roedd hi'n amhosibl disgwyl rhagor am dywydd braf.

Gorffennaf 15fed, felly, yw dydd Gŵyl Sant Swiddin ac fe gofiwn ni amdano oherwydd y traddodiad a dyfodd ynglŷn â'r tywydd. Os bydd hi'n bwrw glaw ar y diwrnod hwn, yna fe fydd hi'n bwrw am ddegain niwrnod a byddwn ni felly'n cael haf gwlyb iawn!

I'N BWYDO NI (MWY O GLAP A CHÂN RHIF 21)

Diolch i Ti am bobl sydd yn dymuno gwasanaethu eraill. Roedd Swiddin yn berson allai fod wedi cael bywyd braf, yn gwneud dim ond plesio ei hunan. Eto, fe dreuliodd ei fywyd fel Iesu, yn helpu, yn dysgu ac yn pregethu gair Duw.

Helpa ni, O Arglwydd. Cawn ein temtio i fynnu ein ffordd, i ddefnyddio ein nerth a dangos i eraill pa mor bwysig a chryf rydyn ni. Maddau i ni. Dysg ni nad dyma ffordd Iesu. Mae e'n casáu pan fo rhywun yn ddiangen, yn herio, yn gas ac yn gwneud i eraill deimlo'n fach. Dyro oleuni i'n bywyd. Dy oleuni di. Dyro oleuni Iesu a goleuni'r Ysbryd Glân i fyw ynon ni bob un. Amen

GWAITH TRAWSGWRICWLAIDD

- Chwiliwch lle mae Caer-wynt/Winchester ar y map o Loegr.
- Mae llawer o goelion gwlad am y tywydd. Holwch sawl un, hen bobl yn arbennig, a chofnodwch y coelion.
- Mae llawer o ddywediadau ar gael yn ymwneud â'r misoedd. Dyma un am y mis yma, 'Tes Gorffennaf, ydau brasaf.' Chwiliwch am ragor a rhestrwch nhw yn ôl y mis.
- Cofnodwch y tywydd am weddill y mis.

THEMA – YR ANIFEILIAID YN BWLIAN

Sut dylen ni ymddwyn? Nid trwy wthio a herio ein gilydd. Ffordd Iesu yw gwneud ffrindiau â phobl.

DANGOS CARIAD DUW
(MWY O GLAP A CHÂN RHIF 62)

IOAN 13 : 34 A 35

STORI

Ger coeden ar lan afon roedd llygoden fach yn byw. Ochr draw yr afon roedd coeden eirin. Byddai'r llygoden fach yn codi bob bore a mynd dros yr hen bont bren wichlyd at y goeden eirin. Yno byddai'n bwyta'r eirin blasus nes bod ei fol yn llawn.

Un bore cododd y llygoden fel arfer ac aeth at y goeden eirin. Yna gwelodd y gath! Roedd hi'n gorwedd ar ganol y bont ar un o'r trawstiau gwichlyd. Llygadodd y ddau ei gilydd.

"Esgusodwch fi!" gwichiodd y llygoden yn nerfus. "Dwi am fynd draw at y goeden eirin. Fyddech chi mor garedig â symud?"

"Na!" meddai'r gath. "Rwy'n mynd i orwedd yma yn yr haul a chei di ddim mynd heibio. Dw i'n fwy na ti, ac mi alla i wneud fel rwy'n dymuno. Chei di ddim mynd drosodd."

Hen fwli yw hi, meddyliodd y llygoden wrthi ei hunan ac aeth adre.

Yn ffodus roedd y ci yn ffrind i'r llygoden. Cytunodd y ci ei helpu ar unwaith. Aeth y ddau yn ôl at y bont. Camodd y llygoden yn ddewr ar y bont a gofyn i'r gath wneud lle iddi basio. Agorodd y gath un llygad a dweud wrth y llygoden am fynd adre. Chwibanodd y llygoden a chamodd y ci ar y bont wichlyd.

"Edrych ma, rwy'n fwy na ti," meddai'r ci. "Nawr bagla hi oddi yma!"

Ysgyrnygodd y ci a hisiodd y gath ac meddai, "Hen fwli o gi!"

Cafodd y llygoden lond ei bol o eirin. Ond yn y cyfamser aeth y gath at ei ffrind yr afr ac addawodd yr afr ddod i helpu. Fore trannoeth cychwynnodd y llygoden a'r ci am y bont. Pwy oedd yn gorwedd yno ond y gath. Bygythiodd y ci, ond chwibanodd y gath a chamodd yr afr ar y bont wichlyd.

"Rwy'n fwy na chi," meddai afr wrth y ci a'r llygoden. Dangosodd ei chyrn a dweud, "Ewch adre!"

"Bwli o afr!" Cyfarthodd y ci arni wrth gilio'n ôl oddi ar y bont.

Roedd gan y llygoden ffrind arall, y fuwch. Cytunodd hi ei helpu. Chwibanodd y llygoden a daeth y fuwch i'r bont a bygwth yr afr. Ciliodd yr afr a'r gath ac fe gafodd y llygoden yr eirin. Barn yr afr a'r gath oedd bod y fuwch yn fwli.

Aeth y gath i weld ffrind arall iddi, y ceffyl. Roedd e'n fodlon helpu. Felly ar y bont roedd y gath a'r afr tu ôl iddi, yna'r llygoden, y ci a'r fuwch yn sefyll ben arall. Camodd y ceffyl ar y bont.

"Baglwch chi o ma!" Gyda hynny dechreuodd y bont wichian a chwyno ac mewn eiliad torrodd a chwympodd yr anifeiliaid i gyd i'r afon.

"Help!" gwaeddodd pawb wrth i'r dŵr olchi drostyn nhw. Llwyddodd y ceffyl fachu cangen gref rhwng ei ddannedd cryf.

"Daliwch yno' i!" gwaeddodd.

Cydiodd y fuwch yn dynn yng nghynffon y ceffyl a'r afr yng nghynffon y fuwch, y ci yng nghynffon yr afr, a'r gath yng nghynffon y ci, a'r llygoden yng nghynffon y gath. Yn araf llusgodd y ceffyl nhw i gyd o'r afon.

Ar y lan, meddai'r llygoden,

"Mae'r afon yn fwy na ni i gyd, ond gyda'n gilydd, roedden ni ddigon mawr i helpu'n gilydd."

ESTYN DY LAW FY FFRIND
(MWY O GLAP A CHÂN RHIF 46)

Rho dipyn bach o synnwyr cyffredin i ni, O Dduw. Gyda'n gilydd gallwn ni wneud llawer. Wrth ymladd ein gilydd, gallwn ni ddinistrio a difetha ein hunan ar yr un pryd.

Maddau i ni ein bod mor ffôl. Pe baen ni ond yn synhwyrol ac yn dilyn dy orchymyn di! Dim ond dau orchymyn sydd gen ti. Dy garu di'n gyntaf ac yn ail, caru'n gilydd. Helpa ni beidio â thaflu'n pwysau a gwneud dolur i'n gilydd ond dangos i ni sut i helpu eraill. 'Caru ein cymydog' dyna eiriau Iesu,'fel ni ein hunain.' Yn enw Iesu, Amen

GWAITH TRAWSGWRICWLAIDD

• Ydych chi wedi cael eich bwlian? Siaradwch am eich profiad.
• Darluniwch y stori ar ffurf sgript gomic. Yna, actiwch hi.
• Sut mae'n bosibl datrys anghydfod heb fynd i ymladd?
• Ysgrifennwch am brofiad annymunol yr ydych wedi ei gael.

THEMA

Yn ystod y dyddiau nesa, bydd llawer ohonoch yn gorffen yn yr ysgol gynradd ac yn symud i'r ysgol uwchradd. Bydd eraill yn symud dosbarth. Dyma gyfle newydd i chi! Symud wnaeth Joni Hadaufale, ac wrth symud, roedd yn hau daioni.

DIOLCH IESU (CLAP A CHÂN RHIF 9)

MARC 4 : 3 – 9

HANES JONI HADAUFALE O OHIO

Un bore beth welodd y rhai oedd yn byw ar lan yr afon Ohio ond cwch yn nofio i lawr yr afon. Ond nid cwch cyffredin oedd hwn ond un wedi ei wneud o ddau ganw wedi eu clymu wrth ei gilydd. Yn rhyfeddach fyth roedd yn llawn o afalau wedi pydru ac yn tynnu'r rhwyfau roedd bachgen ifanc â sosban ar ei ben! Dyma'r tro cynta iddyn nhw weld Joni Hadaufale. Na, nid dyna ei enw iawn. Joni Chapman oedd ei enw ac roedd yn byw tua'r amser yr enillodd yr Unol Daleithiau ei hannibyniaeth.

Yn ddyn ifanc, symudodd o'r dwyrain i'r Gorllewin Gwyllt. Ar ei ffordd casglodd lwyth o galonnau afalau oedd wedi cael eu defnyddio i wneud seidir. Ei syniad oedd defnyddio'r hadau i blannu perllannau newydd ar erwau tir agored y gorllewin. Dyma'r Joni Hadaufale a welon nhw'n rhwyfo i lawr yr afon Ohio.

Do, fe blannodd Joni berllannau o hadau afalau. Gan fod ganddo ddigon dros ben, teithiodd o gwmpas yr ardal yn plannu'r hadau. Hefyd helpodd ffermwyr a oedd yn cael trafferth gyda'u coed. Sylweddolodd y ffermwyr fod Joni yn deall planhigion a bod ganddo lawer o wybodaeth a phrofiad. Daethpwyd i'w adnabod ar draws y Gorllewin fel Joni Hadaufale, meddyg planhigion. Teithiodd gannoedd o filltiroedd yn gwella heintiau ar blanhigion.

Lledaenodd storïau ar hyd a lled y wlad am y Joni rhyfedd hwn â'r sosban ar ei ben a oedd yn plannu perllannau o goed afalau ac yn hau llysiau iachusol i wella salwch a heintiau.

Roedd Joni yn hoffi darllen y Beibl a gwrando ar bregethwyr. Un bore Sul holodd y pregethwr,

"Pwy sy'n byw fel y Cristnogion cynnar heddiw? A phwy sy'n edrych yn debyg iddyn nhw heddiw?"

Neidiodd Joni ar ei draed a gweiddi, "Y fi!"

Roedd gan yr Indiaid barch mawr at Joni hefyd. Am i'r dyn gwyn yrru'r Indiaid o'u tir hela, roedd yr Indiaid yn casáu'r dyn gwyn. Ond chafodd Joni ddim niwed ganddyn nhw wrth iddo deithio dros eu tiroedd. Iddyn nhw roedd Joni'n feddyg. Gweithiodd i ddod â heddwch rhwng yr Indiaid a'r sefydlwyr newydd.

Bu farw Joni Hadaufale yn saith deg dwy oed. Wrth deithio i drin perllan a oedd wedi cael niwed mewn storm, daliodd haint. Roedd pawb yn drist o golli dyn mor fwyn a charedig. Tra oedd eraill wedi bod yn dinistrio bywyd, roedd Joni wedi gwella bywyd pobl. Does dim gwell nod i anelu ato mewn bywyd.

TYRD IESU GRIST (MWY O GLAP A CHÂN RHIF 69)

Ein Tad, ar ddiwedd blwyddyn, rydyn ni'n diolch i Ti am fod gyda ni ar hyd y daith eleni. Bendithia ni wrth i ni symud i mewn i flwyddyn ysgol newydd arall. Bendithia ein hathrawon, eu gwaith a'u hamynedd wrth iddyn nhw geisio ein dysgu.

Helpa ni ddysgu mwy amdanat Ti wrth i ni dyfu a symud o'r naill gam i'r llall. Cadwodd Joni ei olwg arnat Ti beth bynnag roedd e'n ei wneud a ble bynnag roedd e'n mynd. Maddau i ni ein bod yn anghofio yn rhy aml amdanat Ti. Diolch i Ti am fod gyda ni. Bendithia ni a dysga ni fod yn fwy teyrngar i Ti, trwy Iesu Grist ein Harglwydd, Amen.

GWAITH TRAWSGWRICWLAIDD

- Edrychwch ar fap o'r Unol Daleithiau a chwiliwch am yr afon Ohio.
- Tynnwch lun o Joni Hadaufale.
- Cadwch galonnau afalau a'r hadau a cheisiwch eu plannu.
- Fyddech chi'n hoffi byw bywyd tebyg i Joni Hadaufale? Trafodwch.

THEMA

Mae'n ddiwedd blwyddyn ysgol ac yn garreg filltir yn eich hanes. Byddwch yn cychwyn ar daith arall. Nawddsant teithiwyr yw Sant Christopher. Mae calendar yr Eglwys yn cofio amdano ar Orffennaf 25ain.

UN CAM BYCHAN (MWY O GLAP A CHÂN RHIF 81)

SALM 23

HANES SANT CHRISTOPHER

Roedd Offero yn ddyn rhyfeddol o gryf. Roedd mor gryf fel y gallai dynnu coeden allan o'r ddaear a gallai wasgu dyn i farwolaeth ag un llaw. Ond fyddai Offero byth yn gwneud niwed i ddryw bach hyd yn oed. Dyn caredig a thyner oedd e.

Sylweddolodd yn fuan iawn nad y Brenin roedd yn ymladd drosto oedd y brenin cryfaf yn y byd. Felly aeth i chwilio am frenin arall. Yna un diwrnod, pan oedd Offero allan yn marchogaeth gyda'r brenin gwelodd e'n edrych draw at y bryn ac yna'n troi ei gefn ar y groesbren oedd yno.

"Oes arnat ti ofn tamaid o groesbren?" gofynnodd Offero.

"Nid y groesbren sy'n fy nychryn ond yr Un a fu farw arni," atebodd y Brenin.

Gadawodd Offero ar unwaith ac aeth i chwilio am y brenin hwn oedd mor gryf fel bod ar y Brenin ei ofn.

Cyn hir, daeth at lan afon fawr lydan lle roedd meudwy yn byw. Gofynnodd Offero ble y gallai ddod o hyd i'r brenin a oedd ar y groesbren.

"Ym mhobman!" atebodd y meudwy. "Ac os wyt am ei wasanaethu Ef, bydd rhaid i ti blygu glin iddo."

"Mae gen i nerth anghyffredin," atebodd Offero. "Dangos i mi sut y galla i ei wasanaethu Ef."

Aeth y meudwy ag Offero i lawr i'r fan lle roedd hi'n bosibl croesi'r afon fawr wyllt a dywedodd wrtho am fyw yno. Pan fyddai teithwyr yn dod gallai eu cario dros yr afon yn ddiogel i'r ochr draw. Bu'n cario teithwyr ar draws yr afon ddydd ar ôl dydd a nos ar ôl nos a gwnaeth hynny'n llawen a gyda gofal mawr.

Yna, un noson stormus iawn ag Offero yn meddwl na fyddai unrhyw deithiwr yn mentro allan ar noson mor erchyll, clywodd rywun yn crio,

"Offero, Offero! Wnei di fy nghario dros yr afon?"

Allai e ddim â chredu fod neb yno. Aeth allan yng ngolau ei lantarn i ganol y storm ac yno roedd plentyn bach yn disgwyl amdano i groesi'r afon. Cododd y plentyn yn ei freichiau cyhyrog ac aeth i mewn i'r afon, gan feddwl mai gorchwyl hawdd fyddai cario rhywun mor ysgafn. Ond wrth iddo fynd ymhellach o'r lan, teimlodd fod pwysau'r bachgen yn teimlo'n drymach a thrymach. Daeth y dŵr i fyny at ei ysgwyddau ac roedd Offero'n amau a allai gyrraedd y lan yr ochr draw. O'r diwedd llwyddodd i gyrraedd yn ddiogel ond blinedig iawn. Rhoddodd y plentyn yn ofalus ar y lan.

"Pwy wyt ti?" holodd Offero, "Petai'r byd i gyd ar fy ysgwyddau allet ti ddim bod yn drymach."

Tawelodd y storm y funud honno ac meddai'r plentyn,

"Rwyt ti wedi cario byd ar dy ysgwyddau. Rwyt ti wedi cario'r Un a fu ar y grocbren. Gan dy fod ti wedi bod mor garedig wrth y gwan ac wedi cario Crist ar dy ysgwyddau, cei dy alw o hyn allan yn Christopher sef yr un sy'n cario Crist."

Roedd Christopher yn gwybod ei fod wedi dod o hyd i'r Brenin cryfaf ac fe'i gwasanaethodd weddill ei oes.

IESU SY'N RHOI EI GARIAD
(MWY O GLAP A CHÂN RHIF 74)

Diolchwn i Ti, Ein Tad am dy ofal a'th fendithion droson ni yn ystod y flwyddyn ysgol hon. Diolch am fedru dysgu, a medru chwarae a mwynhau a bod gyda ffrindiau. Diolch am athrawon ac am rieni a theulu cariadus.

Bydd gyda phawb wrth i un bennod gau ac un arall agor yn ein bywydau. Diolch i Ti am fod yn Dad hawdd ei gael bob amser. Gofynnwn hyn yn enw Iesu Grist. Amen.

GWAITH TRAWSGWRICWLAIDD

- Trafodwch sut rydych chi'n teimlo ar ddiwedd blwyddyn ysgol. Beth rydych chi'n ei gofio?
- Beth yw eich gobeithion am y dyfodol?
- Tynnwch lun golygfa o stori Offero.
- Ysgrifennwch lythyr yn diolch i'r ysgol.

Mynnwch gopïau o lyfrau Clap a Chân sy'n cyd-fynd â'r gwasanaethau

£8.95

£8.95

Hefyd gan Y Lolfa

£6.95